Loretta Chase

Elle est devenue la reine incontestée de la romance de type Régence dans les pays anglophones, notamment avec le fameux *Lord of Scoundrels*, véritable phénomène éditorial, que les Éditions J'ai lu ont eu l'immense plaisir d'offrir aux lectrices françaises sous le titre *Le prince des débauchés*. Surnommée la Jane Austen des temps modernes, Loretta Chase, passionnée d'histoire, situe ses récits au début du XIXe siècle. Elle a renouvelé la romance avec des héroïnes déterminées et des héros forts, à la psychologie fouillée. Dans un style alerte et plein d'humour, elle sait analyser avec finesse les profondeurs de l'âme et de la passion. Elle a remporté deux Rita Awards.

Le dernier des débauchés

Du même auteur
aux Éditions J'ai lu

LADY SCANDALE

N° 9213

NE ME TENTE PAS

N° 9312

LES CARSINGTON

1. IRRÉSISTIBLE MIRABEL

N° 8922

2. UN INSUPPORTABLE GENTLEMAN

N° 8985

3. UN LORD SI PARFAIT

N° 9054

4. APPRENDS-MOI À AIMER

N° 9123

5. LADY CARSINGTON

N° 9612

LES DÉBAUCHÉS

1. LA FILLE DU LION

N° 9621

2. LE COMTE D'ESMOND

N° 9304

3. LE PRINCE DES DÉBAUCHÉS

N° 8826

4. LE DERNIER DES DÉBAUCHÉS

N° 9831

LORETTA
CHASE

LES DÉBAUCHÉS

Le dernier des débauchés

Traduit de l'américain
par Anne Busnel

Titre original :
THE LAST HELLION

Éditeur original
Avon Books, an Imprint of HarperCollins Publishers,
New York

Prologue

Longlands, Northamptonshire
Septembre 1826

Les ducs d'Ainswood avaient pour nom de famille Mallory. Selon les généalogistes, ce patronyme d'origine normande remontait au XIIe siècle. Pour certains, il signifiait « malheureux », pour d'autres, « malchanceux ». Une chose était cependant certaine lorsqu'on étudiait l'histoire de la famille : « Mallory » rimait avec « Ennuis ».

Qu'ils soient morts dans la fleur de l'âge ou qu'ils aient vécu centenaires, les ancêtres du duc avaient un point commun : canailles, bagarreurs et fauteurs de trouble, ils avaient tous mené une existence tumultueuse. Ils n'y pouvaient rien, c'était de naissance.

Mais les temps changeaient.

Peu à peu ces trublions s'étaient assagis. Le quatrième duc, un vieux brigand mort une dizaine d'années plus tôt, avait été le dernier représentant de cette turbulente dynastie.

Lui avait succédé une nouvelle race de Mallory, plus civilisée, voire vertueuse.

Il y avait certes une exception : le fils unique du plus jeune frère du quatrième duc.

Vere Aylwin Mallory était un vrai vaurien. Le plus grand des Mallory, avec son mètre quatre-vingt-dix ; le plus beau aussi, prétendaient certains ; et assurément le plus intenable.

Comme son père, il avait d'épais cheveux châtains, et comme ses aïeux, il avait dans ses yeux verts cette petite flamme insolente, véritable invite au péché qui avait causé la perte de tant de femmes.

À près de trente-deux ans, il avait déjà perdu plusieurs fois son âme.

En cette triste journée, il traversait les bois qui s'étendaient sur son domaine de Longlands, la propriété de campagne des ducs d'Ainswood. Il se rendait au *Lièvre Roux*, la taverne du village voisin.

De sa voix de baryton, il chantait les paroles d'une homélie funèbre sur l'air d'une chanson paillarde. Il avait assisté à tant de funérailles au cours des dix années écoulées qu'il connaissait les mots par cœur, du « Je suis la résurrection et la vie » jusqu'à l'ultime « Amen ».

— Car il a plu à Dieu Tout-puissant de rappeler à Lui l'âme de notre cher frère...

Sa voix se brisa sur le mot « frère », tandis qu'une douleur aiguë lui vrillait la poitrine. Il s'arrêta, prit appui contre le tronc d'un arbre.

Dents serrées, il attendit que la vague passe. Les yeux secs. Dieu sait qu'il avait versé des larmes depuis la mort de son cousin Charlie, cinquième duc d'Ainswood, survenue sept jours plus tôt. Mais c'était fini.

À présent Charlie reposait dans le caveau familial, en compagnie de tous ceux que « Dieu s'était plu à rappeler à Lui ».

Cette succession de deuils avait commencé avec le décès du quatrième duc.

Celui-ci avait été comme un père pour Vere, qui avait perdu ses parents à l'âge de neuf ans. La mort avait ensuite emporté les deux frères aînés de Charlie, leurs fils, leurs épouses, plusieurs filles, ainsi que la femme de Charlie et leur fils aîné.

La perte de Charlie avait été la plus douloureuse. Ce dernier n'était pas seulement son cousin préféré, mais aussi l'un des trois hommes sur terre que Vere considérait comme ses frères.

Les deux autres étaient Roger Barnes, vicomte de Wardell, et Sebastian Ballister, quatrième marquis de Dain.

Ce dernier, un géant brun surnommé lord Belzébuth, était de l'avis de tous une affreuse souillure sur le blason des Ballister.

Depuis Eton, Dain, Wardell et Vere avaient fait les quatre cents coups ensemble. Mais Wardell avait trouvé la mort dans une bagarre d'ivrognes six ans plus tôt. Et Dain, qui avait quitté l'Angleterre quelques mois plus tard, semblait s'être définitivement installé à Paris.

De la branche principale de la famille Mallory ne subsistait désormais qu'un seul représentant du sexe masculin, en dehors de Vere lui-même : Robin, le fils cadet de Charlie qui, à neuf ans, était désormais le sixième duc d'Ainswood.

Charlie laissait également deux filles – mais qui se souciait des femelles ? Par testament, il avait désigné Vere pour être le tuteur de ses enfants au cas où il lui arriverait malheur. Ce qui ne signifiait pas, Dieu merci, que Vere devrait les élever ! Aussi loyal fût-il, Charlie n'était pas aveugle au point de lui confier l'éducation de trois orphelins innocents.

C'est donc l'une des sœurs de Charlie, Dorothy, elle-même mariée et mère d'une nombreuse progéniture, qui s'en chargerait.

En d'autres termes, ce rôle de tuteur était purement honorifique, ce qui était aussi bien car Vere n'avait pas accordé une seule pensée à ses pupilles depuis son arrivée à Longlands une semaine plus tôt, juste à temps pour voir Charlie passer de vie à trépas.

L'horrible prédiction de son oncle, faite dix ans plus tôt sur son lit de mort, semblait s'accomplir.

— Je l'ai vue lorsqu'ils se sont rassemblés autour de moi. Je les ai vus défiler les uns après les autres. Les malheureux. *Il naît, il est coupé comme une fleur*[1]. Deux de mes frères ont été fauchés bien avant ta naissance. Puis ce fut le tour de tes parents. Et aujourd'hui j'ai vu mes fils, Charles, Henry et William. Ils flottaient, comme des ombres. Que vas-tu donc devenir, mon garçon ?

À l'époque, Vere avait pris ces propos pour les élucubrations d'un homme qui n'avait plus toute sa tête. Il savait aujourd'hui qu'il n'en était rien.

Comme des ombres.

— Bon sang, vous aviez raison, mon oncle, murmura-t-il en s'écartant de l'arbre. Vous faites un satané prophète.

Il poursuivit son chemin en chantant avec plus de vigueur encore, adressant à l'occasion des regards de défi au ciel. Vere Mallory cherchait toujours la cogne, que ce soit avec ses congénères mortels ou Dieu Lui-même.

Pourtant nulle colère divine ne s'abattit sur sa tête. Le ciel l'ignorait. Il s'apprêtait à entonner une autre prière lorsqu'un craquement dans son dos l'avertit que quelqu'un s'approchait en courant.

Il se tourna… et vit le fantôme.

Ce n'était pas un vrai fantôme bien sûr, mais Robin, qui ressemblait tellement à son père, que Vere ne supportait pas sa vue.

---

1. Le livre de Job chapitre 14, verset 2. *(N.d.T.)*

Depuis une semaine, il avait réussi à l'éviter. Mais là, il n'y avait pas d'échappatoire possible.

Impossible d'ignorer non plus cette boule de chagrin qui enflait en lui. Et de rage aussi, parce que, à sa grande honte, il ne pouvait s'empêcher d'en vouloir à l'enfant d'être encore en vie quand son père ne l'était plus.

Il le fixa d'un œil si dur que le garçon s'immobilisa à quelques pas.

Tout à coup son visage s'empourpra, un éclair traversa son regard, puis il se précipita sur Vere tête la première, le percutant en plein estomac.

Vere avait beau avoir des abdominaux d'acier, Robin se mit à le bourrer de coups de poing. Indifférent à leur différence d'âge, de taille et de poids, le jeune duc s'attaquait à son cousin tel un minuscule David s'efforçant de faire tomber Goliath.

Les autres membres de la famille Mallory – ceux qui étaient civilisés – n'auraient pas su quoi faire face à cette agression infondée. Mais Vere n'était pas civilisé. Il comprenait.

Tandis que les coups maladroits pleuvaient, il attendit, tout comme l'avait fait le quatrième duc des années plus tôt, lorsque Vere, petit orphelin désespéré, s'était déchaîné sur lui après la perte de ses parents.

Quand fondre en larmes est hors de question, il ne reste plus que la violence.

Robin continua de se défouler contre ce pilier humain inébranlable, jusqu'à ce que, épuisé, il s'effondre à terre.

La rancœur et la colère de Vere s'étaient envolées. Il aurait voulu se détourner de l'enfant avec indifférence et poursuivre son chemin, mais ce n'était pas possible. Robin était le fils de Charlie.

Il devait être vraiment désespéré pour avoir échappé à la surveillance des adultes et traversé un bois hostile, seul, pour retrouver son dépravé de cousin.

À l'évidence, il attendait quelque chose de sa part. Mais quoi ?

Quand la respiration de l'enfant eut retrouvé un rythme à peu près normal, Vere le hissa sur ses pieds d'un mouvement brusque.

— Tu ne devrais pas t'approcher de moi, tu sais. J'ai une très mauvaise influence. Demande à tes tantes.

— Elles pleurent, marmonna Robin, les yeux fixés sur ses souliers. Elles n'arrêtent pas de pleurer et de chuchoter.

— Je sais, c'est insupportable.

Vere se pencha pour épousseter le manteau du garçon. Celui-ci releva la tête et le regarda… avec les yeux de Charlie. Un Charlie plus jeune, plus candide. Vere sentit ses propres yeux le picoter. Il se redressa, s'éclaircit la voix, puis :

— Moi non plus, je n'avais pas envie de rester. Je pensais me rendre à… Brighton.

Sans doute était-il fou. Mais c'est vers lui que le garçon avait couru, et Charlie n'avait jamais laissé tomber Vere. Sauf quand il était mort.

— Ça te dirait de m'accompagner ?

— À Brighton ? Là où se trouve le Pavillon Royal ?

Il faisait allusion à l'édifice érigé sur ordre du roi George IV, qui avait apparemment confondu « villa de bord de mer » avec « palais pharaonique ».

— La dernière fois que j'ai regardé, il s'y trouvait, acquiesça Vere, qui commença à rebrousser chemin en direction de la maison.

Son pupille lui emboîta le pas, et fut obligé de courir pour rivaliser avec ses grandes enjambées.

— Cousin Vere, est-ce qu'il est aussi extraordinaire qu'on le dit ? Est-ce vrai qu'il ressemble au palais des Mille et Une Nuits ?

— Je pensais partir demain à la première heure. Tu pourras juger par toi-même.

Si cela n'avait tenu qu'à Robin, ils seraient partis sur-le-champ.

Bien entendu, les sœurs de Charlie et leurs époux poussèrent les hauts cris. Mais, comme Vere le leur rappela, il n'avait pas à leur demander la permission. Il était le tuteur légal de Robin, et en tant que tel il avait parfaitement le droit d'emmener le garçon à Brighton – ou même à Bombay si ça lui chantait.

Ce fut Robin qui régla le problème. Au beau milieu de la discussion, un fracas s'éleva dans l'escalier. Les membres de la famille se précipitèrent dans le grand hall pour découvrir le jeune duc qui ahanait, traînant derrière lui une énorme malle.

Vere pivota vers Dorothy, la plus jeune sœur de Charlie, qui s'était montrée la plus virulente dans ses protestations :

— Là, vous voyez ? Il est pressé de partir. Vous êtes trop sinistres avec vos larmes, vos chuchotements et vos habits de grand deuil. Vous ne comprenez donc pas qu'il préfère être avec moi parce que je parle normalement, que je suis grand et capable de tenir tête aux monstres qui lui font peur.

Dorothy finit par capituler, et les autres l'imitèrent. Il ne s'agissait que de deux semaines, après tout. Même quelqu'un d'aussi immoral que Vere Mallory ne pouvait corrompre l'âme d'un enfant en un si court laps de temps.

Vere se moquait de l'âme du gamin, qu'il comptait bien ramener quinze jours plus tard. Il n'allait pas se poser en figure tutélaire, il avait conscience de ne pas être taillé pour ce rôle. Il n'avait pas d'épouse – et n'avait nulle intention d'en chercher une – pour contrebalancer ses manières de rustre. Sa domesticité se limitait à un valet, son fidèle Jaynes, qui avait l'aménité d'un porc-épic victime d'aigreurs d'estomac. Sans compter que, depuis qu'il avait quitté les bancs d'Oxford, Vere n'avait jamais eu de domicile fixe. Comment élever un enfant dans ces conditions ? Surtout un enfant promis à régir un grand duché.

Pourtant un mois passa. Puis deux. De Brighton, ils se rendirent dans le Berkshire, dans le Val du Cheval Blanc, afin d'admirer les dessins gravés dans le flanc calcaire de la colline. De là, ils allèrent visiter Stonehenge, puis descendirent sur la côte Sud explorer les multiples criques prisées par les contrebandiers.

Le temps se rafraîchit. L'hiver vint, puis fut détrôné par le printemps.

Les lettres se mirent alors à affluer. Dorothy et les autres lui rappelaient que l'éducation de Robin ne pouvait être traitée à la légère, qu'il manquait à ses sœurs, et qu'à force de mener cette vie de nomade, il risquait d'avoir beaucoup de mal à se réadapter à une existence normale.

Tout cela était vrai. Et la conscience de Vere lui disait que Robin avait besoin d'une véritable famille, de stabilité, d'un foyer. Il devait ramener l'enfant à Longlands, c'était l'évidence.

Là-bas, l'atmosphère avait heureusement changé. Dorothy et son mari s'étaient installés dans la demeure avec leurs enfants et les sœurs de Robin. La maison résonnait de rires et de chansons. Les vêtements de crêpe et de basin noirs avaient été remplacés par les couleurs moins lugubres du demi-deuil, le gris, le violet.

De son côté, Vere avait fait son devoir. Il avait chassé les monstres, c'était indéniable. À peine arrivé, Robin se joignit à ses cousins pour pourchasser les filles dans le parc. Et quand vint l'heure des adieux, il ne montra aucun signe d'affolement. Il ne se mit pas en colère, ne se jeta pas sur Vere pour le bourrer de coups. Il promit de lui écrire régulièrement et lui arracha la promesse qu'il reviendrait fin août, afin de célébrer son dixième anniversaire.

Mais Vere revint bien avant l'anniversaire. Trois semaines à peine s'étaient écoulées lorsqu'il regagna Longlands de toute urgence.

Le sixième duc d'Ainswood avait attrapé la diphtérie.

On connaissait mal cette maladie, répertoriée pour la première fois en France cinq ans plus tôt. Ce dont on était sûr, c'était qu'elle était hautement contagieuse.

Les sœurs de Charlie le supplièrent. Leurs maris tentèrent de le raisonner, mais Vere était plus fort qu'eux et, dans son état de furie, aucune armée n'aurait pu s'interposer entre la chambre et lui.

Il chassa l'infirmière, donna un tour de clé et alla s'asseoir près du lit.

— Tout va bien, Robin, murmura-t-il en prenant dans sa grande pogne la main de son filleul. Je suis là. Je vais me battre pour toi. Laisse-moi prendre le relais, tu veux ? Donne-moi cette fichue maladie que je me la collette. J'ai la force qu'il faut, fiston.

La petite main ne réagit pas.

— Robin, je t'en prie, donne-la-moi, implora Vere, ravalant les sanglots inutiles qui lui déchiraient la gorge. Il est trop tôt pour toi, tu le sais bien. Tu as à peine commencé ta vie. Tu n'as encore rien vu du monde…

Les paupières du jeune duc papillotèrent et une brève lueur s'alluma dans son regard vitreux lorsqu'il reconnut son tuteur. L'espace d'un instant, l'ombre d'un sourire effleura ses lèvres.

Puis ses yeux se refermèrent.

Vere eut beau parler, plaider, argumenter, cramponné à la petite main inerte, il ne parvint pas à extirper la maladie pour la faire passer du corps de Robin au sien. Comme il l'avait fait si souvent, il ne put qu'attendre. Et regarder.

Ce ne fut pas long.

En moins d'une heure, alors que le crépuscule cédait doucement la place à la nuit, la vie du garçon s'échappa et s'enfuit… comme une ombre.

1

Londres,
Mercredi 27 août 1828

— Je vais les traîner en justice ! beuglait Angus Macgowan. Il y a des lois dans ce royaume, on ne peut pas calomnier les gens comme ça ! Si ce n'est pas de la diffamation ça, je suis une couille de taureau !

L'énorme mastiff au pelage noir qui somnolait devant la porte fermée considéra avec curiosité l'homme rubicond qui s'époumonait derrière son bureau. Puis, estimant que celui-ci ne représentait pas de danger pour sa maîtresse, le molosse reposa la tête sur ses pattes et continua son somme.

Ladite maîtresse se nommait Lydia Grenville et avait vingt-huit ans. Elle enveloppa son rédacteur en chef d'un regard aussi impavide que celui de sa chienne. Il en fallait d'autres pour l'impressionner.

Avec ses yeux bleus, ses cheveux blonds et son mètre quatre-vingts, elle n'avait rien d'une petite chose fragile. Son corps était aussi souple et robuste que son esprit était affûté.

Quand Macgowan jeta sur le bureau l'objet de son courroux, elle se contenta de le ramasser sans mot dire. Il s'agissait d'un exemplaire de la *Revue de Bellweather*. Comme dans le numéro précédent, le journal consacrait plusieurs colonnes de sa une à condamner le dernier combat journalistique de Lydia :

*Une fois de plus, la bien nommée Valkyrie de l'*Argos *a décoché ses traits empoisonnés sur les innocents paroissiens de notre ville. Libérant dans l'atmosphère sa parole fétide et toxique, telles de nauséabondes vapeurs qui pénètrent et corrompent les esprits de manière insidieuse, cette Gorgone malfaisante ose plonger les âmes vertueuses dans l'abysse incommensurable de la dépravation humaine, si tant est qu'on puisse accorder une once d'humanité aux misérables créatures flétries dont elle s'est fait le porte-parole...*

Lydia fit une pause.

— On n'y comprend rien, commenta-t-elle. Il faut lui offrir un manuel de style, à cet homme. Cela dit, on ne peut pas intenter un procès parce qu'il écrit comme un pied. Ni pour manque d'originalité. Si ma mémoire est bonne, c'est la *Revue d'Édimbourg* qui m'a appelée la Valkyrie en premier. Et à ma connaissance, personne n'a breveté le surnom.

— Ce sont des insultes calomnieuses ! Dans le paragraphe suivant, il insinue que vous êtes une enfant illégitime et qu'une enquête sur votre passé révélerait que... que...

— *... si cette sulfureuse virago a tant d'accointances parmi la lie féminine qui bat le pavé londonien, vautrée dans les miasmes du vice et des maladies vénériennes, c'est sans nul doute qu'elle-même a connu cette fange immonde*, enchaîna Lydia, reprenant sa lecture à voix haute.

— Calomnies ! mugit Angus en abattant le poing sur la table.

— Voyons, il sous-entend simplement que je suis une ancienne prostituée. Harriet Wilson était une cocotte, et cela ne l'a pas empêchée de vendre ses mémoires. Si M. Bellweather l'avait insultée par voie de presse, j'imagine qu'elle aurait fait fortune. Grâce à Bellweather et à ses roquets, nous avons triplé nos ventes et dû augmenter notre tirage. Le numéro précédent de l'*Argos* a été épuisé en deux jours. Celui d'aujourd'hui sera introuvable à l'heure du thé. Plutôt que de traîner M. Bellweather en justice, nous devrions lui adresser nos remerciements pour ce coup de pouce inespéré.

Angus se laissa tomber dans son fauteuil et marmonna :

— Bellweather a des amis haut placés au gouvernement et dans l'entourage du ministre de l'Intérieur. Ces gens ne sont pas exactement vos amis, Lydia.

Lydia savait parfaitement qu'elle avait hérissé quelques plumes dans ce poulailler-là. Dans la première des deux séries d'articles qu'elle avait consacrés à la situation des jeunes prostituées, elle avait suggéré la dépénalisation de la profession, ce qui aurait permis à la Couronne de contrôler le commerce de la chair, comme cela se faisait à Paris, par exemple. Cela permettrait au moins de réduire les violences infligées à ces femmes, avait-elle argumenté.

— Peel[1] devrait me remercier, observa-t-elle. Ma proposition a déclenché un tel tollé qu'en comparaison, sa suggestion de créer une force de police métropolitaine est apparue tout à fait raisonnable à ces mêmes gens qui, il y a peu, hurlaient qu'il s'agissait d'une conspiration pour écraser le bon peuple sous la botte de la tyrannie. Si nous avions une police digne de ce nom, notre ennemie jurée se serait fait pincer depuis longtemps.

L'ennemie en question s'appelait Coralie Brees. C'était une redoutable maquerelle débarquée du

1. Sir Robert Peel (1788-1850), ministre de l'Intérieur puis Premier Ministre britannique. *(N.d.T.)*

Continent six mois plus tôt. Pour obtenir le témoignage des filles qui travaillaient pour elle, Lydia avait promis de ne pas révéler son identité dans ses articles. Cela n'aurait de toute façon guère servi la cause de la justice. Les souteneurs et maquerelles étaient passés maîtres dans l'art d'échapper aux autorités. Ils changeaient de nom comme de chemise – comme l'avait fait le propre père de Lydia afin d'échapper à ses créanciers –, et à la moindre alerte, disparaissaient tels des rats dans une ruelle.

Dans ces conditions, comment s'étonner que les policiers aient du mal à suivre ? D'ailleurs ils n'essayaient même pas. Selon certaines estimations, Londres comptait plus de cinquante mille prostituées. Nombre d'entre elles avaient moins de seize ans. Chez Coralie, la plus âgée en avait dix-neuf.

— Mais vous, vous l'avez vue. Pourquoi n'avez-vous pas lâché votre cerbère sur elle ? demanda Angus en désignant le mastiff.

— À quoi bon la traîner au tribunal si personne n'a le courage de témoigner contre elle ? À moins de la prendre sur le fait – et elle se montre plus que prudente –, nous n'aurons rien contre elle. Ni preuves, ni témoins. Et ma douce Brigitte ne pourrait rien faire pour nous aider, à part l'estropier ou la mettre en pièces.

La chienne ouvrit un œil en entendant son nom.

— Et comme elle n'obéit qu'à moi, poursuivit Lydia, je serais emprisonnée pour coups et blessures, voire pendue pour meurtre. Et il n'est pas question que cette sale perverse m'envoie à la potence !

Elle rendit la *Revue de Bellweather* à son rédacteur, puis sortit sa montre de gousset, qui avait appartenu à son grand-oncle, Stephen Grenville. Sa femme Euphemia et lui avaient recueilli Lydia à l'âge de treize ans. Ils étaient morts l'automne précédent, à quelques heures d'intervalle.

Si Lydia avait éprouvé une affection réelle pour eux, elle ne regrettait pas la vie qu'elle avait menée auprès d'eux. Superficiels, incultes et brouillons, ils n'avaient aucune aspiration intellectuelle et étaient incapables de rester plus de quelques mois au même endroit. Dans leurs bagages, Lydia était passée de Lisbonne à Damas, en faisant étape dans presque chaque pays des rivages sud de la Méditerranée.

Elle devait néanmoins admettre que sans cette vie de nomade, elle ne serait jamais devenue journaliste.

Un vague sourire lui vint aux lèvres au souvenir des circonstances dans lesquelles elle avait commencé la rédaction de son journal, après que son père l'eut abandonnée aux mains incompétentes de Stephen et d'Euphemia.

À treize ans, Lydia avait de la grammaire une approche très personnelle et une orthographe abominable. Mais Quith, le valet des Grenville, lui avait enseigné l'histoire, la géographie, les mathématiques et, plus important, la littérature. Il l'avait encouragée à écrire et elle avait fait de son mieux pour le remercier. Tout d'abord en lui offrant, le jour où il avait pris sa retraite, le petit pécule que Stephen lui avait constitué en guise de dot.

Ce n'était pas un grand sacrifice. Lydia ne voulait pas se marier, elle voulait devenir écrivain. Ainsi, libre de toute obligation pour la première fois de sa vie, elle était partie pour Londres, emportant ses récits de voyage déjà publiés dans quelques périodiques anglais et européens, ainsi que son « héritage », à savoir quelques babioles léguées par Stephen et Euphemia.

La montre de gousset était tout ce qui restait de ce bric-à-brac. Le jour où Angus Macgowan l'avait engagée, Lydia ne s'était pas donné le mal de récupérer les autres bricoles mises au Mont-de-piété durant ses premiers mois difficiles dans la capitale. Elle avait préféré dépenser son salaire en choses utiles. Dont un cabriolet et le cheval qui allait avec.

Si Lydia avait pu se permettre une telle folie, c'est qu'elle percevait une rémunération plus que correcte. À son arrivée à Londres, elle s'était crue vouée aux chiens écrasés et autres faits divers, payés un penny la ligne. Mais la chance avait tourné en sa faveur. Au début du printemps, elle avait franchi le seuil de l'*Argos*, un journal au bord de la faillite et dont le rédacteur en chef, Angus Macgowan, en était réduit aux dernières extrémités pour tenter de survivre. Comme embaucher une femme.

Lydia fourra la montre dans la poche de sa jupe et revint au présent.

— Je dois y aller, annonça-t-elle. J'ai rendez-vous avec Joe Purvis dans une demi-heure pour discuter des illustrations du prochain chapitre de ce maudit feuilleton.

— Ce ne sont pas ces critiques injurieuses qui font notre fortune, mais bien votre « maudit feuilleton », comme vous dites.

Depuis le mois de mai, l'*Argos*, qui paraissait deux fois par semaine, publiait les aventures de Miranda, l'héroïne de *La Rose de Thèbes*, au rythme de deux chapitres par numéro.

Seuls Angus et Lydia savaient que le nom de l'auteur – M. S. E. St Bellair – relevait lui aussi de la fiction.

Même Joe Purvis, l'illustrateur, ignorait que les rebondissements du feuilleton naissaient de l'imagination fertile de Lydia. Comme tout le monde, il était convaincu que le romancier était un célibataire endurci, vivant en reclus. Jamais il n'aurait soupçonné que Mlle Grenville, la journaliste la plus cynique de la rédaction de l'*Argos*, avait imaginé cette histoire fantaisiste pleine de péripéties romanesques.

Lydia elle-même n'aimait guère qu'on le lui rappelle.

— Ce n'est qu'un ramassis de bêtises à l'eau de rose, lâcha-t-elle.

— Peut-être, mais ces bêtises accrochent les lecteurs – surtout les femmes – qui en redemandent. Même moi, je me fais avoir, bon sang ! avoua Macgowan en se levant. Cette petite futée de Miranda... J'en parlais hier avec ma femme. Elle pense que cet idiot de Diablo devrait...

— Angus, coupa Lydia, j'ai accepté d'écrire ce feuilleton stupide à deux conditions. Primo, que personne ne se mêle de me donner son avis. Secundo, que mon anonymat soit scrupuleusement respecté. Si jamais la moindre fuite se produisait, je vous en tiendrais pour personnellement responsable, et tous les contrats que nous avons signés deviendraient alors nuls et non avenus, conclut-elle en le fixant d'un regard glacial.

Macgowan avait beau être un vieux lion, il en perdit contenance.

— C'est bon, Grenville, je serai plus discret à l'avenir, je vous le promets. La porte du bureau est épaisse, mais on ne sait jamais. Je suis tout à fait conscient de ce que je vous dois, et...

— Pour l'amour du ciel, inutile de me passer la brosse à reluire, vous me payez déjà suffisamment ! Au revoir, Macgowan.

Elle se dirigea vers la porte, appela sa chienne :

— Viens, Brigitte.

— Au revoir... Votre Majesté, acheva Mcgowan dans sa barbe quand la porte se fut refermée. Elle se prend vraiment pour la Reine d'Angleterre, celle-là. Mais bon, elle sait écrire, on ne peut pas lui retirer ça.

Que Mlle Grenville sût écrire, quantité de gens le pensaient. Il y en avait cependant un grand nombre parmi eux qui soutenaient que M. St Bellair écrivait encore mieux.

C'est ce qu'Archibald Jaynes était en train d'expliquer à son maître, le duc d'Ainswood.

Jaynes ne ressemblait pas à un valet. Avec sa silhouette longiligne, ses yeux noirs perçants et son nez bosselé à force d'avoir été cassé, il ressemblait à ces mauvais garçons qui traînaient du côté des champs de courses ou des rings de boxe. Il l'admettait lui-même : sous ses habits d'une élégance irréprochable, il n'était qu'un vaurien. Mais l'homme qu'il servait n'était pas non plus un gentleman.

Tous deux étaient attablés dans une auberge sans prétention, *Le Bœuf mode*, dans les environs plutôt mal famés de Drury Lane. Le duc ne fréquentait pas les endroits huppés. Après avoir englouti son ragoût, il s'était adossé à sa chaise avec un soupir repu. Ses cheveux, que Jaynes s'était donné tant de mal à peigner un peu plus tôt, étaient déjà en bataille. Sa cravate, qu'il fallait empeser chaque matin et plisser de manière compliquée, n'était plus qu'un chiffon. Et le reste de ses vêtements ne valait guère mieux. On aurait cru qu'il avait dormi avec.

Mais pour l'heure Jaynes ne se souciait pas de la garde-robe de son maître.

— *La Rose de Thèbes*, c'est cet incroyable rubis que l'héroïne a découvert dans le tombeau d'un pharaon où elle était coincée avec des serpents. C'est un récit d'aventures qui tient les lecteurs de l'*Argos* en haleine depuis le printemps, voyez-vous.

Le duc jeta un regard blasé sur l'exemplaire du journal posé sur la table.

— Dire que c'est pour ça que tu m'as traîné à l'aube dans ces librairies pleines de bonnes femmes. Et pas des plus agréables à regarder. Seigneur, je n'ai jamais vu autant de mémères au mètre carré que ce matin ! conclut le duc avec une grimace dégoûtée.

— Il est 14 h 30, objecta Jaynes. Vous ne savez pas ce que c'est que le matin. Quant à l'aube, elle se lève à peine lorsque vous rentrez à la maison en titubant. Personnellement, j'ai remarqué plusieurs minois tout à fait attrayants parmi les clientes. Mais bien sûr, si elles n'ont pas la figure tartinée de fards et les seins qui jaillissent du corset, vous ne les voyez pas.

— Mais je les entends, hélas ! marmonna Sa Grâce. Ça pépie, ça jacasse... Une vraie volière ! Et avec ça, toutes prêtes à s'arracher les yeux pour... quoi au juste ? Ah oui, l'*Argos*. « La vigie de Londres », soi-disant. Comme si le monde avait besoin d'autres scribouillards pontifiants de Fleet Street.

— Les bureaux de l'*Argos* sont sur le Strand, pas sur Fleet Stret. Et depuis que Mlle Grenville a rejoint la rédaction, le journal est devenu cette « vigie » dont il a fait son sous-titre. Souvenez-vous, dans la mythologie grecque, Argos était...

— Je préfère ne pas me souvenir de mes années d'école, coupa Ainswood en saisissant sa chope de bière. Quand ce n'était pas du latin, c'était du grec. Quand ce n'était pas du grec, c'était du latin. Et le reste du temps, des coups de badine.

— Quand ce n'était pas beuverie, tripots et maisons closes, marmotta Jaynes.

Il en savait quelque chose. Vere Mallory avait seize ans quand il était entré à son service. À l'époque, plusieurs Mallory mâles se dressaient entre le titre et lui. Le duché paraissait donc en parfaite sécurité. Mais entre-temps, tous ces héritiers présomptifs étaient morts. Et depuis la disparition du dernier, un garçon de neuf ans, le maître de Jaynes était devenu le septième duc d'Ainswood.

Loin de s'amender pour autant, il n'avait fait que s'enfoncer davantage dans la débauche.

D'une voix plus audible, Jaynes reprit :

— Argos avait cent yeux, rien ne lui échappait. La mission que s'est donnée le journal du même nom, c'est de tenir informée la populace en observant avec vigilance ce qui se passe dans la capitale et en le rapportant dans ses colonnes. À preuve, l'article qu'a écrit Mlle Grenville à propos de ces malheureuses jeunes filles…

— Je croyais qu'il n'y en avait qu'une ? L'idiote qui s'est fait enfermer dans un caveau avec des serpents. Et qui, je suppose, a été sauvée par un quelconque crétin énamouré.

Jaynes retint un soupir. Son maître était décidément obtus.

— Je ne parlais pas du feuilleton de St Bellair. Pour votre gouverne, sachez que son héroïne n'a eu besoin de personne pour s'échapper. Quoi qu'il en soit, je parlais…

— Ah bon ? Ne me dis pas qu'elle a charmé les serpents ?

— Je parlais du travail de Mlle Grenville. Ses articles sont très appréciés, en particulier des dames qui aiment se tenir informées.

— Dieu nous préserve des bas-bleus. Quand une femme n'est pas dûment astiquée là où il faut, il lui vient des idées bizarres, comme s'imaginer qu'elle est capable de *penser*.

Le duc vida sa chope, puis s'essuya la bouche d'un revers de main. Un barbare, se désola Jaynes. Qui aurait eu sa place parmi les hordes de Vandales qui avaient saccagé Rome autrefois. Et qui était devenu encore plus misogyne si possible depuis qu'il avait hérité du titre.

— Toutes les femmes ne sont pas des écervelées, persista le valet. Si vous preniez la peine de bavarder avec certaines dames de votre milieu plutôt que de vous complaire avec des putains analphabètes…

— Ce que j'attends d'une femme, une putain me le donne sans me demander rien d'autre que quelques pièces. Je ne vois pas une seule bonne raison de m'embêter à *parler* avec une *dame*.

— La bonne raison, c'est qu'il faudra bien vous trouver une duchesse un de ces jours.

— Bon sang, tu ne vas pas recommencer ! grogna le duc.

— Je vous rappelle que vous aurez bientôt trente-quatre ans. Sauf qu'au rythme où vont les choses, vos chances de fêter votre anniversaire sont quasiment nulles. Vous êtes duc, vous devez songer au titre, et le premier de vos devoirs consiste à engendrer un héritier.

Ainswood se leva brusquement. Les pieds de sa chaise raclèrent le sol.

— Pourquoi devrais-je songer au titre ? Je n'en voulais pas. Il a fallu qu'il remonte jusqu'à moi sournoisement, un enterrement après l'autre. Eh bien, qu'il continue son chemin. Qu'il passe donc à un autre pauvre diable quand j'aurai rejoint les autres !

Sur ce, le duc quitta la taverne à grands pas.

Quelques minutes plus tard, parvenu au bout de Catherine Street, Vere prit la direction des quais dans l'intention de s'offrir quelques chopines supplémentaires, histoire de se calmer les nerfs.

Comme il bifurquait dans le Strand, il remarqua un cabriolet qui arrivait à grande vitesse sur l'avenue. Il doublait les autres véhicules, se faufilait entre les charrettes, frôlait parfois les passants et les camelots.

Comme le cabriolet parvenait à sa hauteur, Vere entrevit le conducteur ; il s'agissait d'une femme, sanglée dans un manteau noir, et qui, son fouet à la main, encourageait le cheval à forcer l'allure. À côté d'elle était assis un gros chien noir du genre molosse.

Vere n'eut que le temps de retenir par l'épaule un passant qui s'apprêtait à traverser, avant de s'élancer derrière le véhicule.

Lydia jura en voyant ses proies filer dans Russel Court. La ruelle était trop étroite pour qu'elle puisse s'y engager avec son cabriolet, et si elle faisait le tour par Drury Lane, elle était sûre de les perdre.

Elle tira sur les rênes, sauta à terre, Brigitte sur les talons. Un garçon en guenilles se précipita vers elle.

Surnommé Tom-pépin-de-pomme – en raison de sa petite taille et de son penchant pour les pommes –, il faisait partie de son réseau d'informateurs.

— Deux shillings pour toi si tu t'occupes du cheval, Tom !

Puis, empoignant ses jupes, elle se précipita dans la ruelle.

— Vous, là ! cria-t-elle. Lâchez cette enfant !

À son côté, Brigitte lâcha un aboiement rauque qui se répercuta sur les murs des bâtiments. Coralie Brees jeta un coup d'œil par-dessus son épaule, avant de s'enfoncer dans Vinegar Yard, une venelle plus étroite encore, entraînant la fille derrière elle. Lydia ignorait de qui il s'agissait, sans doute une petite domestique tout juste débarquée de sa campagne pour tomber dans les griffes des maquerelles et souteneurs.

Lydia les avait repérées un peu plus tôt sur le Strand. La fille regardait autour d'elle, l'air désorienté, lorsque Coralie, vêtue comme une respectable dame patronnesse, l'avait abordée.

Si Coralie réussissait à entraîner la fille dans un des bordels environnants, Lydia ne pourrait plus rien pour elle.

Elle bifurqua à son tour dans la venelle, aperçut les deux femmes.

— Sauve-toi ! cria-t-elle à la fille.

Des voix masculines retentirent dans son dos, mais Brigitte s'était remise à aboyer, si bien que Lydia ne comprit pas ce que ces hommes voulaient. La fille se débattait, à présent, mais la vieille bique ne lâchait pas prise. Lydia les rejoignit au moment où Coralie levait la main pour frapper sa proie. L'épaule en avant, Lydia la percuta et l'envoya rebondir contre le mur.

Avant que Coralie retrouve son équilibre, Lydia tira la fille en arrière et ordonna à sa chienne :

— Garde !

Brigitte vint se poster au pied de la fille et émit un grondement sourd. Coralie, qui s'avançait, hésita, puis battit en retraite, le visage déformé par la fureur.

— Je vous conseille de retourner dans le trou puant d'où vous sortez, articula Lydia, son regard planté dans le sien. Si vous touchez à un seul des cheveux de cette petite, je vous fais accuser de tentative d'enlèvement.

— Ah oui, tu ferais ça ? Et qu'est-ce que tu lui veux à cette fille, pouffiasse ?

Lydia se tourna vers la fille dont le regard apeuré allait de l'une à l'autre. Manifestement elle ne savait qui croire.

— Je... je me suis fait attaquer, expliqua-t-elle d'une voix hachée. On a volé ma bourse et... et cette dame me conduisait...

— ... à ta perte, acheva Lydia.

À cet instant, un grand gaillard aux cheveux en bataille déboula dans Vinegar Yard, un autre homme sur ses talons. Des clampins commençaient à émerger des tavernes et des ruelles avoisinantes. Le coin commençait à devenir dangereux, mais Lydia n'avait pas l'intention d'abandonner la fille.

— Cette vipère t'entraînait dans les bas-fonds de Drury Lane, là où se trouvent tous ces charmants bordels – comme ces élégants messieurs pourront te le confirmer.

— Menteuse ! siffla Coralie. Je l'ai trouvée la première, de toute façon ! Je vais t'apprendre à venir braconner sur mon territoire.

Elle fit un pas en avant, mais le grondement menaçant de Brigitte l'arrêta dans son élan. Pas étonnant que cette femme terrifiât les filles qui travaillaient pour elle, songea Lydia. Elle devait être à moitié folle pour oser s'approcher aussi près de la chienne.

— Je vais compter jusqu'à cinq, répliqua-t-elle avec calme. Si vous n'avez pas disparu à ce moment-là, vous le regretterez, je vous le garantis. Un. Deux. Tr...

— Voyons, mesdames, du calme, intervint le grand gaillard, qui poussa un badaud pour les rejoindre. À quoi bon vous mettre dans cet état ? Et pourquoi ? Une poulette, que se disputent deux poules. Ce ne sont pourtant pas les poulettes qui manquent dans le coin, pas vrai ? On ne va pas déplacer la maréchaussée pour si peu. Voilà ce que nous allons faire, ajouta-t-il en sortant sa bourse. Je vous donne à chacune une livre et je vous débarrasse de cette petite.

Lydia identifia les intonations distinguées, mais l'indignation l'emporta sur l'étonnement.

— *Une livre ?* C'est donc tout ce que vaut une vie humaine à vos yeux ?

L'homme tourna un regard vert étincelant dans sa direction. Il la dépassait d'une dizaine de centimètres, ce qui n'était pas fréquent.

— Vu l'allure à laquelle vous menez votre cabriolet, vous ne donnez pas bien cher de la vie humaine, vous non plus, rétorqua-t-il. Il devrait y avoir une loi pour interdire aux femmes de conduire, ajouta-t-il à l'adresse des badauds. Celle-ci est un danger public.

— Hé, Ainswood, n'oubliez pas de le mentionner dans votre prochain discours à la chambre des Lords ! cria quelqu'un.

— Ma parole, il se prend pour le roi Salomon, rigola un autre. Et comme d'habitude, il tient la mauvaise jument par la queue ! Mamzelle Grenville, il faut éclairer la lanterne de Sa Grâce. Il vous confond avec la mère abbesse de Covent Garden.

— Rien d'étonnant, il a déjà confondu la marquise de Dain avec une cocotte, fit un autre.

Lydia comprit alors qui était le grand gaillard.

Au mois de mai dernier, le duc d'Ainswood, dans un état d'ébriété avancée, avait croisé dans une auberge le fameux lord Belzébuth, marquis de Dain, et son épouse, le soir de leurs noces. Jamais il n'avait voulu croire qu'il s'agissait de sa femme légitime, si bien que Dain avait dû l'en convaincre avec ses poings[1]. On en avait fait des gorges chaudes durant des semaines.

Lui-même n'avait certes pas l'allure d'un duc. Son apparence faisait honneur à sa réputation de débauché et de noceur. Ses habits étaient dans un état lamentable, et il n'avait pas de chapeau. Le manque de sommeil et les excès en tout genre se reflétaient sur son visage. Il était néanmoins rasé de près, sans doute parce que son valet s'en était chargé pendant qu'il était plongé dans un coma éthylique.

Lydia voyait davantage encore dans la ligne carrée de la mâchoire, le nez droit, le modelé des pommettes et de la bouche : l'arrogance, le mépris des conventions, le cynisme.

Le duc faisait partie de ces gens parfaitement inutiles sur terre.

Par ailleurs, son charme canaille ne la laissait pas insensible et faisait écho à sa nature farouche qu'elle prenait soin de museler. Elle n'était pas idiote, elle savait que ce genre de vaurien était synonyme d'ennuis.

---

1. Voir *Le prince des débauchés*, Éditions J'ai lu, n° 8826.

Néanmoins il était duc et, à ce titre, il avait sur les autorités bien plus d'influence qu'une simple journaliste.

— Vous n'avez fait erreur que sur une personne, Votre Grâce, dit-elle avec une politesse un peu guindée. Je suis Grenville, du journal l'*Argos*, en revanche, cette femme est une maquerelle connue. Elle était sur le point d'enlever cette jeune fille. Si vous voulez la remettre à la police, je suis toute prête à vous accompagner pour témoigner...

— Quelle menteuse ! s'insurgea Coralie. J'emmenais cette petite dans une taverne, à deux pas d'ici, pour lui offrir un repas. Elle s'est attiré des ennuis...

— ... et elle en aura de bien pires en votre compagnie, affirma Lydia, avant de reporter son attention sur Ainswood. Savez-vous ce qui arrive aux gamines qui ont le malheur de tomber entre ses mains ? Elles sont battues, affamées et violées jusqu'à ce qu'on ait anéanti en elles toute velléité de rébellion. Ensuite on les met sur le trottoir. Certaines n'ont pas plus de onze ans...

— Saloperie, garce, putain ! glapit la maquerelle.

— Vous vous sentez flétrie dans votre honneur ? ironisa Lydia. Vous voulez en découdre ? Avec plaisir. Ici et maintenant, si tel est votre souhait. Pour une fois, c'est vous qui allez recevoir une correction.

Lydia fit un pas en avant lorsqu'une main se referma sur son bras et la tira en arrière.

— Ça suffit, mesdames. Vous me flanquez mal au crâne avec vos chamailleries. Vous ne pouvez pas faire la paix ?

— Elle est bien bonne, celle-là ! s'esclaffa quelqu'un. C'est Ainswood qui maintient l'ordre public, maintenant. On aura tout vu.

Lydia baissa les yeux sur la grande main qui lui enserrait le bras.

— Bas les pattes, dit-elle avec froideur.

— Pas de problème. Dès qu'on vous aura apporté une camisole de force.

Lydia lui décocha un coup de coude dans l'abdomen. Assez rude pour qu'Ainswwod marmonne un juron et la lâche tandis que des sifflements et des rires moqueurs s'élevaient de la foule.

La voix de la raison dictait à Lydia de décamper pendant qu'il en était encore temps. C'est peut-être ce qu'elle aurait fait si les commentaires désobligeants de Sa Grâce ne l'avaient mise hors d'elle. Et puis, il n'était pas dans sa nature de battre en retraite.

Paupières plissées, elle lui fit face.

— Posez encore la main sur moi, et je vous fais les deux yeux au beurre noir, menaça-t-elle.

— Oh oui, Votre Altitude ! Faites-le, touchez-la encore ! encouragea un spectateur.

— Je mise dix livres sur vous, Ainswood, lança un autre.

— Et moi, je parie qu'elle va lui refaire le portrait !

Le duc la jaugea de sa capote à ses bottines.

— Vous êtes grande, mais vous ne pesez pas bien lourd, supputa-t-il. Allez, je dirais un mètre soixante-quinze, et soixante kilos toute nue. Et je paierais bien cinquante guinées pour voir ça, soit dit en passant.

Des rires salaces et quelques remarques grivoises accueillirent ce trait d'ironie. Lydia ne broncha pas. Elle avait l'habitude d'entendre ce genre d'obscénités. Elle se souciait plutôt de la jeune fille qui affichait l'expression effarée de quelqu'un qui s'est perdu dans la jungle et se retrouve cerné par des cannibales… ce qui n'était pas loin de la vérité.

Cependant Lydia ne pouvait laisser ce crétin avoir le dernier mot.

— Bravo, dit-elle. Vous voulez parfaire l'éducation de cette petite, l'éclairer sur les bonnes manières et la haute moralité des aristocrates de ce pays.

Elle aurait pu continuer sur sa lancée, mais autant sermonner une bûche. Elle se détourna. Un regard rapide autour d'elle lui apprit que la maquerelle avait profité de cette diversion pour s'évanouir dans la nature. C'était rageant, mais cela ne faisait sans doute aucune différence puisque tous ces forts en gueule ne songeaient qu'à s'amuser et n'auraient jamais eu l'idée de témoigner contre Coralie.

— Suis-moi, dit-elle à la fille. Il ne fait pas bon traîner ici.

La voix du duc s'éleva dans son dos :

— Mademoiselle Grenville...

Lydia fit volte-face et se heurta à un solide pilier de virilité. Elle recula, mais seulement d'un demi-pas, et se redressa de toute sa taille.

— Excellents réflexes, la complimenta-t-il. Si vous n'étiez pas une femme, je vous prendrais au mot avec plaisir. À propos de ces deux coquards – cela signifie « yeux au beurre noir ».

— Je sais ce que cela signifie.

— Tant mieux, c'est toujours utile d'avoir un vocabulaire étendu. À l'avenir, cependant, je vous conseille de réfléchir avant de braver un homme. « Réfléchir », vous connaissez la signification de ce verbe, n'est-ce pas ? Car un autre que moi pourrait voir là un défi très divertissant à relever, et dans ce cas, vous auriez droit à une empoignade, mais pas le genre de celle que vous aviez en tête. Vous voyez ce que je veux dire, fillette ?

Ouvrant de grands yeux innocents, Lydia répondit dans un souffle :

— Mon Dieu, non, pas du tout ! Vous utilisez des mots bien trop compliqués pour moi, Votre Grâce. Ma pauvre petite tête explose.

— C'est peut-être parce que votre chapeau est trop serré.

Il tendit la main vers le ruban noué sous le menton de Lydia, suspendit son geste. Le cœur battant, elle déclara d'une voix égale :

— Je ne ferais pas ça si j'étais vous.

Riant, il tira sur le ruban.

La main de Lydia s'envola. Il para le coup, lui agrippa le poignet, et, sans cesser de rire, l'attira contre son torse dur. Elle s'y attendait plus ou moins. En revanche elle n'était pas du tout préparée à la vague de sensations inconnues qui déferla en elle. La grande main plaquée sur ses reins, dont elle percevait la chaleur à travers ses vêtements. Son haleine épicée sur son visage. L'impression inhabituelle d'être petite et fragile.

La seconde d'après, la bouche du duc s'écrasait sur la sienne.

Submergée par sa force brute, son odeur, son goût, elle demeura un instant tétanisée.

Mais elle avait été formée à rude école, et se ressaisit dans la foulée.

Se laissant aller dans ses bras, elle s'affaissa de tout son poids.

Il abandonna sa bouche.

— Bon sang, la voilà qui se pâme...

Et c'est là qu'elle lui colla son poing en pleine figure.

2

Vere se retrouva étendu dans une flaque de boue. Les oreilles bourdonnantes, il entendit les sifflets et les clameurs réjouies de la foule.

Se redressant sur les coudes, il fit remonter son regard des bottines de la Valkyrie à ses lourdes jupes sombres et à sa jaquette stricte au col boutonné jusqu'au menton.

Lorsqu'il parvint au visage, il eut le souffle coupé. Les traits qu'il découvrait étaient d'une beauté sidérante : teint marmoréen, yeux bleu-de-givre, cheveux soyeux, de la couleur de l'aurore en décembre.

Telle une Gorgone vengeresse, elle dardait sur lui ce regard inouï, si glacial qu'il n'aurait pas été étonné de se retrouver pétrifié sur-le-champ. En l'occurrence, elle avait eu sur lui un tout autre effet : avant même de l'embrasser, il avait senti certaine partie de son anatomie durcir et enfler à une allure surprenante.

Tandis qu'il la fixait stupidement, sa bouche pulpeuse se retroussa dans un demi-sourire méprisant qui eut le mérite de l'arracher à sa stupeur. Cette mégère pensait avoir remporté la bataille, et sans doute les badauds partageaient-ils son avis. D'ici à quelques heures, réalisa-t-il soudain, le Tout-Londres saurait qu'une femme avait mis une tannée au duc d'Ainswood – accessoirement connu pour être le dernier trublion de la dynastie Mallory.

Étant justement un trublion, Vere aurait préféré rôtir à petit feu plutôt que d'avouer combien sa fierté en pâtissait. Il répondit donc à ce mépris par le sourire provocant qui était sa marque de fabrique et lança avec morgue :

— Eh bien, ça vous apprendra, ma petite !

— Cette chose parle, commenta-t-elle à l'adresse de la foule. J'en déduis qu'elle vit encore.

Elle se détourna et le bruissement de ses jupes évoqua le sifflement de mille serpents. Ignorant les mains qui se tendaient pour l'aider, Vere se releva sans la quitter des yeux, fasciné par le balancement arrogant de ses hanches. Tranquillement, elle récupéra son chien et la fille effarée, s'éloigna et disparut à sa vue.

Vere avait la tête pleine de scènes salaces dans lesquelles *elle* se retrouvait étendue sur le dos. Il se ressaisit finalement et reconnut le trio qui se trouvait près de lui : Augustus Tolliver, George Carruthers et Adolphus Crenshaw. Qui le connaissaient - ou du moins le pensaient.

Il conserva donc son expression d'ivrogne goguenard.

— C'était censé lui apprendre quoi ? ricana Tolliver. À briser des mâchoires ?

— Il ne pourrait pas parler s'il avait la mâchoire brisée, intervint Carruthers. Tu n'as pas vu ? Ce n'est pas le coup de poing qui l'a flanqué par terre, c'est cette espèce de prise qu'elle lui a faite...

— J'ai entendu parler de ça, opina Crenshaw. C'est une technique de combat qui repose sur l'équilibre. Ça vient de Chine ou d'Arabie, je ne sais plus.

— On n'en attendait pas moins de la Valkyrie de l'*Argos*, reprit Carruthers. Il paraît qu'elle est née dans un marécage de Bornéo et qu'elle a été élevée par des crocodiles.

— Je miserais plutôt sur Seven Dials[1], déclara Tolliver. Vous avez entendu, tous les gars du coin l'applaudissaient. Elle est des leurs, c'est évident.

— Et où aurait-elle appris des trucs pareils ? En outre, elle ne fait parler d'elle que depuis quelques mois. Où était-elle tout ce temps ? Une fille comme ça ne passe pas inaperçue.

Crenshaw, qui venait de s'exprimer, pivota vers Ainswood qui essuyait la boue sur son pantalon.

— Qu'en penses-tu, Ainswood ? Tu crois qu'elle sort de Seven Dials ?

Vere doutait fort que la virago ait dû s'expatrier pour apprendre ce genre de techniques sournoises. Certes, il n'avait pas décelé l'accent cockney dans sa voix, mais cela ne voulait rien dire ; Jaynes avait grandi dans les bas-fonds de Londres, mais cela ne s'entendait nullement. À tout prendre, la Valkyrie avait plutôt des intonations aristocratiques. Mais bon, elle n'aurait pas été la première pauvresse à essayer de se donner de grands airs. La plupart du temps le résultat était assez pathétique, ce qui n'était pas son cas. Mais bref, il n'allait pas passer la journée là-dessus. Il était plein de boue, il bouillait intérieurement et il n'avait pas l'intention de s'attarder dans le coin.

Il s'éloigna en proie à la pire fureur qu'il ait éprouvée depuis des lustres. Comment ? Il se précipitait à la rescousse d'une faible femme et tombait sur une furie décidée à en découdre. Son intervention lui avait sans doute évité de se prendre un couteau entre les omoplates, et en guise de remerciement, elle avait menacé de lui coller deux yeux au beurre noir. À *lui*, Vere Aylwin Mallory, que même lord Belzébuth n'avait pas réussi à mater !

---

1. Cœur de St Giles, le quartier le plus misérable de Londres. *(N.d.T.)*

Comment s'étonner dès lors qu'il n'ait pu résister à la tentation de lui fermer son clapet ?

Si cela ne lui plaisait pas, elle aurait pu le gifler, comme n'importe quelle femme normale. Avait-elle cru qu'il allait la violer, là en pleine rue, devant un parterre d'ivrognes, de catins et de maquereaux ? Elle le croyait donc tombé si bas ? Comme s'il en était réduit à prendre une femme de force, lui qui devait pratiquement repousser les avances de ses admiratrices à coups de massue !

Il remontait Brydges Street d'un pas rageur quand une voix masculine l'arracha à ses réflexions indignées :

— Ainswood ?

Vere se retourna. C'était l'ahuri qui avait failli se faire écraser par le cabriolet de la mégère. Le jeune homme le rejoignit.

— Je ne vous ai pas reconnu tout à l'heure. Ce n'est que lorsque les autres ont parlé de Dain et de ma sœur que je vous ai remis. Je vous dois une fière chandelle et je serai honoré de vous offrir un verre pour vous remercier.

Comme Vere acceptait sa main tendue, il ajouta :

— Au fait, je m'appelle Bertie Trent. Ravi de faire votre connaissance.

Lydia enfouit le souvenir du duc d'Ainswood dans le coin le plus reculé de sa mémoire pour se concentrer sur sa protégée. Ce n'était pas la première fois qu'elle sauvait *in extremis* l'une de ces oiselles. La plupart du temps, elle les conduisait dans un foyer tenu par une association charitable.

Au début de l'été, Lydia avait secouru deux jeunes filles de dix-sept ans, Bess et Millie, qui avaient fui les mauvais traitements de leurs employeurs. Suivant une intuition, elle les avait prises à son service et ne cessait de s'en féliciter.

Aujourd'hui, ce même instinct lui soufflait qu'elle avait tout intérêt à garder cette jeune personne avec elle.

Le temps d'atteindre le cabriolet, elle avait compris que celle-ci ne provenait pas des couches laborieuses. En dépit de son léger accent de Cornouaille, on sentait qu'elle avait reçu une bonne éducation – elle connaissait l'*Argos*, ce qui n'était pas le cas de la plupart des filles de la campagne. Elle s'appelait Tamsin Prideaux et avait dix-neuf ans, nettement plus donc que les quinze ans que Lydia lui avait donnés de prime abord avec sa silhouette frêle, sa frimousse candide et ses grands yeux bruns de myope. Ses lunettes étaient d'ailleurs tout ce qui lui restait de ses maigres possessions, et l'un des verres était brisé. Elle les avait ôtées à sa descente de diligence, expliqua-t-elle, pour les nettoyer. À cet instant, quelqu'un l'avait bousculée dans la foule. Au même moment, on lui avait arraché son sac de voyage et son réticule avec tant de violence qu'elle était tombée.

Quand elle s'était relevée, elle avait constaté que sa malle avait également disparu. C'est alors que Coralie Brees l'avait accostée, pleine de commisération, et avait proposé de l'emmener au poste de police de Bow Street pour qu'elle dépose plainte.

C'était là une vieille ficelle, mais cela n'empêchait pas les Londoniens les plus aguerris de se faire détrousser tous les jours.

— Tu n'as rien à te reprocher, assura Lydia à Mlle Prideaux comme elles montaient les marches du perron, Brigitte sur les talons. Cela peut arriver à n'importe qui.

— Sauf à vous, contra Tamsin d'un air admiratif.

— Allons donc, j'ai fait des erreurs moi aussi.

En pénétrant dans le hall, Lydia nota que Brigitte ne semblait pas jalouse de Tamsin, ce qui était bon signe.

— Tamsin est une amie. Gentille, Brigitte. Tu as compris ? *Gentille.*

La chienne lécha la main de la jeune fille, qui la caressa maladroitement en retour.

— Brigitte est très intelligente, mais il faut lui parler avec des mots simples, recommanda Lydia.

— Je sais qu'autrefois on utilisait les mastiffs pour chasser le sanglier. Est-ce qu'elle mord ?

— Disons plutôt qu'elle dévore. Mais tu n'as rien à craindre. Si elle joue trop brutalement, dis-lui simplement « Gentille, Brigitte ». Sinon tu te retrouveras étalée par terre dans une mare de bave.

Bess apparut sur ces entrefaites et prit l'invitée de Lydia en main, avec pour consigne de lui préparer une tasse de thé brûlant, un bain chaud et de l'emmener se reposer.

Après une toilette rapide, Lydia gagna son bureau. Là, derrière la porte close, elle s'autorisa à laisser tomber son masque d'aplomb inébranlable.

Elle avait beau passer pour une tête brûlée que rien ne déstabilisait, elle était loin d'être aussi coriace qu'elle en avait l'air.

Et c'était la première fois qu'un homme l'embrassait.

Même ce vieil illuminé d'oncle Stephen s'était borné à lui tapoter la tête, et, lorsqu'elle avait grandi, la main, pour lui manifester son affection.

Ce qu'avait fait le duc d'Ainswood n'était ni affectueux ni amical. Et Lydia avait été complètement chamboulée.

Les mains pressées sur ses yeux clos, elle prit le temps de se ressaisir et calmer les battements désordonnés de son cœur. Mais au lieu de recouvrer son calme, elle fut envahie par les souvenirs de son enfance chaotique, en particulier le moment où sa vie avait irrémédiablement basculé.

Elle se revit petite fille, assise sur un tabouret, plongée dans la lecture du journal intime de sa mère.

Elle aurait été capable, si elle l'avait voulu, de raconter cet épisode dans le style enlevé qu'elle employait pour écrire les aventures de Miranda dans *La Rose de Thèbes*.

Londres, 1810

C'est en fin d'après-midi, le jour où l'on avait porté en terre Anne Grenville, que sa fille Lydia, âgée de dix ans, tomba sur son journal intime, caché sous une pile de tissus, au fond du panier de couture de sa mère.

Sarah, sa sœur cadette, s'était endormie depuis longtemps, abrutie de chagrin et de larmes. Leur père, John, était parti chercher consolation dans les bras d'une catin ou dans la dive bouteille – ou les deux, plus probablement.

Lydia était tout à fait réveillée et avait les yeux secs. Elle n'avait pas versé une larme de toute la journée. Elle était trop fâchée contre Dieu qui s'était trompé de parent en lui enlevant sa mère.

Mais, bien sûr, Dieu n'aurait eu que faire de papa au paradis, réfléchit-elle, occupée à fouiller dans le panier à la recherche d'un bout de tissu pour mettre une pièce au tablier de Sarah.

C'est alors qu'elle découvrit le journal, un petit carnet relié de cuir dont les pages étaient couvertes de l'écriture nette de sa mère.

Oubliant le tablier, elle se pelotonna près de l'âtre et, la nuit durant, lut ce récit déroutant. Elle acheva sa lecture à l'aube, juste avant que son père rentre à la maison en titubant.

Elle attendit le milieu de l'après-midi, que sa gueule de bois et sa mauvaise humeur soient passées, pour lui annoncer :

— J'ai trouvé une histoire que maman a écrite. C'est vrai qu'elle était une lady autrefois ? Et que tu étais acteur ? Ou est-ce qu'elle a tout inventé ?

Son père, qui farfouillait dans le panier de linge sale, lui retourna un regard vaguement amusé.

— Quelle importance, ce qu'elle était ? Pour ce que ça nous a rapporté. Tu crois que nous aurions vécu dans un tel taudis si elle avait été riche ? Pourquoi ça t'intéresse ? Tu veux jouer les grandes dames, c'est ça ?

Lydia avait appris depuis longtemps à ignorer les sarcasmes de son père. Imperturbable, elle reprit :

— C'est vrai que je ressemble trait pour trait aux ancêtres de maman ?

Son père ouvrit un placard, en scruta le contenu avant de claquer la porte d'un air mécontent.

— Ses ancêtres ? Plutôt ronflant, comme terme. Ce sont ses mots à elle ?

— Elle tenait une sorte de journal. Elle dit dedans qu'elle appartient à une vieille famille d'aristocrates, que le marquis de Dain est son cousin. Elle dit aussi qu'elle s'est enfuie avec toi en Écosse et que c'est pour ça que sa famille l'a reniée. Je voudrais juste savoir si c'est vrai parce que… maman avait beaucoup d'imagination.

— Ça, je ne te le fais pas dire.

Une lueur d'intérêt s'alluma dans le regard de son père. Trop tard, Lydia comprit qu'elle n'aurait jamais dû lui parler du journal. Mais comme toujours, elle parvint à dissimuler ses sentiments lorsqu'il lui ordonna :

— Apporte-moi ce journal, Lydia.

Elle s'exécuta, et ne le revit plus jamais. Il avait disparu, comme s'étaient volatilisés tant d'objets dans les mois qui avaient suivi. Lydia se doutait que son père avait mis le journal au clou sans se soucier de le récupérer un jour. À moins qu'il ne l'ait carrément vendu. C'est ainsi qu'il obtenait de l'argent. Parfois il le perdait au jeu. Parfois il gagnait. Quoi qu'il en soit, sa sœur et elle n'en voyaient jamais la couleur.

Pas plus que les créanciers de John Grenville.

Néanmoins, deux ans plus tard, ces derniers finirent par le rattraper en dépit de plusieurs déménagements et changements d'identité. Il fut arrêté et emprisonné à Marshalsea pour dettes. Il y passa un an en compagnie de ses filles, puis fut déclaré insolvable et libéré.

Mais la liberté arriva trop tard pour Sarah qui avait contracté la tuberculose dans l'enceinte humide de la prison et mourut quelque temps plus tard. John Grenville en tira la conclusion que le climat anglais ne lui valait rien. Après avoir abandonné sa fille aînée chez son oncle et sa tante et promis de venir la chercher « dans quelques mois », il partit pour l'Amérique.

Le soir même, Lydia entama la rédaction de son propre journal intime. La première ligne, bourrée de fautes d'orthographe, se résumait à peu près à cela : Papa ait partit. Pour de bon j'espair. Bon débara !

En temps ordinaire, Vere aurait refusé l'invitation de Trent. Mais ce jour-là, il ne se sentait pas dans son état normal.

Cela avait commencé avec Jaynes, qui avait parlé de donner un héritier aux Mallory, alors que de toute évidence leur lignée était maudite et vouée à l'extinction. Vere n'avait nulle intention d'engendrer des fils pour les voir mourir les uns après les autres quelques années plus tard.

Ensuite, il avait croisé la route de ce typhon en jupons qui l'avait publiquement humilié. La courtoisie et la gratitude de Trent lui mettaient donc du baume au cœur. Voilà pourquoi, après être rentré chez lui le temps de prendre un bain et de se changer, il s'était mis en devoir de donner au jeune homme un aperçu de la vie nocturne dans la capitale.

Pas question, bien sûr, de passer une seule minute en compagnie de ces oies blanches acharnées à transformer en mari n'importe quel homme ayant un souffle de vie et un tant soi peu d'argent. Vere aurait encore préféré se faire énucléer avec un couteau rouillé. Non, leur petite virée se résumerait à passer d'une taverne à l'autre, de préférence celles où la bière était aussi bon marché que les filles.

Si ce soir-là le duc choisit des établissements connus pour être fréquentés par des journalistes, et s'il prêta une oreille plus attentive aux propos de certains consommateurs qu'à ceux de sir Bertram Trent, celui-ci ne s'en aperçut pas. Jaynes, lui, s'en serait vite rendu compte, mais il faut dire qu'il avait l'esprit vif, ce qui n'était pas le cas de Trent.

« Le plus grand benêt que la Terre ait porté ! » avait affirmé un jour son beau-frère, lord Dain. Un euphémisme. En plus d'une propension à s'embarquer dans des digressions dont seuls le bon Dieu et ses anges auraient pu l'extirper, Trent avait un talent rare pour se jeter sous les sabots des chevaux, croiser la trajectoire d'objets divers – mobiles ou non –, se cogner à autrui et, d'une manière générale, se casser la figure quelle que soit sa position initiale, assise, couchée ou debout.

Devant une telle maladresse, Vere était partagé entre l'amusement et l'incrédulité. Quoi qu'il en soit, il n'envisageait pas d'approfondir leur relation. Il changea cependant d'avis un peu plus tard dans la soirée.

Peu après avoir quitté un tripot infâme où ils avaient vu Billy le fox-terrier décimer une centaine de rats en dix minutes, ils avaient rencontré lord Sellowby, la pipelette de Londres.

Celui-ci gravitait dans le cercle d'amis de Dain et connaissait bien Trent. D'un ton innocent, il commença par s'enquérir de la santé de Vere qui, espérait-il, ne garderait « aucune séquelle de son altercation historique avec la Valkyrie de l'*Argos* ». Au *White*, le club dont ils étaient membres, on avait lancé moult paris sur le nombre de dents que Sa Grâce avait perdues dans l'histoire, tint-il à préciser.

À cet instant, Sellowby fut en grand danger de perdre *toutes* ses dents, ainsi que la mâchoire qui y était rattachée. Mais avant que Vere puisse déclencher les hostilités, Trent se récria :

— Des dents cassées ? Pour une tape sur le menton ? Franchement, on voit que tu n'y étais pas, Sellowby ! Ainswood s'est écroulé pour amuser la galerie, c'est tout. C'est qu'il y avait foule autour de cette sauvage et de sa chienne féroce...

Trent continua de déblatérer pendant de longues minutes, sans que Sellowby puisse en placer une. Ce dernier saisit sa chance lorsque le baronnet reprit son souffle. Vere n'en revenait pas. C'était la première fois depuis bien longtemps que quelqu'un prenait sa défense. Il est vrai qu'en général il ne le méritait pas. Il avait commis toutes les vilenies qu'un homme puisse commettre, hormis celles qui mènent directement au gibet. Mais il fallait avoir une cervelle d'oiseau comme Trent pour s'imaginer que Vere Aylwin Mallory avait besoin d'un défenseur... ou d'un ami.

Son cœur étant calcifié depuis belle lurette, le duc d'Ainswood ne pouvait trouver quoi que ce soit de touchant dans cette démonstration de loyauté. Et plutôt se faire hacher vivant que d'admettre que les railleries de l'Ogresse l'avaient piqué au vif. Il décida donc que la mine éberluée de Sellowby face à la diarrhée verbale de Trent était la chose la plus comique qu'il ait vue depuis des années, et que ce dernier était décidément le plus amusant des imbéciles.

Pour cette raison – et uniquement pour cela – , il invita Bertie à aller chercher ses valises au *George* pour s'installer à Ainswood House.

Durant le dîner, Lydia découvrit que Mlle Prideaux avait d'excellentes manières, et que sa conversation était à la fois intéressante et spirituelle. De surcroît, sa voix mélodieuse lui rappelait celle de sa sœur Sarah.

Au dessert, Lydia entama l'interrogatoire.

— Je suppose que tu t'es enfuie de chez toi ?

Tamsin posa le couteau avec lequel elle était en train de peler sa pomme et affronta le regard de Lydia sans ciller.

— Mademoiselle Grenville, je sais que s'enfuir est stupide, surtout pour aller se perdre dans une grande ville, mais il y a une limite à ce qu'un être humain peut endurer, et j'avais atteint la mienne.

Son histoire se démarquait de celle des autres.

Deux ans plus tôt, la mère de Tamsin avait fait une crise mystique. Tout à coup les colifichets, la danse et la musique avaient été bannis de la maison. Il avait fallu jeter tous les livres, hormis la Bible et les recueils de prières. Des exemplaires clandestins de l'*Argos* étaient alors devenus le seul lien de Tamsin avec le « monde rationnel ».

— J'ai lu vos articles, mademoiselle. Je n'ignorais pas les dangers qui guettent les jeunes filles à Londres, et je vous assure que je m'y étais préparée. Si l'on ne m'avait pas dépouillée à ma descente de la diligence, jamais je ne me serais retrouvée à votre charge. J'avais assez d'argent pour louer une chambre meublée en attendant de trouver un emploi, et j'étais prête à accepter n'importe quel travail honnête.

Ses grands yeux s'embuèrent, mais elle se contint et poursuivit :

— Maman et ses pieuses amies ont poussé mon père à fuir de la maison. Je ne l'avais pas vu depuis plus de quinze jours quand elle m'a annoncé que je devais renoncer aux bijoux que m'a légués ma tante Lavinia. Maman exigeait que nous les vendions pour donner à ses soi-disant amies de quoi sauver les âmes en péril. Je n'allais pas donner les bijoux de ma tante bien-aimée à ces aigrefins !

Lydia ne la comprenait que trop bien. Elle-même chérissait le médaillon de sa sœur Sarah, un objet qui n'avait d'autre valeur que sentimentale.

— Et maintenant, je les ai bel et bien perdus.

— Je suis désolée, murmura Lydia, mais il y a peu de chances que tu les récupères, en effet. Avaient-ils de la valeur ?

— Je ne sais pas trop. Il y avait une parure en rubis, une autre en améthyste assez ancienne, trois bagues et un bracelet en filigrane d'argent. Je ne les ai jamais fait évaluer.

— S'ils sont vrais, ils seront certainement revendus. Je demanderai à mes informateurs de surveiller le marché. Nous allons en dresser la liste et... serais-tu capable de les dessiner ?

Tamsin acquiesça d'un signe de tête. Lydia sonna Millie et réclama son nécessaire à écriture.

— Cela augmentera nos chances de les retrouver, mais ne te berce quand même pas d'illusions, prévint-elle.

— Je sais. Si ma mère apprenait ça, elle dirait que c'est bien fait pour moi. Avant de partir, j'ai écrit une lettre dans laquelle je prétendais m'enfuir en Amérique avec mon amant, avoua Tamsin en rougissant. Il fallait bien que j'invoque un prétexte immoral et dégradant pour éviter qu'on se lance à ma poursuite, se justifia-t-elle.

— Tes choix ne concernent que toi, rétorqua Lydia. Mais si tu souhaites couper les ponts de manière définitive, je te conseille de changer d'identité.

Lydia savait toutefois qu'un nouveau nom ne protégerait pas la jeune fille des périls de la capitale.

— Écoute, reprit-elle après une pause, il se trouve justement que je cherchais une dame de compagnie.

Ce n'était pas vrai, mais quelle importance ?

— Si cet emploi te convient, mes conditions sont le gîte, le couvert et...

Tamsin s'était mise à pleurer.

— Par... donnez-moi, balbutia-t-elle en s'essuyant les yeux, vous devez me trouver... bien sotte, mais vous êtes... si bonne.

Lydia se leva et lui glissa un mouchoir entre les mains.

— Tu as le droit d'être bouleversée après ce qui t'est arrivé.

— J'ignore comment vous faites. Vous avez tenu tête à tout le monde... réglé tous les problèmes... et on dirait que rien ne vous ébranle. C'était la première fois que je voyais un duc. Je n'aurais pas su quoi lui dire, même si je n'avais pas été complètement tourneboulée. J'avais l'impression de vivre un cauchemar et... je ne sais toujours pas s'il plaisantait ou s'il s'est conduit comme le dernier des goujats.

— Je doute qu'il l'ait su lui-même. Ce type est un crétin, on devrait l'enfermer à la ménagerie d'Exeter Change.

Les deux femmes s'attelèrent ensuite à la description des bijoux volés, et Tamsin ne tarda pas à oublier le duc d'Ainswood.

Pour Lydia, ce fut plus difficile.

Des heures plus tard, seule dans sa chambre, elle luttait en vain pour se débarrasser du souvenir de ce baiser aussi fugace que perturbant.

Le médaillon de Sarah au creux de la main, elle s'assit à sa coiffeuse.

Durant les jours funestes passés à la prison de Marshalsea, elle distrayait sa petite sœur en lui racontant des histoires de prince charmant campé sur son beau destrier blanc. À l'époque, Lydia était encore assez naïve pour croire qu'un prince viendrait bel et bien et l'emmènerait dans son grand palais. Sarah épouserait le prince du palais voisin et tous vivraient heureux, entourés d'une myriade d'enfants.

Dans le monde réel des adultes, les licornes étaient plus nombreuses que les princes charmants.

Dans le monde réel, un duc – qui arrivait juste après le prince dans la hiérarchie nobiliaire – ne s'embêtait pas à jeter les méchantes sorcières dans un cul de basse-fosse. Et aucun baiser ne métamorphosait une vieille fille confirmée en rêveuse avec des étoiles plein les yeux. Surtout pas ce genre de baiser qui s'apparentait à un substitut de coup de poing, celui que Sa Grâce n'aurait pas manqué de lui flanquer si elle avait été un homme.

Mais pourquoi perdait-elle son temps à penser à lui ? Mieux valait se soucier de Mlle Prideaux, qui devait en ce moment même tremper son oreiller de larmes. La pauvre avait perdu ce qu'elle avait de plus précieux.

Si seulement ce crétin de duc avait daigné amener Coralie Brees au poste de police, ils auraient eu une chance de récupérer les biens de Tamsin, car il était clair que les pickpockets étaient de mèche avec la maquerelle. Hélas, le duc d'Ainswood n'avait pas la fibre chevaleresque ! Il ressemblait peut-être au prince charmant, mais il n'y avait rien de noble en lui.

S'il y avait eu la moindre justice en ce bas monde, il se serait illico transformé en crapaud à l'instant où ses lèvres avaient touché celles de Lydia.

Mlle Grenville aurait sans doute trouvé quelque consolation à savoir que lord Ainswood souffrait mille morts.

Fauteur de troubles patenté, il avait l'habitude d'être au cœur de scandales divers et de voir son nom à la une des gazettes. Il y avait eu cette bagarre avec Dain, le soir de ses noces, puis l'épisode concernant le bâtard de

Belzébuth, la semaine suivante, et cette course qui s'était transformée en débâcle en juin dernier. L'encre avait coulé à flots. Mais Vere avait été à peu près autant affecté par les critiques et les lazzis qu'il était ému par les catins anonymes qu'il troussait dans les divers bouges de la ville.

Jusqu'à présent toutefois, ses adversaires étaient des hommes, et ces affaires avaient été réglées selon les règles en vigueur chez les hommes.

Cette fois, son adversaire était une femme.

Et Vere ne savait ce qui était le pire : qu'il se soit abaissé à se quereller avec une femelle – dont tout le monde savait qu'il n'existait pas créature plus irrationnelle sur terre ; ou qu'il se soit fait piéger comme un débutant. Elle avait endormi sa méfiance pour mieux le prendre au dépourvu. Une tactique vieille comme le monde.

Terrible avanie. Depuis, il avait beau faire le faraud, les quolibets fusaient où que ses pas le portent. Quand il s'était rendu à son club de sport en compagnie de Trent, on lui avait demandé pourquoi il n'avait pas amené Mlle Grenville, qui aurait pu monter sur le ring avec lui. Et tous les pugilistes présents s'étaient esclaffés.

Et c'était partout pareil.

— Comment va ta mâchoire, Ainswood ?

— Pas trop monotone de manger de la purée et de la bouillie à tous les repas ?

— Tu crois que ma grand-mère boxe dans la même catégorie que toi ?

Quant aux caricaturistes de la presse, ils s'en donnaient à cœur joie.

Trois jours après l'altercation de Vinegar Yard, il ruminait sa rage devant la vitrine d'un libraire quand un gros titre attira son attention : LA VALKYRIE ROSSE LE DUC D'A... Sur le dessin figurait une espèce de brute au sourire égrillard, qui faisait mine de se jeter sur une frêle demoiselle. La bulle au-dessus de sa tête disait : « *Alors ma jolie, tu n'as pas entendu parler du droit de cuissage ? Je suis duc, à présent !* »

Face à lui, les poings levés, Mlle Grenville répondait par l'intermédiaire d'une autre bulle : « *Je vais t'en donner du droit ! Et du gauche aussi, si tu veux !* »

Il dut arrêter Bertie Trent qui se proposait d'entrer dans la boutique pour dire sa façon de penser au libraire qui osait afficher de telles horreurs dans sa vitrine.

— Ce n'est qu'un dessin, Trent. Le mieux est de traiter tout cela par le mépris. Sitôt vu, sitôt oublié. Voilà ma devise.

Il s'apprêtait à traverser la rue, mais dut tirer Bertie en arrière comme un cabriolet noir fonçait droit sur eux.

— Que je sois pendu ! s'exclama Trent. Quand on parle du loup...

C'était bien elle, la cause de tous ses maux, celle qui lui valait cette avalanche de sarcasmes. Mlle Boudicca Grenville. Au moment où elle passait à toute allure, elle leur adressa un salut moqueur en effleurant sa capote de son fouet, un sourire narquois aux lèvres.

S'il avait eu affaire à un homme, Vere se serait lancé à ses trousses, l'aurait tiré de son siège et lui aurait fait ravaler son maudit sourire à coups de poing. Mais c'était une femme, et il dut se contenter de la regarder s'éloigner, rageur, jusqu'à ce qu'elle bifurque au coin de la rue... hors de vue, mais loin, *très loin* d'avoir gagné la guerre.

3

Le duc d'Ainswood serait peut-être de moins mauvaise humeur s'il avait su que Lydia avait été à deux doigts de grimper sur le trottoir – et de foncer dans la boutique qui faisait l'angle.

Elle avait retrouvé ses esprits au tout dernier moment.

Il faut dire que dès qu'elle l'avait reconnu, là, devant cette devanture, son cerveau avait un instant cessé de fonctionner. Bien qu'elle ait réussi ensuite à saluer froidement les deux hommes, elle soupçonnait son sourire d'avoir été trop large et pour tout dire… stupide, oui. Aussi stupide que son cœur qui s'était emballé tel celui d'une écolière et non d'une femme de vingt-huit ans.

Elle se sermonna sans relâche jusqu'à l'hospice de Bridewell.

Elle oublia ses soucis personnels en pénétrant dans le dortoir où étaient hébergées des miséreuses venues de toute l'Angleterre. On les enfermait une semaine avant de les renvoyer dans leur paroisse, afin d'appliquer l'adage bien connu : Charité bien ordonnée commence par soi-même.

Des paillasses rudimentaires s'alignaient le long du mur face à la porte. Il y avait là une vingtaine de femmes et leurs enfants. Certaines étaient venues à Londres chercher fortune, d'autres pour échapper au déshonneur, d'autres encore avaient fui la brutalité d'un homme ou le chagrin d'un deuil.

Lydia décrirait les lieux à ses lecteurs dans son style habituel, concis, avec des mots simples. Elle leur raconterait l'histoire de ces femmes sans faire de sentiment et sans porter de jugement.

Elle ne dirait rien en revanche des quelques pièces qu'elle glissait de temps en temps dans la main de celles qu'elle interrogeait. Cela ne regardait qu'elle. Et si son cœur saignait parfois face à tant de détresse, elle veillait à ce que cela ne transparaisse pas dans ses écrits.

La dernière personne qu'elle interrogea fut une jeune fille de quinze ans qui tenait dans ses bras un nourrisson. Très faible, celui-ci émettait à peine un vagissement de temps à autre.

— Laissez-moi vous aider, Mary. Si vous savez qui est son père, dites-le-moi. J'irai lui parler, promit Lydia.

Lèvres serrées, Mary se balançait d'avant en arrière sur sa paillasse.

— Parfois les pères ne demandent pas mieux que d'assumer leurs responsabilités, insista-t-elle.

Du moins quand Lydia en avait fini avec eux.

— Non, je n'ai plus que Jemmy maintenant, répondit enfin Mary, qui cessa un instant de se balancer pour demander : Vous en avez un, vous ?

— Un quoi ?

— Un enfant.

— Non.

— Et un homme ?

— Non plus.

— Il n'y en a pas un qui vous plaît ?

— Non. Enfin, si, corrigea Lydia avec un rire bref.

— Moi, je pensais qu'il ne me remarquerait jamais, que les hommes comme lui ne regardaient pas les filles de ferme. Et puis vous voyez où ça m'a conduite. Vous devez penser que je ne peux pas m'occuper du bébé comme il le faudrait, et vous avez raison...

Sa lèvre inférieure se mit à trembler.

— D'accord, reprit-elle. Mais vous n'avez pas besoin de parler ou d'écrire à ma place. Je peux m'en charger moi-même. Tenez.

Elle déposa le bébé dans les bras de Lydia qui, en échange, lui passa maladroitement son carnet et son crayon. Elle baissa les yeux sur la figure fripée de l'enfant. Elle avait l'habitude des nourrissons, car les pauvres avaient souvent des familles nombreuses, mais c'était la première fois qu'elle en portait un si jeune.

Celui-ci n'était ni mignon, ni en bonne santé, ni même propre. Et Lydia eut envie de pleurer sur le triste avenir qui l'attendait au côté d'une mère elle-même à peine sortie de l'enfance. Pourtant ses yeux demeurèrent secs. Elle n'avait plus quinze ans, elle avait appris à ignorer les élans de son cœur pour laisser sa tête régir ses actes.

Elle berça le bébé pendant que sa mère peinait à griffonner un bref message. Cela fait, Lydia lui rendit l'enfant avec une pointe de regret qu'elle se reprocha ensuite, alors qu'elle quittait l'hospice.

La vie n'était pas une fable romantique. Dans la vraie vie, Londres avait remplacé le palais de ses rêves enfantins. Ces femmes et ces enfants démunis étaient ses frères, ses sœurs, ses enfants, et la seule famille dont elle avait besoin.

Elle ne pouvait les sauver tous, mais elle pouvait au moins faire pour eux ce qu'elle avait été incapable de faire pour sa mère et sa sœur. Elle serait leur voix dans les pages de l'*Argos*.

Telle était sa vocation. Voilà pourquoi Dieu l'avait faite si forte, si intelligente et si téméraire. Voilà pourquoi elle ne serait jamais le jouet d'un homme. Et elle n'allait pas risquer tout ce pour quoi elle luttait à cause d'un prince de pacotille qui lui faisait battre le cœur un peu plus vite.

Trois jours après avoir presque renversé Vere et Bertie, la Valkyrie tenta de fracasser le crâne d'Adolphus Crenshaw juste devant le *Crockford*, un club de St James's Street.

À l'intérieur de l'établissement, rassemblés devant la fenêtre à l'instar des autres clients, Vere et Bertie virent Grenville saisir Crenshaw par la cravate pour le balancer contre un lampadaire.

Voilà que ça la reprenait.

Réagissant enfin, Vere se rua dehors, et saisit fermement la jeune femme par la taille. Surprise, elle lâcha la cravate de Crenshaw. Il la souleva alors du sol et l'emporta à grandes enjambées en dépit de ses protestations.

Il ne consentit à la remettre sur pieds qu'une trentaine de mètres plus loin, à bonne distance de Crenshaw qui, cramoisi, tentait de reprendre son souffle.

Elle voulut lui refaire le coup du coude dans l'estomac, mais il para l'attaque en la ceinturant. En revanche, il n'avait pas prévu qu'elle lui écraserait le pied d'un coup de talon. Malgré la douleur, il tint bon et l'entraîna plus loin dans la rue. Bien qu'elle se démenât comme un beau diable au point qu'il fut à plusieurs reprises tenté de la lancer sous les roues du premier véhicule venu, il parvint à héler un fiacre.

— Soit vous grimpez là-dedans de votre plein gré, annonça-t-il en ouvrant la portière, soit je vous jette à l'intérieur.

Elle lâcha un juron fort peu féminin, mais se calma en comprenant qu'il n'hésiterait pas à mettre sa menace à exécution. Finalement elle gravit le marchepied sans discuter, ce qu'il regretta, car il n'aurait pas hésité à lui flanquer une tape sur la croupe pour l'obliger à se presser un peu.

— Où habitez-vous ? s'enquit-il après s'être laissé tomber sur la banquette à côté d'elle.

Elle répondit de mauvaise grâce.

Vere donna l'adresse au cocher avant de claquer la portière. La voiture s'ébranla et ils roulèrent un moment dans un silence tendu.

— Franchement, qu'aviez-vous besoin de faire un tel cirque ? laissa-t-elle finalement échapper avec un soupir excédé...

— Pardon ? s'exclama-t-il, interloqué. Il me semble que c'est vous qui...

— Je n'allais pas le tuer. Je voulais juste qu'il m'écoute. Faire une scène ! En plein St James's Street, qui plus est ! Mais je perds ma salive, je suppose, continua-t-elle. Tout le monde sait que vous adorez vous donner en spectacle. J'en veux pour preuve cette course absurde et criminelle que vous avez organisée il y a trois mois...

Vere retrouva soudain sa langue :

— Je sais ce que vous essayez de faire.

— Ça m'étonnerait. Vous êtes du genre à vous fier uniquement aux apparences et à tirer des conclusions hâtives. C'est la deuxième fois que je vous trouve sur ma route à me compliquer la tâche.

Vere avait identifié sa stratégie, celle de l'attaque qui est la meilleure défense. Une tactique qu'il employait lui-même très souvent.

— Laissez-moi vous dire une chose, mademoiselle Grenville. Vous ne pouvez pas casser la figure de tous les hommes qui ont le malheur de vous contrarier. Jusqu'à présent vous avez eu de la chance, mais un de ces jours vous tomberez sur un dur à cuire qui répliquera, et alors...

— Je ne vois pas en quoi cela vous concerne, coupa-t-elle d'un air hautain.

— Je me sens concerné dès qu'un ami a besoin d'aide...

— Je ne suis pas votre amie et je n'ai pas besoin d'aide !

— Je parlais de Crenshaw. Qui est trop gentleman pour frapper une femme.

— Mais pas assez pour s'abstenir de séduire et d'engrosser une gamine de quinze ans, répliqua Lydia.

Pris au dépourvu, Vere mit une seconde à se ressaisir.

— Ne me dites pas que la fille que vous avez embarquée l'autre jour prétend être enceinte de ses œuvres, parce que je peux vous jurer qu'elle n'est pas du tout son genre.

— Elle est trop vieille, en effet. Dix-neuf ans, vous pensez ! Les goûts de Crenshaw le portent davantage vers les tendrons de quatorze, quinze ans.

Elle tira de sa poche un papier froissé qu'elle lui tendit. Vere s'en saisit après une hésitation, le lissa du plat de la main, puis déchiffra l'écriture enfantine. Mary Bartles informait Crenshaw qu'elle résidait actuellement à l'hospice de Bridewell, avec son fils de deux mois.

— J'ai vu le petit Jemmy. Il ressemble beaucoup à son père, déclara la mégère.

— Et je suppose que vous lui avez annoncé la nouvelle devant tous ses amis ?

— Je lui ai donné le message. Après l'avoir lu, il en a fait une boule qu'il a jetée par terre. Ces trois derniers jours, j'ai essayé d'avoir une conversation avec lui, mais chaque fois que j'ai sonné à son domicile, ses domestiques m'ont répondu qu'il était absent. D'ici peu, Mary sera renvoyée dans sa campagne. Si Crenshaw ne lui porte pas secours, l'enfant mourra faute de soins. Et Mary en mourra sans doute de chagrin.

Son regard bleu tourné vers la fenêtre, elle poursuivit :

— Elle est seule au monde et démunie. Alors quand j'ai vu Crenshaw prendre le chemin de son club, prêt à gaspiller son argent au jeu alors que son fils est malade, sans personne pour veiller sur lui à part sa mère qui est elle-même une gamine, mon sang n'a fait qu'un tour. Vous pouvez vous vanter d'avoir des amis bien élevés, Ainswood !

Vere n'avait aucune estime pour les types de trente ans qui troussaient les petites campagnardes innocentes, et trouvait la réaction de Crenshaw à la lecture du billet inexcusable. Il n'allait toutefois pas l'admettre devant Mlle la Gardienne Autoproclamée des Bonnes Mœurs.

— Il n'en reste pas moins que si vous voulez obtenir quelque chose d'un homme, le lancer contre un réverbère n'est pas la meilleure solution.

Elle tourna la tête vers lui et il ne put s'empêcher de se demander quel esprit diabolique s'était plu à créer un monstre d'une beauté aussi stupéfiante.

Dans l'habitacle mal éclairé, sa splendeur aurait dû paraître moins spectaculaire, or la faible luminosité ne la rendait que plus émouvante. Il avait rêvé d'elle, mais les rêves sont sans danger. La situation présente ne l'était pas. Il lui suffisait de tendre le bras pour toucher sa joue veloutée, de franchir la distance qui les séparait pour poser ses lèvres sur sa bouche pulpeuse.

D'ordinaire il ne muselait pas ses pulsions. Mais chat échaudé...

— Vous n'aviez qu'à sourire, battre des cils et lui fourrer votre décolleté sous le nez, reprit-il. Il vous aurait mangé dans la main.

Elle le fixa sans ciller pendant de longues secondes, puis plongea la main dans sa poche pour en tirer un calepin et un crayon.

— Je vais vite noter ces conseils avisés de peur de les oublier, déclara-t-elle avec le plus grand sérieux. Donc, vous dites : sourire, battre des cils et... quelle était la troisième astuce, déjà ?

— Elle est double. Je parlais de vos seins.

Des seins qui, en l'occurrence, étaient sous son nez à lui. Il fit mine de vouloir lire ce qu'elle écrivait et se pencha vers elle. Imperturbable, elle continua de noter d'un air concentré.

— Ce serait plus efficace si vous portiez une robe plus échancrée, ajouta-t-il. Autrement, on risque de se demander si vous ne cachez pas une difformité quelconque sous vos cols montants.

Avait-elle la moindre idée de la tentation que représentait cette longue rangée de boutons qui gardait jalousement son corsage ? Se doutait-elle seulement que la coupe austère de ses vêtements attirait l'attention sur ses formes ? Et quelle sorcière avait concocté son parfum, mélange diabolique de fumée, de lilas, et d'une autre fragrance qu'il ne parvenait pas à identifier ?

Il s'inclina davantage.

Elle releva la tête, une esquisse de sourire aux lèvres.

— Vous savez, je vais vous donner mon crayon et vous allez écrire vous-même les recommandations qui sortent de votre cerveau éclairé. Cela me fera un beau souvenir de cette délicieuse rencontre. Enfin, à moins que vous ne préfériez continuer de me souffler dans le cou.

Il se redressa lentement, histoire de ne pas paraître trop déconcerté.

— Vous avez aussi besoin de leçons d'anatomie. Ce n'était pas le cou, mais l'oreille. Il faut montrer un peu plus de chair si vous voulez qu'on vous souffle dans le cou.

— Ce que je voudrais surtout, c'est que vous alliez souffler à Madagascar.

— Je vous embête ? Pourquoi ne pas me frapper ?

Elle referma son calepin.

— Maintenant je comprends, dit-elle d'un air inspiré. Vous avez fait tout ce ramdam devant le *Crockford* parce que je frappais quelqu'un d'autre. Vous voulez avoir l'exclusivité de mes coups.

Il la considéra d'un air compatissant.

— Pauvre petite, à force d'écrire vous avez attrapé une fièvre cérébrale.

À son grand soulagement, le fiacre s'immobilisa. Il sortit pour aider la jeune femme à descendre, puis lui dit d'un ton apitoyé :

— Rentrez vite vous coucher, mademoiselle Grenville. Vos méninges ont assurément besoin de repos. Et ne manquez pas d'appeler un médecin si vous n'avez pas recouvré la raison demain matin.

Avant qu'elle ait le temps de rétorquer, il lui donna une petite poussée en direction de la porte, remonta en voiture et lança au cocher :

— Au *Crockford* !

Puis il claqua la portière.

Comme son père, Lydia avait un don inné pour l'imitation. John Grenville avait échoué dans le métier d'acteur parce qu'il était trop feignant pour exploiter son talent naturel. Il ne se donnait du mal que pour boire, jouer ou courir la gueuse. Lydia, elle, en faisait meilleur usage. Se glisser dans la peau d'autrui lui permettait d'écrire des articles plus vivants, plus fidèles à la réalité.

Mais ce don l'avait également aidée à développer une relation de camaraderie avec ses collègues masculins.

Sa parodie du discours de lord Linglay à la chambre des Lords lui avait valu d'être conviée aux virées du mercredi soir à *La Chouette bleue*, où se retrouvaient traditionnellement auteurs, reporters et illustrateurs. Depuis, aucune soirée n'était considérée comme réussie si Grenville n'avait pas régalé l'assistance de ses pastiches hilarants.

Ce soir-là, Lydia divertit Tamsin – qui s'était entre-temps rebaptisée Thomasina Price – en lui relatant comiquement sa deuxième rencontre avec Ainswood.

Les deux jeunes femmes se trouvaient dans la chambre de Lydia. Assise sur le lit, Tamsin regardait Lydia jouer la scène devant la cheminée. D'ordinaire son public était largement imbibé de bière, mais Tamsin avait beau être sobre, elle riait tout aussi fort.

Lydia aurait dû s'amuser elle aussi, pourtant elle ne parvenait pas à avoir le détachement nécessaire.

Elle finit par aller s'asseoir à sa coiffeuse et entreprit d'ôter les épingles de ses cheveux. Tamsin la regarda un instant en silence, puis elle remarqua :

— Les hommes sont décidément d'étranges créatures, et je commence à croire que le duc d'Ainswood est l'une des plus bizarres. Je n'arrive pas à le cerner.

— Il fait partie de ces gens qui ne supportent pas la tranquillité. S'il n'y a pas de remous, il faut qu'il en provoque. Il se bat sans cesse, même avec ses amis. Et non content de me mettre dans ce fiacre, il a fallu qu'il me harcèle tout le trajet. Ça ne m'étonne pas que Dain lui ait cassé la figure. Il faudrait être un saint pour le supporter.

— Et Dain n'en est pas un, d'après ce que je sais ! Apparemment, Ainswood et lui sont faits du même bois.

— Peut-être, mais on n'insulte pas un homme le soir de ses noces ! Et il aurait pu avoir un minimum de considération pour la mariée.

Cette pensée l'indignait vraiment. Pourtant elle ne connaissait pas Dain, même s'il était son cousin. Les Ballister avaient coupé les ponts avec sa mère quand celle-ci avait épousé Grenville et, pour autant que Lydia le sache, personne ne se doutait qu'elle leur était apparentée. De fait, elle n'avait pas l'intention de le crier sur les toits. Mais c'était plus fort qu'elle, elle ne pouvait s'empêcher de se sentir concernée par les mésaventures de Dain.

Le jour où son cousin avait épousé Jessica, Lydia était présente parmi la foule massée devant l'église St George. Elle était venue sous prétexte d'écrire un article, mais quand Dain était apparu sur le parvis, éclatant de bonheur à côté de sa jeune femme rayonnante et si manifestement éprise, Lydia, touchée, avait éprouvé un élan d'affection irrépressible.

Voilà pourquoi elle ne pardonnait pas à Ainswood d'avoir gâché la nuit de noces de Dain par sa conduite inqualifiable.

La voix de Tamsin la ramena au présent :

— Le duc était ivre, non ?

— S'il tenait debout et était capable d'articuler des phrases cohérentes, il ne devait pas l'être tant que ça. Ces colosses tiennent bien mieux l'alcool que le commun des mortels. Non, je crois qu'il faisait juste semblant d'être ivre. Comme il fait semblant d'être idiot.

— C'est précisément pourquoi je trouve son comportement si bizarre. Il n'est pas le moins du monde confus. À l'évidence, il faut avoir l'esprit vif pour soutenir une joute verbale avec vous, Lydia. Vous m'avez relaté votre conversation dans le fiacre et... je ne saurais pas dire qui a gagné.

— Ex aequo, assura Lydia qui se brossait les cheveux sans douceur. Il n'a eu le dernier mot que parce qu'il a fermé la portière avant que je puisse répliquer. Il m'a poussée ! C'était si puéril que j'ai failli éclater de rire.

— Allez-y doucement, vous allez vous retrouver chauve, protesta Tamsin qui se leva et ajouta : Laissez-moi faire.

— Tu n'es pas ma femme de chambre.

Tamsin lui confisqua la brosse.

— Ce n'est pas parce que vous êtes en colère contre Sa Grâce que vous devez vous venger sur vous-même.

— Cet âne bâté a laissé Crenshaw s'en sortir, marmonna Lydia avec irritation. Crenshaw va disparaître de la circulation pendant un moment, et Mary Bartles sera obligée de rentrer chez elle où les gens vont la traiter comme une traînée. Elle est différente des autres...

— Je sais, vous me l'avez déjà dit.

— Les hommes sont tellement méprisables ! Ce sale type va s'en sortir sans avoir levé le petit doigt pour elle, j'en suis sûre.

— Le duc va peut-être intercéder en faveur de Mary ?

— Le duc ? Il s'en moque bien ! Il a lu ce billet, et cela ne l'a pas empêché de me provoquer copieusement.

— Le sens de l'honneur le poussera peut-être à...

— Le sens de l'honneur ? S'il est intervenu devant le *Crockford* tout à l'heure, c'est uniquement pour se venger de l'humiliation que je lui ai fait subir dans Vinegar Yard. À l'heure qu'il est, il a dû descendre une douzaine de bouteilles de champagne pour fêter sa soi-disant victoire sur la Valkyrie.

» Il a profité du fait que tous ses amis assistaient à la scène pour jouer du muscle, prouver qu'il est assez costaud pour me maîtriser. Il m'a portée la moitié du trajet, et il n'était même pas essoufflé, le gredin.

De fait, elle avait eu beau se débattre, il l'avait terrassée sans difficulté. Pire, elle s'était sentie toute chose devant cette démonstration de puissance virile. C'était abject. À vomir.

— Ensuite, fulmina-t-elle encore, quand il aura vidé la cave du *Crockford* et perdu plusieurs milliers de livres au jeu, il titubera jusqu'au bordel le plus proche.

Là, il enlacera une catin fardée dans ses bras puissants et poserait la bouche sur...

« Ça m'est complètement égal », se rappela-t-elle.

— Il oubliera alors que j'existe, toute grande enquiquineuse que je sois. Alors tu penses s'il se souciera de cette pauvre Mary Bartles, dont il doit penser en outre qu'elle a bien cherché ce qui lui arrive.

— C'est tellement injuste, soupira Tamsin. La femme est conspuée si elle cède, alors qu'on loue la vigueur de l'homme. Mais nous n'allons pas abandonner Mary. Je sais que vous devez travailler demain, mais je peux aller à Bridewell et...

— Non, il n'en est pas question !

— J'emmènerai Brigitte. Vous n'avez qu'à me dire quelles sont les formalités. Et s'il faut payer une amende, vous pouvez retirer la somme de mes gages.

Dans le miroir de la coiffeuse, les deux femmes échangèrent un regard. Tamsin poursuivit :

— Mary et son bébé partageront ma chambre jusqu'à ce que nous ayons trouvé une solution plus commode. Mais la priorité est de les faire sortir de l'hospice, n'est-ce pas ? Bon, alors je vais noter vos consignes. Où est votre calepin ?

— Dieu que tu es autoritaire ! s'exclama Lydia, qui se leva néanmoins pour aller récupérer son carnet.

Elle lui tendit également un crayon, puis demanda :

— Tu es sûre de vouloir faire cela, Tamsin ?

— J'ai réussi à traverser l'Angleterre toute seule, je devrais être capable de récupérer Mary à Bridewell. Cette fois, je vous promets de garder mes lunettes sur le nez et de ne suivre personne ! Et j'aurai Brigitte pour me protéger. Je serai si heureuse de me rendre utile !

En six jours, Lydia avait eu le temps de se rendre compte que Tamsin était dotée d'un solide bon sens.

Hélas, elle ne pouvait en dire autant d'elle-même !

Tôt le mercredi matin, un fiacre quitta l'hospice de Bridewell. Il avait à son bord Adolphus Crenshaw, Mary Bartles et le petit Jemmy.

Bertie Trent les avait regardés s'éloigner avant de s'abîmer dans d'intenses cogitations dont il fut arraché au bout de quelques minutes par un cri.

Levant la tête, il aperçut un énorme mastiff noir qui tirait sur sa laisse, traînant à sa suite une petite jeune fille à lunettes tout essoufflée.

— Brigitte, au pied ! haletait celle-ci en vain.

Bertie s'approcha pour lui prêter main-forte, mais la chienne s'immobilisa aussitôt, babines retroussées, en grondant sourdement.

— Pourquoi tant d'agressivité ? fit Bertie. Ah, je vois, tu défends ta maîtresse ! Mais je n'ai pas l'intention de lui faire de mal, tu sais.

Il lui tendit sa main gantée à renifler. La chienne cessa de gronder et posa son arrière-train massif sur le trottoir. Tandis qu'elle le humait d'un air intéressé, Bertie reporta son attention sur la jeune fille. Il reconnut son petit nez droit et ses grands yeux bruns.

— Oh, vous étiez à Vinegar Yard l'autre jour, n'est-ce pas ? Mais maintenant vous portez des lunettes. C'est à cause de cette grande femme qui conduit comme une folle ? Vous avez eu un accident à cause d'elle, je parie.

La jeune fille le considéra d'un air perplexe, avant de se décider à répondre :

— Je suis myope. Mes lunettes ont été cassées et Mlle Grenville a eu la bonté de les faire réparer.

— Ah ! Elle vous a gardée, alors. Figurez-vous que j'étais justement en train de songer à elle. Elle me fait penser à Charles II, mais je ne sais pas pourquoi. Cela me rend fou.

— Charles II ?

— Oui, le roi.

La chienne émit un jappement bref. La jeune fille lui caressa machinalement la tête.

— Elle s'appelle Brigitte.

Rappelé aux bonnes manières, Bertie se présenta. Il apprit à son tour que la jeune personne se nommait Mlle Thomasina Price et qu'elle avait été engagée par Mlle Grenville en qualité de dame de compagnie.

Ces formalités accomplies, la jeune fille se tourna vers le bâtiment lugubre qui se dressait derrière eux.

— Ce n'est guère accueillant, n'est-ce pas ?

— J'ai vu des endroits plus gais, en effet, acquiesça Bertie.

Mais ce devait être pire pour les gens qui vivaient là. C'est ce qu'il avait fait remarquer à Crenshaw la veille, après qu'Ainswood eut embarqué cette grande perche de Grenville dans un fiacre.

Bertie avait insisté pour offrir un verre à Crenshaw, parce que « C'est quand même éprouvant pour les nerfs de se faire attaquer par des femmes ! » lui avait-il dit, compatissant.

Heureux de trouver une oreille amie, Crenshaw s'était épanché sur ses récents déboires. À la fin de son récit, Bertie l'avait mis face à la réalité : il était accusé d'avoir engendré un bâtard, c'était là un fait qu'il lui fallait admettre.

Aussi, dès le lendemain matin avait-il accompagné Crenshaw à l'hospice de Bridewell où la culpabilité pleine et entière de ce dernier avait été établie sans conteste. Au terme d'un conciliabule embarrassé, le fautif avait déclaré vouloir assumer ses responsabilités.

Et voilà.

De nombreuses personnes en auraient probablement douté, mais Bertie était capable de déductions logiques. Puisque Mlle Price était là, et qu'elle était du côté de la grande gigue qui s'en était prise à Crenshaw la veille…

— Vous ne seriez pas venue chercher une fille et son bébé, par hasard ? Si c'est Mlle Grenville qui vous envoie, vous pouvez lui dire que Crenshaw est déjà passé les récupérer. Je le sais, j'étais avec lui. Ils sont partis il y a moins d'un quart d'heure et... Sapristoche, mais qu'est-ce qu'il fait debout à cette heure ? s'écria-t-il soudain, les yeux rivés sur une haute silhouette qui venait dans sa direction.

Le duc d'Ainswood était bel et bien debout, alors que, de l'aveu même de son valet, il s'était couché aux aurores, ivre mort.

De fait, il avait l'air d'humeur plus que sombre.

Vere mit un moment à identifier la fille, mais il reconnut la chienne au premier coup d'œil. Cela devait signifier que la Gorgone était dans les parages.

Il aurait tourné les talons sur-le-champ si la chienne, l'apercevant de loin, ne s'était mise à gronder. Une fuite précipitée aurait pu laisser supposer qu'il avait peur, aussi poursuivit-il son chemin d'un pas nonchalant.

— Ce n'était pas l'avorton de la portée, commenta-t-il d'un ton détaché, en observant la musculature puissante sous le pelage brillant. Et elle a l'air tellement aimable.

La chienne gronda encore plus fort et se mit à tirer sur sa laisse. Bertie la saisit par le collier.

— Aussi aimable que sa maîtresse, poursuivit Vere. Qui apparemment ne voit pas d'inconvénient à confier son molosse à quelqu'un qui ne le contrôle pas. C'est typique du comportement irresponsable de Mlle Grenville...

— Mademoiselle Price, je vous présente Ainswood, coupa Bertie. Ainswood, Mlle Price. Et cette brave bête s'appelle Brigitte. Belle matinée, n'est-ce pas ? Mademoiselle Price, je vais vous appeler un fiacre. Ainsi vous pourrez porter la bonne nouvelle à Mlle Grenville.

Il entraîna la chienne toujours grondante à sa suite et Mlle Price, après un bref salut à l'adresse d'Ainswood, lui emboîta le pas. Quelques minutes plus tard, une voiture de location emportait la jeune fille et la chienne.

Trent rejoignit Vere, et le scruta.

— Si je puis me permettre, tu n'as pas vraiment l'air dans ton assiette, lâcha-t-il.

— Je le sais, merci. Jaynes me l'a déjà dit. Si je ne t'avais pas attendu des heures au *Crockford* la nuit dernière, je n'aurais pas été obligé de boire tout ce mauvais champagne en écoutant ces crétins se ficher de moi.

En réalité, c'est Crenshaw que Vere avait attendu dans l'intention d'achever ce que l'Amazone avait commencé. *Tes bâtards tu assumeras*, tel était le commandement qui, chez les Mallory, s'était substitué au traditionnel : *La femme de ton voisin tu ne convoiteras*. Même Dain – qui n'était pas un Mallory et vivait selon ses propres règles – pourvoyait aux besoins de son fils illégitime.

En recevant le billet de la jeune Mary, Crenshaw aurait dû bomber le torse et déclarer : « Merci de m'avoir transmis le message, mademoiselle Grenville. Demain matin à la première heure j'irai chercher tout ce petit monde à Bridewell. »

Puis Mlle Attila Grenville serait partie en ondulant des hanches avec arrogance, et Vere n'aurait plus jamais entendu parler d'elle.

Mais non, il avait fallu que Crenshaw se défile comme le dernier des lâches. Aussi Vere était-il retourné l'attendre au *Crockford* pour lui flanquer la correction qu'il méritait et le remettre dans le droit chemin. En pure perte, car Crenshaw ne s'était pas montré. Et tout ce champagne n'avait pas suffi à noyer la contrariété de Vere.

Ce matin, malgré une gueule de bois épouvantable, il s'était levé à une heure insensée, avec l'impression qu'on tirait le canon sous son crâne. Comble de malheur, il était tombé sur la petite jeune fille à lunettes, ce qui signifiait que Mlle Justice-Pour-Tous apprendrait bientôt qu'il s'était rendu à Bridewell. Elle devinerait sans peine pourquoi. Et penserait avoir gagné la bataille. Une fois de plus.

— Désolé, j'aurais dû te faire prévenir que c'était inutile de m'attendre, s'excusa Trent, penaud. Mais pour tout dire, je ne pensais pas que tu reviendrais au *Crockford*. Tu semblais avoir des projets bien plus excitants pour la soirée.

Vere se figea, abasourdi.

— Des projets *excitants* ? Avec l'Ogresse ? Ma parole, tu as perdu l'esprit !

Bertie haussa les épaules.

— Je trouve que c'est une sacrée belle plante, c'est tout.

Il n'y avait que Bertie Trent pour s'imaginer que le duc d'Ainswood s'était éclipsé avec la hussarde aux yeux bleus pour lui conter fleurette. Autant folâtrer avec un crocodile !

Cela dit, comme d'habitude, le destin s'était ingénié à lui jouer un sale tour en ne la dotant pas d'un physique en accord avec sa personnalité : bosse dans le dos, rides, verrues, etc.

C'est ce qu'il s'était dit la veille, en vidant toutes ces bouteilles de champagne. Et ce qu'il s'était répété une fois chez lui, alors que le sommeil persistait à le fuir.

C'est aussi ce qu'il avait pensé en apercevant le mastiff, et que son cœur avait commencé à s'emballer. Et un peu plus tôt, lorsque, découvrant que la Valkyrie n'était pas là, il avait ressenti – non sans humiliation – quelque chose qui ressemblait à de la déception.

4

Entrer à *La Chouette bleue* par cette nuit froide et humide, c'était un peu comme descendre aux Enfers. Vere avait l'habitude des tavernes bruyantes, pleines d'ivrognes braillards. De gens normaux, quoi. Mais *La Chouette bleue* était remplie d'écrivains et de journalistes. Qui parlaient, parlaient, parlaient, dans l'atmosphère saturée de la fumée des pipes et des cigares.

On se serait vraiment cru dans l'antre du diable. Néanmoins les clients étaient indubitablement humains. Deux jeunes types assis à une table se hurlaient mutuellement dans les oreilles. De la salle voisine dont la porte était ouverte s'échappaient des cascades de rires tonitruants. Comme Vere s'approchait, il entendit quelqu'un crier à l'intérieur :

— Allez, une autre !

Parvenu sur le seuil, Vere découvrit une assemblée composée d'une trentaine d'hommes, assis sur des chaises et des bancs, ou adossés au mur.

Puis il la vit *elle*, debout devant la grande cheminée, sa silhouette sombre se détachant sur les flammes.

Cette vision le frappa comme jamais auparavant. Peut-être était-ce la fumée, ou tout ce vacarme. Ou ses cheveux. Elle avait ôté son chapeau et semblait ainsi moins cuirassée, plus exposée. Son épaisse chevelure blond pâle était rassemblée en un chignon qui s'affaissait sur la nuque. Les mèches qui s'en échappaient encadraient son visage magnifique qui, pris entre ombre et lumière, paraissait tout à coup juvénile. On aurait dit une gamine. Enfin, seulement le visage. Parce que sous l'espèce d'armure en serge noire cadenassée par tous ces boutons, il y avait indubitablement un corps de femme.

Ces boutons qu'en rêve il faisait sauter de ses doigts fébriles nuit après nuit.

Elle était la seule femme présente. Et il fallait qu'elle s'exhibe devant ces hommes qui, tous sans exception, devaient l'imaginer nue, dans toutes sortes de positions indécentes.

Il serra les poings.

Il remarqua alors qu'elle avait une bouteille de vin dans une main et un cigare dans l'autre. Elle avança vers un groupe, la démarche vacillante. Ivre. Dirigea un regard concupiscent vers l'un des hommes de ce groupe.

— Vous êtes grande, mais vous ne pesez pas bien lourd… hips ! Allez, je dirais un mètre soixante-quinze, et soixante kilos toute nue… hips ! Et je paierais bien cinquante guinées pour voir ça, soit dit en passant.

Le public explosa de rire. Vere mit un temps à reconnaître la voix qu'elle avait contrefaite. Et à faire le rapprochement.

C'étaient ses propres paroles qu'elle citait. Il lui avait tenu ces propos à Vinegar Yard.

Elle était en train de l'imiter.

— Cinquante ? lança quelqu'un. J'ignorais que vous saviez compter jusque-là, Votre Grâce !

Elle se ficha le cigare au coin des lèvres et rétorqua :

— Tu veux savoir jusqu'à combien je compte ? Viens par ici, mon bonhomme, je vais t'apprendre à compter tes dents… quand tu les ramasseras !

Cette fois, il n'y eut que quelques rires épars.

Vere tourna les yeux vers l'assistance et s'aperçut que tous les regards étaient braqués sur lui. Lorsqu'il reporta son attention sur la jeune femme, elle le fixait elle aussi. Sans le moindre frémissement d'embarras, elle porta la bouteille à ses lèvres et but une gorgée, avant de la reposer sur la table la plus proche. Puis, après s'être essuyé la bouche d'un revers de main, elle le salua d'un petit hochement de tête.

— Votre Grâce.

Il s'obligea à sourire, puis se mit à applaudir, lentement, dans le silence stupéfait qui était retombé.

Cigare au bec, elle souleva un chapeau imaginaire et plongea dans une révérence exagérée.

— Magnifique, ma chère. Très divertissant, commenta-t-il avec froideur.

— Pas autant que l'original, rétorqua-t-elle.

Il s'esclaffa et, tandis que quelques applaudissements retentissaient, il se dirigea vers la jeune femme. Son expression se durcit et une esquisse de sourire lui retroussa les lèvres. Il lui avait déjà vu cette expression narquoise, mais cette fois, il ne s'y laissa pas prendre. Peut-être était-ce la fumée et la lumière tamisée, mais il crut voir une lueur de doute s'allumer brièvement dans son regard. Et la gamine cachée derrière le personnage d'amazone indomptable refit un instant surface.

Soudain, il eut envie de la prendre dans ses bras et de l'emporter loin de ce lieu infernal et de ces ivrognes qui la reluquaient sans vergogne. S'il fallait à tout prix qu'elle le ridiculise, qu'il soit au moins son seul et unique spectateur.

... vous voulez avoir l'exclusivité de mes coups.

Il s'empressa de chasser le souvenir de ces paroles déplaisantes de son esprit.

— J'ai juste une petite critique à formuler, dit-il en s'immobilisant devant elle.

Il entendit quelques murmures, un toussotement ici ou là. De toute évidence, les personnes présentes attendaient la suite. Normal, après tout, pour des journalistes.

— Le cigare. Ça ne va pas du tout.

Il sortit un étui à cigare d'une poche intérieure, l'ouvrit et le lui tendit.

— Regardez. Les miens sont plus longs, plus fins et de bien meilleure qualité. Servez-vous, je vous en prie.

Elle lui jeta un bref regard, haussa les épaules et prit un cigarillo entre ses doigts tachés d'encre. Puis, l'air viril, elle le renifla sur toute la longueur. Une prestation convaincante, mais Vere était assez proche pour remarquer ce que les autres ne pouvaient voir : la rougeur discrète qui avait envahi ses pommettes, son souffle rapide.

Non, elle n'était pas aussi endurcie, cynique et sûre d'elle qu'elle essayait de le faire croire.

Il fut tenté de se pencher pour la faire rougir davantage, mais préféra s'en abstenir. Son parfum était trop grisant, trop dangereux. Se tournant vers les spectateurs qui avaient retrouvé leur langue et échangeaient des remarques grivoises à propos du cigare, il déclara :

— Désolé d'avoir interrompu le spectacle, messieurs. Je vous laisse continuer. Et j'offre une tournée générale.

Puis, sans un regard en arrière, il s'éloigna tranquillement.

Il était venu à *La Chouette bleue* afin d'éradiquer toutes fausses idées qu'elle aurait pu se faire quant à son apparition à Bridewell le matin même.

Il comptait l'aborder sous prétexte de lui rendre le crayon qu'elle avait oublié dans le fiacre, puis aurait laissé subtilement entendre devant ses collègues journalistes que ce n'était pas la seule chose qu'elle avait perdue ce soir-là. Bref, il se serait conduit comme l'odieux débauché qu'il était censé être – et était, du reste. Il n'aurait pas été difficile de la convaincre ensuite qu'il sortait d'un bordel du quartier lorsqu'il était tombé sur Trent et Mlle Price.

Il était donc logiquement impossible qu'il se soit trouvé là pour obtenir la libération de la jeune Mary Bartles afin de l'envoyer chez son homme d'affaires qui était supposé l'installer à la campagne où il n'aurait plus entendu parler d'elle et de son satané mouflet.

Et si une quelconque bonne action avait été avérée, il l'aurait imputée à Bertie.

Il avait trouvé son plan ingénieux, d'autant qu'il l'avait mis au point dans un état d'abrutissement effroyable, après un temps de sommeil nocturne qui n'avait pas excédé vingt-deux minutes. Malheureusement, ce plan mirifique lui était sorti de l'esprit à l'instant où il s'était immobilisé sur le seuil de la salle.

Mais il avait appris quelque chose. Il s'était trompé sur son compte. Elle n'était pas celle qu'elle feignait d'être. Et elle n'était pas immunisée contre son charme.

La forteresse n'était pas imprenable. Il y avait une faille dans la muraille et, en tant qu'odieux débauché, il estimait désormais de son devoir de se lancer à l'assaut pour démanteler ses défenses, pierre après pierre.

Ou plutôt *bouton après bouton*.

Blakesleigh, Bedfordshire

Le lundi suivant, Mlles Elizabeth et Emily Mallory, respectivement âgées de dix-sept et de quinze ans, purent lire dans les pages du *Chuchoteur* la retranscription de la rencontre qui avait eu lieu entre lord Ainswood et Mlle Grenville à *La Chouette bleue*.

Elles n'étaient pas censées lire la presse à scandale, n'étaient même pas autorisées à feuilleter les journaux respectables qui parvenaient chaque jour à Blakesleigh. Leur oncle, lord Mars, leur faisait quotidiennement lecture des articles qu'il jugeait convenables pour de chastes oreilles. Néanmoins, étant un politicien chevronné, il était au fait des turpitudes du monde et, dans l'intimité de son bureau, il ne se privait pas pour lire les feuilles à scandale.

Le journal que les jeunes demoiselles lisaient avec avidité à la lumière du feu avait été dérobé dans la pile de papiers destinés à être jetés. Comme les précédents, il finirait dans l'âtre dès qu'elles auraient pris connaissance des dernières frasques de leur tuteur, le septième duc d'Ainswood.

Elizabeth et Emily étaient les filles de Charlie, les sœurs de Robin.

Leur lecture achevée, elles échangèrent un regard mi-amusé mi-perplexe.

— Il s'est manifestement passé quelque chose dans ce fiacre, déclara Emily. Je t'avais bien dit que cela ne s'arrêterait pas à Vinegar Yard. Elle lui a boxé le nez, ça a dû retenir son attention.

— Elle doit être très jolie sinon il n'aurait pas essayé de l'embrasser.

— Et intelligente. Je voudrais bien être capable de jeter un homme par terre, moi aussi. J'aurais aimé voir comment elle s'y était prise ?

— À force d'essayer, on finira bien par le découvrir.

Emily fit la grimace :

— En tout cas, pas question que j'essaie de fumer le cigare. J'ai déjà fait une tentative avec ceux d'oncle John, et j'ai bien cru que je ne pourrais plus jamais manger ! Tu crois que Mlle Grenville va parler du duc dans le prochain numéro de l'*Argos* ?

— Il paraît après-demain. On verra bien.

Mais le journal n'arriverait pas à Blakesleigh avant jeudi au plus tôt, et il passerait entre plusieurs mains, y compris celles du majordome, avant de se retrouver sur la pile destinée au rebut. Il faudrait donc attendre une semaine, au bas mot. Oncle John ne leur lisait jamais des extraits de l'*Argos*, pas même ce feuilleton palpitant, *La Rose de Thèbes*, de peur que l'héroïne casse-cou leur souffle des idées néfastes.

Lord Mars aurait été horrifié d'apprendre que ses nièces s'identifiaient totalement à Miranda et considéraient le pervers Diablo comme un héros. S'il l'avait su, il aurait appelé le médecin, persuadé que la douleur leur avait dérangé l'esprit.

Mais Elizabeth et Emily avaient appris à vivre avec leur chagrin. Chaque nouveau deuil avait nourri leur résistance. Leur colère aussi. Mais leur père ne leur avait-il pas dit que la colère était un sentiment parfaitement naturel ? Avec le temps, les sentiments paroxystiques s'étaient apaisés. Deux ans après avoir perdu leur père bien-aimé, et dix-huit mois après la mort de leur frère cadet, elles avaient retrouvé leur appétit de vivre.

— Je parie qu'il est question du duc dans la correspondance de tante Dorothy et de ses amies, dit Elizabeth.

— Elles n'en savent pas plus que *Le Chuchoteur*. Du reste, je ne suis pas sûre que papa apprécierait que nous allions fureter dans le secrétaire de tante Dorothy.

— Il faut bien que nous ayons des nouvelles de cousin Vere. C'est quand même notre tuteur. Tu te souviens comme papa riait chaque fois qu'il entendait parler de ses frasques ?

— Oui, opina Emily. Il disait : « C'est une vraie canaille, comme tout Mallory qui se respecte ! »

— Et c'était l'ami de Robin, ajouta Elizabeth, les larmes aux yeux. Quand il est tombé malade, on nous a interdit d'entrer dans sa chambre, mais cousin Vere n'a pas eu peur, lui. Il est resté avec Robin jusqu'au bout. Sans peur et loyal.

— Nous aussi nous lui serons loyales, décréta Emily.

Elles échangèrent un sourire. Puis Elizabeth jeta *Le Chuchoteur* dans le feu et murmura :

— Voyons ces lettres, à présent.

— Pas si fort, bon sang ! aboya Lydia. Ce truc m'empêche de respirer.

Elle parlait de l'engin de torture dans lequel elle s'était glissée, sorte de corset matelassé censé transformer un buste féminin en torse masculin.

La personne après qui elle aboyait était Helena Martin[1].

Lydia et elle avaient joué jadis dans les rues de Londres où Helena s'était exercée à devenir pickpocket. Désormais courtisane, elle rencontrait un grand succès. Leur amitié avait résisté aux années de séparation et à leur divergence de vocation.

Pour l'heure, elles se trouvaient dans le boudoir de la résidence cossue qu'Helena louait à Kensington.

— Je serre juste ce qu'il faut, assura cette dernière.

Lydia observa son reflet dans la psyché. Grâce au « corset », elle avait maintenant une cage thoracique monumentale. De nos jours, la mode voulait que les hommes se rembourrent les épaules et la poitrine, et se corsettent la bedaine. Mais pas Ainswood. Sa silhouette virile ne devait rien aux artifices.

Pour la millième fois depuis leur rencontre à *La Chouette bleue*, Lydia refoula ces pensées parasites. Se détournant du miroir, elle entreprit d'enfiler ses habits masculins.

Helena avait porté ce déguisement quelques mois plus tôt, à l'occasion d'un bal masqué. Tout le monde s'y était laissé prendre. Grâce à quelques retouches –

1. Voir *Le Comte d'Esmond*, Éditions J'ai lu, n° 9304.

Helena était plus petite –, Lydia comptait obtenir le même résultat.

Elle ne se rendait certes pas à un bal, mais au *Jerrimer*, une salle de jeu située non loin de St James's Street. Les lectrices de son journal dévoreraient l'article qu'elle rédigerait ensuite, car toute femme rêvait de savoir ce qui se passait en ces lieux auxquels elles n'avaient pas accès, du moins si elles entraient dans la catégorie des dames respectables.

Ce n'était cependant pas pour cette raison que Lydia avait jeté son dévolu sur le *Jerrimer*. Selon ses sources, on s'y livrait à un trafic fort lucratif d'objets volés. Avec un peu de chance, peut-être y dénicherait-elle quelques-unes des possessions de Tamsin.

Celle-ci n'était pas d'accord et le lui avait fait savoir.

— Vous avez déjà perdu quinze jours à chercher mes bijoux, vous avez mieux à faire. Par exemple, vous occuper des gens dans le besoin. Quand je pense à cette pauvre Mary Bartles, j'ai honte des larmes que j'ai versées pour ces colifichets !

Mais Lydia avait tenu bon. Pour l'article. Les bijoux n'étaient qu'un à-côté, avait-elle prétendu.

— Tu vas avoir de gros ennuis si quelqu'un te démasque, l'avertit Helena.

— C'est une maison de jeu. Les clients ne s'occupent que des cartes, des dés ou de la roulette. Et les employés surveillent leur argent.

Lydia s'approcha de la coiffeuse et se saisit du cigarillo qu'Ainswood lui avait donné. Elle le glissa dans sa poche intérieure, puis se tourna vers Helena qui affichait une expression soucieuse.

— Crois-moi, je courais davantage de danger quand j'interrogeais les prostituées de Ratcliffe Highway.

— Sans doute, mais c'était avant que tu commences à te comporter si bizarrement, rétorqua Helena en s'emparant de la carafe de cognac et de deux verres. Ces derniers temps, tu te montres susceptible. Tu ne supportes plus la contradiction. Ton accrochage avec Crenshaw me rappelle l'adolescente bagarreuse qui faisait le coup de poing dès qu'on s'en prenait à sa petite sœur.

Lydia accepta le verre que son amie lui tendait.

— J'ai peut-être réagi de manière outrancière avec Crenshaw, admit-elle.

— On devient très émotive quand on est frustrée, observa Helena avec un sourire. Moi-même, je suis très irritable entre deux amants.

— C'est vrai, j'ai très envie d'étriper certaines personnes, malheureusement le code pénal me l'interdit.

— Je parlais de frustration sexuelle, et tu le sais très bien.

Lydia but une longue gorgée sans quitter des yeux le visage malicieux de son amie qui poursuivit :

— Ainswood est bel homme. Il est aussi intelligent que musclé, et son sourire ferait fleurir la banquise. Le problème, c'est qu'il méprise les femmes. Il les utilise et les jette dans la foulée. Alors si vraiment il te donne envie de jeter ton bonnet par-dessus les moulins, je te conseille de t'éloigner un temps à la campagne. Ou de te rabattre sur un ersatz. Sellowby, par exemple. Lui n'est pas misogyne, et de toute évidence il s'intéresse à ta personne. Tu n'aurais qu'à claquer dans les doigts.

Les conseils d'Helena n'étaient pas à prendre à la légère. Elle savait comme personne jauger un homme, et répondre à ses attentes en devenant la femme de ses rêves.

Mais, en l'occurrence, il n'était pas question de suivre ses recommandations. Lydia savait fort bien pour quelle raison lord Sellowby « s'intéressait à sa personne ». Il l'avait vue devant l'église, le jour du mariage de Dain, et avait raconté ensuite à Helena avoir aperçu une femme qui présentait une ressemblance frappante avec les aïeux du marquis de Dain, dont il avait vu les portraits dans la grande galerie du château d'Arthcourt, dans le Devon.

Depuis, Lydia fuyait Sellowby comme la peste de peur qu'il ne soit tenté de creuser le sujet et ne découvre ce lien de parenté que son orgueil l'obligeait à garder secret.

— Pas Sellowby, décréta-t-elle. C'est un mondain avide de ragots, autant dire un rival pour une journaliste. Et puis, je ne tiens pas à me lier avec un homme. Le peu d'influence que j'exerce sur l'opinion publique se volatiliserait si l'on apprenait que je suis une femme déchue.

— Alors tu devrais trouver un compromis, parce que tu ne rajeunis pas, et que ce serait un vrai gaspillage...

— Je sais que tu ne veux que mon bien, ma chérie, mais ne pourrions-nous discuter de tout cela une autre fois ? coupa Lydia en posant son verre vide. Il se fait tard et on m'attend en ville.

Elle ajouta la touche finale à son déguisement, un haut-de-forme qu'elle inclina crânement sur le front. Puis, s'étant munie d'une canne à pommeau d'ivoire, elle se dirigea vers la porte d'une démarche virile.

— Tu repasses ici tout à l'heure, n'est-ce pas ? s'enquit Helena.

— Bien sûr. Je ne voudrais pas que les voisins surprennent un homme en train de pénétrer dans ma maison aux aurores. Tu auras le plaisir de m'extirper de cet affreux corset.

— Sois prudente.

Sur le seuil, Lydia se tourna avec un sourire canaille et lança d'une voix rocailleuse :

— La paix, femme ! Tu me casses les oreilles avec tes jérémiades !

Le rire de Helena retentit tandis qu'elle refermait la porte.

Ce mercredi-là, la soirée manquait d'entrain à *La Chouette bleue*, car Grenville était absente. En revanche Joe Purvis, l'illustrateur de l'*Argos*, était présent. Il revenait des toilettes quand Vere le croisa dans le hall.

Un verre de gin n'aurait pas dû suffire à lui délier la langue, mais Purvis ne tenait pas l'alcool, et son humeur chagrine le poussait aux confidences.

Il commença par se plaindre de ses confrères qui le raillaient depuis que Grenville l'avait imité en prenant une voix couinante. De plus le rédacteur en chef l'avait chargée d'une enquête que Purvis avait espéré se voir attribuer.

— C'est moi qui devrais être au *Jerrimer* ce soir, bougonna-t-il. Mais Sa Majesté a décrété qu'on ne manquerait pas de reconnaître ma voix. Comme si une grande bringue de son acabit pouvait passer inaperçue !

Le *Jerrimer* avait beau être petit, Vere faillit ne pas la reconnaître. C'est le cigarillo qui la trahit. Sans ce détail, il serait passé à côté de ce jeune gommeux sans lui accorder d'attention particulière. Mais il s'agissait d'un mélange de tabacs qu'on importait tout spécialement pour lui. Il était le seul dans Londres à fumer ces cigarillos.

Ravalant un sourire, il s'approcha.

La roulette faisait fureur en Angleterre et était très populaire au *Jerrimer*. De fait, la salle était bondée. Et certains, parmi les joueurs, ne s'étaient pas lavés depuis un certain temps. Cela dit, Lydia avait connu pire. En prison, par exemple. En outre, le cigarillo masquait une partie des odeurs.

Debout devant la table de jeu, elle feignait d'observer la partie en cours, alors que l'objet de son attention se trouvait de l'autre côté.

Coralie Brees.

La maquerelle portait des pendants d'oreilles, un collier et un bracelet de rubis qui correspondaient très précisément à la parure décrite par Tamsin.

Les gens étaient tellement serrés les uns contre les autres que Coralie Brees ne remarquerait probablement pas la main légère qui la délesterait de ce qu'elle avait bien mal acquis.

Le problème, c'est que Lydia maîtrisait beaucoup moins bien la technique qu'Helena. Si elle était de taille à jeter la maquerelle à terre pour lui arracher les joyaux, elle savait que ce n'était ni le moment ni l'endroit pour employer des méthodes aussi brutales. En dehors du fait que son « corset » la gênait dans ses mouvements, elle risquait d'être démasquée. Or elle était entourée d'ennemis potentiels. En outre, en plus de l'humiliation publique, des blessures graves, voire fatales, n'étaient pas à exclure.

Alors c'était peut-être rageant de regarder cette ordure se pavaner avec la parure de Tamsin, mais non, cette fois, Lydia ne se laisserait pas guider par sa frustration.

La bille de la roulette se bloqua sur la case vingt et un, rouge. Le croupier, impassible, poussa les gains de Lydia dans sa direction tandis que Coralie débitait un flot de jurons. Depuis une bonne heure, elle n'avait cessé de perdre et semblait enfin décidée à quitter la table de jeu.

Lydia réfléchit à toute allure. Si Coralie était à sec, il n'était pas impossible qu'elle aille monnayer ses bijoux. Lydia s'était renseignée et savait déjà où avaient lieu ces transactions clandestines. Elle compta rapidement ses gains. Deux cents livres. C'était peu selon les critères de certains clubs – comme le *Crockford*, par exemple, où l'on pouvait perdre des milliers de livres en l'espace de quelques minutes –, mais cela suffirait peut-être à racheter une parure de rubis à une putain dévorée par la passion du jeu.

Lydia joua des coudes pour se rapprocher de la porte. Le regard fixé sur son gibier, elle évita spontanément une rouquine qui tentait de l'aguicher depuis un moment et repoussa d'un coup de coude un pickpocket. Mais dans sa hâte à rattraper Coralie, elle ne remarqua pas le pied tendu en travers de son chemin.

Elle trébucha, et se serait affalée tête la première si une main puissante ne s'était refermée sur son bras.

Lydia leva les yeux... et croisa un regard vert étincelant.

Cette diablesse était d'un sang-froid inouï. Que fallait-il donc pour la déstabiliser ? Elle avait à peine cillé en le reconnaissant, puis avait ôté avec nonchalance le cigarillo coincé entre ses lèvres.

— Mais c'est ce bon Ainswood ! Ça fait un bail qu'on ne s'est pas vus, vieille branche. Comment va depuis votre dernière crise de goutte ?

Ayant repéré Coralie Brees et ses deux gardes du corps non loin, Vere n'osa pas démasquer la péronnelle en lui arrachant sa moustache postiche devant tout le monde. Sans mot dire, il l'entraîna hors du club. Une fois dans la rue, elle continua de jouer la comédie, et c'est seulement quand ils eurent parcouru une bonne centaine de mètres sur St James's Street qu'elle reprit sa voix normale.

— Décidément, c'est une manie chez vous de semer la pagaille, Ainswood ! Tout se passait bien. Je gagnais à la roulette, au cas où vous ne l'auriez pas remarqué. Et surtout, j'étais en train de travailler. Je sais que vous n'avez pas besoin de lever le petit doigt pour vivre, alors laissez-moi vous expliquer quelques règles économiques de base : si les journalistes ne sont pas en mesure de rédiger leurs articles, leur journal n'aura rien à publier, et les lecteurs ne prendront donc pas la peine d'acheter ledit journal. Et si les clients ne paient pas, les journalistes ne sont pas rétribués. Vous suivez ou je vais trop vite pour vous ?

— Vous ne jouiez plus à la roulette lorsque je suis intervenu. Et je sais pourquoi. Je vous ai observée pendant que vous épiiez la maquerelle. Vous aviez ce regard que je vous ai déjà vu et qui signifie : grabuge à l'horizon. Ce que vous ignoriez, apparemment, c'est que Coralie n'était pas venue seule. Elle était accompagnée de deux brutes, et si vous l'aviez suivie, ces deux-là vous auraient entraînée dans une ruelle voisine et vous auraient mise en pièces.

Ils avaient atteint Piccadilly. Elle jeta ce qui restait de son cigare et rétorqua :

— Vous faites allusion à Josiah et à Bill, je suppose. Je ne vois pas comment quiconque, à moins d'être aveugle, pourrait ne pas remarquer ces deux gargouilles.

— Votre vue me semble défectueuse, en effet. Vous ne m'avez pas repéré, *moi*.

Il leva la main pour héler un fiacre qui s'approchait.

— J'espère que ce fiacre est pour vous, lui dit-elle. Car en ce qui me concerne, j'ai une enquête à terminer.

— Il faudra la terminer ailleurs qu'au *Jerrimer*, parce qu'il n'est pas question que vous retourniez là-bas. Si je vous ai reconnue, d'autres le peuvent. Et si, comme vous le soupçonnez, certaines activités clandestines ont lieu là-bas, ceux qui s'y livrent feront en sorte que non seulement Grenville de l'*Argos* n'achève pas son enquête, mais aussi qu'on n'entende plus jamais parler d'elle.

— D'où tenez-vous que j'enquêtais sur ces activités clandestines ? demanda-t-elle d'une voix coupante. Ma mission était censée être secrète.

Le fiacre, un véhicule vétuste, s'immobilisa à leur hauteur. Il y avait à l'arrière une plate-forme étroite sur laquelle s'étaient juchés jadis deux laquais, certainement morts et enterrés depuis longtemps.

— Vous allez où, messieurs ? s'enquit le cocher.

— Soho Square, répondit Vere.

— Vous êtes fou ! se récria-t-elle. Je ne peux pas rentrer chez moi déguisée ainsi.

— Pourquoi, vous avez peur d'effrayer votre charmant molosse ?

— Campden Place, Kensington, lança-t-elle au cocher, avant d'ajouter plus bas à l'intention de Vere : C'est bon, vous avez gagné. Je ne retournerai pas au *Jerrimer*. Effectivement, si vous m'avez reconnue, cela signifie que n'importe quel imbécile en est capable.

— Dois-je vous rappeler que vous habitez Soho ?

— Mes habits et ma voiture se trouvent à Kensington.

— Messieurs ? intervint le cocher. Si vous ne vous décidez pas...

Lydia ouvrit la portière, grimpa à l'intérieur. Vere saisit la poignée avant qu'elle puisse lui claquer le battant au nez.

— Cela fait une éternité que je ne suis pas allé à Kensington. L'air de la campagne aura un effet bénéfique sur ma goutte, vous ne croyez pas ?

— Kensington est très humide à cette époque de l'année. Si vous souhaitez changer de climat, je vous suggère le désert de Gobi.

Il sourit.

— Tout bien réfléchi, je crois que je vais plutôt me trouver un bon petit bordel bien accueillant.

Sur ces mots, il referma la portière.

5

Lydia savait qu'elle seule était à blâmer pour le fiasco de ce soir.

La semaine passée, à *La Chouette bleue*, elle avait repéré Ainswood à la seconde où il était apparu dans l'encadrement de la porte. Bien sûr, sa fierté lui avait interdit de s'arrêter au beau milieu de sa prestation scénique. Elle était une Ballister quand même !

Certes, elle aurait pu choisir une autre victime, mais elle n'avait pas résisté à la tentation. Oh, Ainswood avait fait bonne figure ! Il avait fait semblant d'être amusé pour ne pas perdre la face devant tous ces hommes, mais en vrai, elle avait réussi à le déstabiliser.

La réplique ne s'était pas fait attendre.

Sans doute était-il retourné à *La Chouette bleue* ce soir dans l'intention de se venger. Là-bas, il avait tiré les vers du nez d'un employé de l'*Argos*, soit en le faisant boire, soit en lui graissant la patte. Puis il s'était rendu tout droit au *Jerrimer* pour mettre les pieds dans le plat. Qu'elle soit en train de travailler ou de jouer lui était bien égal. Ensuite, ayant saccagé son enquête, il s'en était allé vers d'autres plaisirs.

Ainsi, à cause de leurs chamailleries stupides, elle avait manqué une occasion de récupérer les bijoux de Tamsin. Et pendant qu'elle se maudissait de sa propre puérilité, Ainswood devait se féliciter d'avoir remis la Valkyrie à sa place.

Sans doute ne se priverait-il pas de raconter cette anecdote, histoire d'amuser ses camarades de beuverie au bordel. Et il en rirait encore lorsqu'il enlacerait une voluptueuse catin, et enfouirait le nez entre ses seins plantureux...

« Ça m'est complètement égal », décréta-t-elle.

Et peut-être que la femme lucide et raisonnable en elle se moquait vraiment qu'il aille s'encanailler dans un lupanar, et trouvait même que c'était une bonne chose qu'il soit parti.

Mais l'autre femme, celle qui était tout aussi scandaleuse et effrontée que lui, avait envie de crier au cocher de faire demi-tour pour aller débusquer ce satané duc, où qu'il soit, et l'arracher aux bras de cette cocotte anonyme.

Elle était si furieuse, l'esprit assailli par tant de scènes érotiques révoltantes, qu'elle ne se rendit pas tout de suite compte qu'elle était parvenue à destination.

Elle descendit de voiture en hâte, régla la course au cocher, puis se dirigea vers la maison d'Helena.

Elle se figea en apercevant le splendide équipage garé devant la grille. Helena avait de la visite. Et Lydia savait d'autant mieux à qui appartenait cette voiture qu'elle prenait grand soin d'éviter son propriétaire. Lord Sellowby.

Retenant un juron, elle s'approcha de la voiture, échangea une ou deux plaisanteries avec le cocher de Sellowby et lui demanda de sa grosse voix d'homme où se trouvait le pub le plus proche. Puis, d'une démarche décidée, elle prit ostensiblement dans la direction qu'il venait de lui indiquer.

Voyager sur la plate-forme arrière d'un vieux fiacre n'était pas le plus confortable des modes de transport. Mais la vision que Vere avait à présent valait bien ces quelques minutes difficiles.

Il avait sauté à terre dès que l'attelage avait ralenti et s'était dissimulé dans l'ombre avant que Grenville descende à son tour. Il ne s'attendait certes pas à se retrouver devant le domicile d'une des courtisanes les plus réputées de Londres. Quand elle avait parlé de Kensington, il avait supposé qu'elle irait se changer dans une auberge quelconque, là où personne ne prêterait attention à ses allées et venues. Il avait alors imaginé une rencontre fort intéressante dans ladite auberge.

Mais ce qu'il découvrait s'annonçait encore plus intéressant.

Après avoir feint de s'éloigner, elle était revenue discrètement et s'était introduite dans le jardin d'Helena Martin.

De sa cachette dans la haie de cytises, il la regarda, à la lueur du réverbère, se débarrasser à grand-peine de son manteau d'homme. Celui-ci était lourd et, à cause de cette espèce d'armure qu'elle portait sous sa chemise et qui entravait ses mouvements, elle dut se contorsionner de manière comique avant de réussir à s'en libérer. Elle ôta ensuite son chapeau, sa perruque, puis la résille qui lui aplatissait les cheveux.

Elle secoua la tête, se gratta le cuir chevelu.

Vere attendit, le souffle court, qu'elle enlève les épingles qui retenaient ses boucles blondes – à croire qu'il n'avait jamais vu de femmes se dévêtir et libérer leur chevelure.

Hélas, elle s'en tint là !

L'instant d'après, elle agrippait la gouttière et entreprenait de se hisser vers la fenêtre de l'étage supérieur.

Vere la fixa une seconde, incrédule, avant de se ruer vers elle sans se soucier de faire crisser le gravier.

Surprise par le bruit, elle lâcha prise, et tomba sur les fesses.

Avant qu'elle ait le temps de se relever, il la saisit par les bras et la remit debout.

— Bon sang, mais qu'est-ce que vous fabriquez ? chuchota-t-il.

Elle se libéra d'un geste brusque.

— À votre avis ? rétorqua-elle en se frottant le postérieur. La peste soit de vous, Ainswood ! J'aurais pu me casser une jambe. Qu'est-ce qui vous a pris de surgir ainsi ? Vous êtes censé être au bordel.

— Vous croyez donc tout ce qu'on vous dit ? Vous n'avez même pas regardé par la fenêtre pour vérifier que je m'en allais vraiment.

— Vous n'avez quand même pas fait tout le trajet à l'arrière du fiacre ?

— Il n'y a que deux lieues.

— Mais pourquoi ? Quel compte avez-vous encore à régler ?

— Aucun, assura-t-il d'un air peiné. Je brûlais juste de curiosité.

— À quel sujet ?

— Votre déguisement. Enfin, ce truc que vous portez sous votre chemise. Comment cela fonctionne-t-il ? Qu'avez-vous fait de vos seins ?

Elle ouvrit la bouche, la referma, puis répondit entre ses dents :

— C'est un corset spécial. Le devant est matelassé. Il se lace dans le dos comme un corset normal.

— Ah, je vois !

— Oui, et ça n'a rien de particulièrement intéressant, dit-elle en se tournant de nouveau vers la gouttière. Puisque vous êtes là, autant vous rendre utile. Faites-moi la courte échelle.

— Je ne vais sûrement pas vous aider à cambrioler une maison !

— Et depuis quand êtes-vous si respectueux des lois ?

— Depuis que vous m'avez accablé de reproches. J'essaie maintenant d'avoir un comportement exemplaire. Je crois, du reste, être sur la voie de la sainteté.

— Voilà qui m'étonnerait. Soit dit en passant, je ne compte cambrioler personne. Je vais juste récupérer mes vêtements.

— Si vous les avez laissés chez Mlle Martin, pourquoi n'entrez-vous pas par la grande porte ?

Elle eut un geste agacé.

— Parce qu'elle a de la compagnie. Elle ne m'attendait pas si tôt. Mes habits sont dans le boudoir et la fenêtre est ouverte, ajouta-t-elle, l'index pointé vers le ciel. Je peux me glisser à l'intérieur et repartir par le même chemin sans déranger les amoureux.

— C'est sacrément haut, commenta Vere.

— Je m'en sortirai, répliqua-t-elle.

— Laissez-moi m'en charger. Ce sera plus rapide.

Quelques minutes plus tard, après une dispute mémorable, le duc d'Ainswood hissait Lydia par-dessus l'appui de fenêtre.

Elle n'aurait pas eu besoin d'aide sans ce maudit corset qui lui interdisait d'effectuer un rétablissement en souplesse. L'attrapant sous les aisselles, Ainswood la tira sans douceur excessive avant de la laisser s'affaler sur le sol.

Mais après tout, elle ne demandait pas qu'on la ménage. Elle ne serait pas devenue journaliste si elle avait été l'une de ces créatures délicates qui exigent des égards. Il ne voulait pas la malmener, il était juste de mauvaise humeur parce qu'elle avait refusé de le laisser agir à sa guise. Il aurait en effet préféré qu'elle l'attende dans le jardin. Comme si elle allait poireauter une partie de la nuit pendant qu'il tâtonnait dans le noir, se cognait aux meubles et réveillait toute la maisonnée !

D'ailleurs, peut-être l'aurait-il fait exprès. L'idée de surprendre Helena et son invité devait sûrement lui apparaître comme une bonne blague. Lydia l'imaginait faisant irruption dans la chambre, une poignée de sous-vêtements à la main : « Désolez de vous interrompre, mademoiselle Martin, mais pourriez-vous me dire laquelle de ces culottes appartient à Mlle Grenville ? »

Ravalant un sourire, elle se releva. Par chance, l'épais tapis avait amorti le bruit de sa chute, sans quoi les domestiques seraient sans doute accourus, armés de balais et de tisonniers.

Elle s'approcha de la porte.

— Qu'est-ce que vous faites ? Vous ne pouvez pas rester tranquille ? chuchota Ainswood d'un ton furieux.

Lydia l'ignora et tendit l'oreille avant d'entrebâiller le battant. Soulagée, elle le referma et annonça :

— Ils ne sont pas dans la chambre.

— Quelle déception ! S'ils avaient eu la bonne idée de forniquer dans le lit, vous auriez pu admirer le spectacle.

— Êtes-vous obligé de ronchonner pendant que vous cherchez quelque chose ?

— Je n'y vois rien. Restez donc près de la fenêtre, que je sache où vous êtes. À moins que vous ne vouliez que je trébuche sur vous.

— Pourquoi ce ne serait pas plutôt à *vous* de rester près de la fenêtre pendant que je cherche *mes* affaires ?

— Je sais reconnaître du basin au toucher et à l'odeur, merci. Je suis allé à suffisamment d'enterrements.

Dans la pénombre, Lydia distinguait à peine la haute silhouette de son compagnon.

Il se baissa soudain pour ramasser quelque chose qu'il porta à son visage. Elle l'entendit renifler.

— Je les ai, souffla-t-il.

Il s'approcha, lui fourra un paquet d'affaires entre les mains.

— Allons-y.

— Descendez le premier. Je vous rejoins dans une minute. Il faut que... je me change.

Et elle préférait le faire ici, dans le noir.

Il y eut un silence.

— Je ne vais pas redescendre avec ce corset alors que j'ai déjà eu du mal à grimper avec.

Quelques secondes s'écoulèrent encore, puis :

— Il me semble que vous omettez un détail, mademoiselle Grenville.

— Ma jupe ? Je suis tout à fait capable de redescendre en jupe, je vous le garantis. Je l'ai déjà fait des tas de fois.

— Le corset, siffla-t-il. Il se lace dans le *dos*, vous vous rappelez ? Comment comptez-vous l'enlever ?

Lydia resta coite.

Le corset. Qui se laçait dans le dos. Elle avait oublié.

Elle posa la main sur l'appui de la fenêtre, se pencha.

— Je vais sauter, dit-elle sans conviction. Ce n'est pas si haut après tout.

— Vous n'allez pas sauter, déclara-t-il d'un ton sans réplique. Vous allez vous écarter de cette fenêtre et ôter votre chemise. Dans le noir. Ça vous paraît faisable ?

— Bien sûr, je...

— Parfait. Ensuite, si vous consentez à vous tenir tranquille deux minutes, je délacerai ce foutu corset.

Les mains de Lydia devinrent moites.

— Merci, fit-elle d'une voix égale.

Très calme, elle se dirigea vers le coin le plus obscur de la pièce. S'immobilisa. L'entendit approcher. Elle inspira profondément. Vu son expérience, il allait sûrement délacer son corset en un éclair. Elle n'aurait pas le temps de... de se sentir toute chose. Comme la dernière fois que ces grandes mains s'étaient posées sur elle. Et que des sensations inouïes l'avaient submergée. Elle ne devait pas y penser, ne pas écouter le petit démon en elle qui dansait la sarabande. Elle ne commettrait pas une erreur qu'elle passerait le reste de sa vie à payer.

Elle se contraignit à détendre ses mains crispées et, aussi vite que possible, se débarrassa de sa chemise d'homme.

Elle faillit crier quand le duc lui toucha l'épaule. Il retira aussitôt la main.

— Seigneur, vous ne portez rien dessous !

— Un homme ne porte pas de linge sous sa chemise.

— Vous n'êtes pas un homme.

Elle eut l'impression de l'entendre grincer des dents, puis il fit remarquer dans un chuchotement rauque :

— Il faut d'abord que je trouve les lacets.

Il devrait tâtonner puisqu'il ne voyait rien. Elle déglutit, se résolut à lui donner des indications.

— Plus bas. Sous l'omoplate. Un peu plus à gauche.

Ses doigts lui effleurèrent de nouveau l'épaule, descendirent, laissant une empreinte brûlante sur sa peau. Il localisa les lacets très vite, mais malgré le corset qui s'était interposé entre eux, les sensations perdurèrent. La chaleur continua de se déployer en elle et une goutte de sueur roula entre ses seins.

Tandis qu'il s'activait en silence, elle sentait son haleine sur sa nuque. Les pans du corset s'écartèrent petit à petit. Alors qu'elle aurait dû respirer plus aisément, c'était le contraire qui se produisait.

Lorsqu'il parvint au niveau de la taille, le corset s'affaissa sur les hanches de Lydia, qui ne put s'empêcher d'en agripper le devant pour le maintenir devant sa poitrine nue.

Dans son dos, les mains s'immobilisèrent, et le cœur de Lydia manqua un battement. Le duc reprit sa tâche, et l'acheva avec une efficacité déconcertante avant de reculer d'un pas.

Elle éprouva alors un indéniable sentiment de déception qui la fit rougir de honte. Qu'espérait-elle donc ? Qu'il s'enflammerait de passion parce qu'elle était à demi nue ? Cet homme était un libertin. Il avait vu des centaines de femmes complètement dénudées.

Elle était risible.

Elle se rhabilla prestement – camisole, corsage –, enfila sa jupe sur son pantalon masculin avant de se débarrasser de ce dernier. Non pas que sa pudeur risquât de souffrir vu que le duc ne voyait rien et n'avait pas caché que voir ne l'intéressait pas. Tout de même, elle se sentait moins vulnérable ainsi.

Elle l'entendit respirer bruyamment. De toute évidence, il était pressé de quitter les lieux. Ayant enfin boutonné sa jaquette, elle murmura :

— Allez-y. Il faut encore que je trouve mes bottines.

Il émit un grognement guttural un peu semblable à celui que poussait Brigitte quand elle était contrariée. L'ignorant, Lydia se mit à quatre pattes et fureta dans le boudoir à la recherche de ses chaussures. Elle venait de les localiser sous le sofa quand un bruit de pas la fit se pétrifier.

L'instant d'après, la voix d'Helena lui parvint.

— C'est sûrement le chat du voisin. Rosa, ma camériste, a dû oublier de fermer la fenêtre du boudoir.

Ainswood plongea sur le tapis à côté de Lydia.

Le bouton de la porte tourna dans un léger cliquetis.

Lydia poussa Ainswood de toutes ses forces, l'obligeant à ramper sous le sofa. Elle venait de rabattre le volant quand la porte s'ouvrit.

Helena entra en appelant d'une voix claire :

— Minou-minou !

Elle referma le battant, puis souffla :

— Lydia, c'est toi ?

— Oui !

— Je ne t'attendais pas si tôt.

— Je sais. Ne t'occupe pas de moi, retourne auprès de ton invité. Tout va bien.

En fait tout allait de travers. La jambe d'Ainswood reposait sur sa jupe, l'empêchant de se redresser. Et vu son gabarit, s'il bougeait un muscle, il risquait de retourner le sofa tout entier.

— Viens, mon minou, appela encore Helena, avant de chuchoter : Essaie d'être un peu plus discrète, Sellowby n'est pas si saoul que ça. Il a entendu du bruit et me soupçonne de cacher un homme quelque part. Il serait ravi de découvrir qu'il s'agit de toi. Tu ne veux pas sortir et...

— Non, il est tout à toi.

— Tu as besoin d'aide pour retirer ton corset ?

— *Non.* Je suis presque habillée. Je t'en prie, va-t'en avant que Sellowby vienne rôder par ici !

Le silence retomba. Lydia pria pour qu'Ainswood ait la bonne idée de retenir sa respiration. Elle-même ne discernait aucun bruit, son cœur battant trop bruyamment.

— Lydia, je préfère te prévenir, reprit Helena. Sellowby dit qu'Ainswood a été aperçu à *La Chouette bleue* en début de soirée. Il a posé des questions sur toi. Il pense que tu as piqué son intérêt. Je te le répète, tu ferais mieux de quitter Londres quelque temps, par mesure de précaution.

Lydia perçut un mouvement sous le sofa. Ainswood allait jaillir d'une seconde à l'autre et tomber à bras raccourcis sur Sellowby pour lui apprendre à déblatérer sur son compte, elle en était sûre.

— J'y songerais, mais va-t'en vite, j'entends Sellowby !

Helena referma la porte.

— J'arrive ! lança-t-elle. Ce n'était que cet idiot de chat qui...

Sa voix s'estompa. Lydia reporta son attention sur Ainswood qui venait de relâcher l'air de ses poumons. Elle s'attendait à un flot de jurons tandis qu'il s'extirpait de sous le sofa, coinçant davantage sa jupe dans la manœuvre, mais ce fut un son plus menaçant qui lui parvint.

Non, ça ne pouvait pas être ça, tenta-t-elle de se rassurer tout en essayant de dégager sa jupe. Elle n'y arrivait pas, et il ne l'aidait en rien.

Ses épaules étaient secouées de soubresauts, et les petits sons étranglés qui sortaient de sa gorge confirmèrent les soupçons de Lydia. Elle lui plaqua la main sur la bouche.

— Taisez-vous ! siffla-t-elle. Ils vont vous entendre !

— Mmmmmpffff...

Les lèvres d'Ainswood remuaient contre sa paume. Elle ôta sa main, chercha désespérément le moyen de couper court à son hilarité. Une gifle ? Trop bruyant. Et il risquait de ne même pas la sentir. Un coup de genou dans les parties sensibles ? Impossible, elle avait la jambe coincée. Au moins avait-elle les mains libres...

Elle le frappa du poing au jugé, l'atteignit à l'estomac. Elle eut l'impression de heurter un mur. Il fallait viser plus bas. Mais avant qu'elle puisse remettre ça, elle se retrouva plaquée au sol, la main aplatie sur le tapis.

— Lâchez-moi, espèce de...

Sa bouche fondit sur la sienne, la réduisant au silence de la manière la plus efficace qui soit. Elle avait encore une main de libre, et aurait dû s'en servir pour le repousser, le griffer, mais elle ne le fit pas. En fut incapable.

Il l'avait déjà embrassée, mais c'était devant des spectateurs rigolards, et leurs lèvres avaient à peine eu le temps de se toucher avant qu'elle recouvre la raison.

Cette fois, il n'y avait que lui et elle, l'obscurité, et la pression insistante de sa bouche sur la sienne.

Elle n'avait pas réagi assez vite. Le petit démon prit le dessus.

La bouche du duc avait le goût du péché, sauvage, interdit, irrésistible.

Le bras de Lydia remonta s'enrouler autour de son cou. Le retenir. Sa bouche répondait à la sienne sans chercher à se dérober. Elle se pliait à sa loi. Et pourtant elle savait qu'ils couraient droit au désastre. Oui, elle en avait conscience. Dans les profondeurs bourbeuses de son cerveau, elle savait encore distinguer le bien du mal, la prudence du danger. Mais cela n'avait pas d'importance, car pour le moment, tout ce qu'elle voulait, c'était lui.

Cela ne dura qu'un instant qui parut une éternité.

Il s'écarta alors qu'elle venait à peine de comprendre ce que signifiait cette pulsation lancinante au creux de son ventre, et elle éprouva une affreuse sensation de manque.

Quelque part dans la maison résonna un rire féminin. Helena, qui fricotait avec... un autre débauché. Ce bruit suffit à ramener Lydia à la raison. Elle songea à sa carrière, à ses combats. Et elle se rappela quel genre d'homme c'était.

Le problème, c'est qu'il méprise les femmes. Il les utilise et les jette dans la foulée.

— Ça va ? demanda-t-il d'une voix sourde.

Non, ça n'allait pas. Et il y avait gros à parier que ça n'irait pas pendant un bon bout de temps. Le fruit défendu laissait un goût amer.

— Vous êtes assis sur ma jupe, idiot. Comment voulez-vous que je me lève ?

Vere n'avait jamais été en très bons termes avec sa conscience. Et depuis dix-huit mois, elle et lui ne se parlaient plus.

En conséquence, c'est sans la moindre culpabilité qu'il se proposait de séduire Grenville. Quant aux moyens à mettre en œuvre pour parvenir à ses fins, les scrupules ne l'étouffaient pas, c'était le moins qu'on puisse dire. Au contraire, il s'était amusé comme cela ne lui était pas arrivé depuis bien longtemps. Les péripéties de la nuit avaient réveillé de joyeux souvenirs d'escapades avec ses vieux complices, Dain et Wardell.

Les choses ne s'étaient peut-être pas déroulées exactement comme il s'y attendait, mais la nouveauté de l'expérience rachetait les petits désagréments. Ce n'était pas la première fois, loin s'en faut, qu'il s'introduisait dans une maison par la fenêtre dans un but inavouable. Mais c'était la première fois qu'il pénétrait clandestinement chez une courtisane célèbre.

Il avait trouvé désopilant que Mlle Tornade Grenville panique à l'idée que son amie le découvre sous le sofa. Comme si Helena Martin pouvait s'offusquer de quoi que ce soit ! Et pendant ce temps-là, Sellowby s'énervait à côté, persuadé qu'Helena cachait un homme quelque part... ce qui était le cas, à son insu. Seigneur, il avait failli s'étrangler de rire !

Et puis...

Bien sûr. La tentation avait été trop forte. Après tout le mal que s'était donné Mlle Dragon pour enfiler ses vêtements, il n'avait pu résister au plaisir de lui prouver avec quelle facilité il aurait pu les lui enlever.

C'est alors que les choses avaient pris un tour inattendu.

À Vinegar Yard, il lui avait planté un bref baiser sur la bouche, histoire de se moquer d'elle. Cette fois, en revanche, il s'était lancé à l'assaut de ses lèvres en un long baiser semblable à un siège langoureux.

Et il avait eu la surprise de sa vie.

Elle ne savait pas embrasser.

Le temps que cette anomalie atteigne son cerveau, elle avait déjà compris les bases. Et, couché sur ce corps voluptueux, grisé par son parfum, il avait été terrassé par une explosion de désir qui avait beaucoup amoindri l'importance de cette découverte inattendue. Elle était vierge ? Et après ? avait-il vaguement pensé, le corps en feu. De toute façon il ne cherchait pas l'âme sœur. Il n'allait pas s'arrêter pour si peu.

Pourtant, c'est exactement ce qu'il avait fait.

Pire, il s'était cru obligé de lui demander si ça allait.

Grossière erreur. La seconde d'après, elle le repoussait avec une force surprenante avant d'attraper ses bottines, puis de se relever d'un bond en tirant furieusement sur sa jupe.

Alors qu'il essayait encore de comprendre ce qui venait de se passer, elle enjambait déjà l'appui de la fenêtre.

Reprenant ses esprits, il se lança à sa poursuite.

Lorsqu'il sauta de la gouttière, il trouva le jardin désert. Il courut jusqu'au petit portail que dans sa hâte elle avait laissé entrouvert, remonta la venelle. Comme il débouchait sur l'avenue, il entendit un bruit de pas précipités et eut juste le temps d'apercevoir un pan de jupe à l'angle de la maison.

Il accéléra l'allure, tourna au ras du mur… et comprit qu'il s'était fait avoir une fraction de seconde avant que la canne à pommeau lui cingle le tibia.

Il entendit un craquement, une douleur fulgurante fusa dans sa jambe, et le sol monta vers lui à toute vitesse.

6

Tout d'abord il égrena un chapelet de jurons.

Puis il éclata de rire.

Et jura encore.

Prise d'un horrible doute, Lydia craignit un instant qu'il ne se soit cogné la tête sur le bitume et souffre d'une commotion cérébrale. Mais il aurait au moins fallu un troupeau de taureaux sauvages pour venir à bout d'un tel colosse.

— N'espérez pas la moindre compassion de ma part, le prévint-elle. En ce qui me concerne, vous pouvez bien rester étalé là jusqu'au jour du jugement dernier. Par votre faute, j'ai cassé ma canne préférée !

Et non sa jambe, comme elle l'avait redouté.

— Ce n'était pas du tout fair-play, s'insurgea-t-il. Vous m'avez tendu un piège !

— Et vous, vous ne m'avez pas piégée peut-être, dans le boudoir d'Helena ? Vous saviez que je ne pourrais pas protester sans ameuter toute la maison. Et ne me dites pas qu'un simple non aurait suffi, parce que les mots ne suffisent jamais avec vous.

— Pourrions-nous parler de tout cela plus tard, Grenville ?

Il roula sur le côté avec un grognement de douleur et se hissa péniblement sur le coude.

— Vous pourriez au moins me tendre la main.

Ignorant sa conscience, elle recula en secouant la tête.

— Sûrement pas. À cause de vous je suis tombée de la gouttière. J'aurais pu me rompre les os. Et vous avez fait capoter mon enquête alors que j'étais sur le point de rendre service à une amie. Sans compter que vous avez failli me coûter mon poste au journal. Si Sellowby avait fait irruption dans le boudoir et m'avait trouvée dans une situation compromettante avec le débauché le plus célèbre d'Angleterre, il aurait été le crier sur tous les toits et j'aurais perdu toute crédibilité auprès de mes lecteurs.

Elle se baissa pour ramasser ce qui restait de sa canne.

— Des pièges de ce genre, j'en connais des tas, Ainswood, reprit-elle. Si jamais vous recommencez à m'ennuyer, il vous en cuira, je vous le garantis !

Sur ce, elle tourna les talons et s'éloigna à grandes enjambées, sans un regard en arrière.

— Le retour du chasseur de Valkyrie, murmura Jaynes lorsque Vere rentra chez lui en clopinant à 3 heures du matin.

Trent apparut dans le hall, une queue de billard à la main. L'air peiné, il détailla Vere de la tête aux pieds. Un peu plus tôt dans la soirée, Vere les avait avertis qu'il s'en allait à *La Chouette bleue* « chasser la Valkyrie ». Jaynes y avait été de son sermon habituel pendant que Trent jacassait sans que Vere écoutât une seule syllabe. À présent, il lisait sur leurs visages réprobateurs le traditionnel : « On avait prévenu. »

Son manteau et son pantalon étaient sales et déchirés. Il avait des ecchymoses et des éraflures sur le visage – il avait bien cru s'être cassé le nez en tombant tête la première sur le trottoir –, quant à son tibia, il l'élançait atrocement.

Il réussit à sourire.

— Cela faisait longtemps que je ne m'étais pas autant amusé. Quand je vous aurai raconté...

— Je vais préparer un bain, annonça Jaynes en affichant une expression de martyr. Et je suppose qu'il faut sortir la trousse à pharmacie.

Vere le regarda s'éloigner avant de se tourner vers son invité.

— Trent, tu ne devineras jamais ce qui s'est passé.

— Je ne crois pas, en effet.

— Alors suis-moi, lui intima Vere en se dirigeant vers l'escalier.

L'*Argos* fut livré à Blakesleigh le jeudi matin, mais Elizabeth et Emily durent patienter une semaine entière avant de pouvoir mettre la main dessus.

Par chance, leur oncle et leur tante recevaient, les domestiques étaient donc trop occupés pour risquer de faire irruption dans leur chambre et les obliger à se coucher. Elles avaient la nuit pour compulser le journal.

Au lieu d'aller directement à *La Rose de Thèbes*, elles se précipitèrent sur l'article de Mlle Lydia Grenville qui relatait sa rencontre avec leur tuteur dans Vinegar yard.

À la fin du récit, elles étaient pliées en deux par un fou rire incoercible.

Finalement, Elizabeth s'éclaircit la voix et lâcha :

— Dieu que cette femme est drôle !

Imitant l'expression gourmée de leur oncle lorsqu'il s'apprêtait à exprimer une opinion, Emily répondit :

— En effet, Elizabeth, je crois que l'on peut raisonnablement en arriver à cette conclusion.

Puis, reprenant une expression normale, elle s'exclama :

— C'est le meilleur article qu'elle ait jamais écrit ! Je crois que cousin Vere l'inspire.

— Elle est pour le moins caustique, admit Elizabeth.

— Cousin Vere fait ressortir le pire chez ceux qu'il côtoie, c'est ce que papa disait.

— C'est vrai, rappelle-toi toutes les bêtises que Robin a faites quand il est revenu à Longlands. Il nous a fait bien rire, le pauvre chéri.

Les yeux d'Emily s'emplirent de larmes :

— Oh Lizzy, comme il me manque ! J'aimerais tant être à Longlands. Ici à Blakesleigh, il n'y a même pas un fantôme de Mallory. Tante Dorothy est mariée depuis si longtemps qu'elle a oublié qu'elle en était une.

— Moi, je n'épouserai jamais un fils aîné, décréta Elizabeth. Ils se sentent obligés de bien se conduire et sont ennuyeux comme la pluie. Puisque cousin Vere n'habite pas Longlands, il nous permettra peut-être de vivre là-bas ? J'espère dénicher un mari durant ma première saison, dans six mois. Ensuite tu viendras vivre avec nous. Et tu ne te marieras jamais, comme ça, tu pourras rester à Longlands et t'occuper de nos enfants.

— Ce serait bien. Mais je t'en prie, n'épouse pas un homme comme oncle John. Il est gentil, mais tellement collet monté.

— Tu préférerais quelqu'un comme Diablo ?

— Oui, comme Diablo !

— Alors étudions-le de près, que je sache exactement dans quelle direction orienter mes recherches, décida Elizabeth en feuilletant l'*Argos*.

Le mercredi suivant, Vere et Bertie reprenaient des forces au *Bœuf mode* après avoir lu le dernier épisode de *La Rose de Thèbes*.

— Miranda a bien réussi à sortir d'un tombeau infesté de serpents, elle trouvera le moyen de s'échapper de cette oubliette, disait Vere.

— Tu crois ? fit Bertie d'un air sceptique. Je pense que Diablo va se méfier cette fois.

— Et le bel Orlando ? Il va peut-être la tirer d'affaire.

— Ça m'étonnerait. Non, elle va encore inventer un coup de génie.

— Mais elle n'a que ses deux mains.

— La cuillère, lâcha Bertie. Tu oublies la cuillère. À mon avis, elle va s'en servir pour creuser un tunnel.

— Avec une cuillère ?

Vere saisit sa chope et but lentement, d'un air pensif.

— Il suffit d'aiguiser les bords sur une pierre, s'entêta Bertie.

— Certes. C'est fou ce qu'on peut faire avec une cuillère bien aiguisée. Peut-être même qu'elle va scier les barreaux de sa fenêtre, va savoir.

À l'origine, Vere n'avait pas l'intention de suivre les aventures de Miranda. Le lendemain du jour où son tibia avait violemment rencontré une canne, il avait récupéré les vieux exemplaires de l'*Argos* que Jaynes conservait, afin de lire les écrits de Mlle Gorgone. Il voulait tenter de comprendre comment fonctionnait son esprit tordu. Mais alors qu'il parcourait son tout premier article – qui traitait d'un procès pour dettes –, son attention avait été attirée par la page voisine où figurait une illustration pour *La Rose de Thèbes*. Son regard avait glissé sur le texte et… il n'avait pu s'arrêter avant la fin du chapitre.

Il était allé chercher les numéros suivants de l'*Argos*. Et de fil en aiguille, comme la moitié des Londoniens, il s'était passionné pour les exploits de l'héroïne de M. St Bellair.

Même s'il s'était bien gardé de le montrer, ce matin-là, il avait été aussi impatient que Bertie de récupérer le journal à peine sorti des presses d'imprimerie.

En une figurait un article intitulé *Mlle Roue de la Fortune*. Un titre sans grand panache, qui n'était sûrement pas d'elle, devina Vere, qui commençait à bien connaître son style. Il appréciait l'humour corrosif dont elle saupoudrait ses écrits, et qu'elle ne s'était pas privée d'employer dans l'article en question.

Et dans lequel, accessoirement, le duc d'Ainswood ne figurait pas.

Dans le numéro précédent de l'*Argos*, Vere avait eu droit à deux caricatures. Dans la première, les lèvres plissées dans une invite au baiser, il tendait les bras vers Grenville qui lui tournait dédaigneusement le dos, la tête haute. Dans la seconde, représenté sous la forme d'un crapaud coiffé d'une couronne ducale, il regardait s'éloigner la Valkyrie d'un air dépité. *Le Baiser de la Valkyrie a rompu le sortilège*, disait la légende. Tandis que dans la bulle placée au-dessus de la tête de Grenville, on pouvait lire : « *C'est vous qui l'avez voulu !* »

Sur la même page était imprimé un article intitulé : *Combat de Titans dans Vinegar Yard.* Quelle impudence ! avait-il pensé. Voilà qu'elle se prenait pour un Titan. Tout ça parce qu'elle s'était proclamée la championne des causes perdues.

Si jamais vous recommencez à m'ennuyer, il vous en cuira, je vous le garantis !

Était-il censé trembler dans ses bottes, lui qui n'avait pas craint de se mesurer au terrible lord Belzébuth ?

Mlle Ivan-le-Terrible-Grenville croyait-elle sérieusement pouvoir l'intimider ?

Mais après tout grand bien lui fasse, avait-il décidé après réflexion. Il allait lui laisser le champ libre un moment. Plusieurs semaines. Le temps qu'elle savoure son soi-disant triomphe et que ses ecchymoses à lui disparaissent. Au fil des jours, sa vigilance se relâcherait tandis que sa tête enflerait. C'est alors qu'il contre-attaquerait, histoire de lui donner une bonne leçon du style : « Plus dure sera la chute », ou « Tel est pris qui croyait prendre », ou encore « La vengeance est un plat qui se mange froid ».

Il fallait bien la faire dégringoler du piédestal sur lequel elle se croyait installée. Elle s'estimait de taille à affronter n'importe quel homme, était convaincue qu'enfiler un pantalon et singer ses congénères mâles la rendait invulnérable, mais le retour à la réalité serait douloureux. Car sous son personnage bravache se cachait une fille sensible.

C'était drôle. Voire touchant. Par conséquent, dans un accès de magnanimité, il avait décidé de se montrer clément envers elle en lui épargnant une humiliation publique.

Lui seul serait témoin de sa capitulation.

Qui aurait lieu dans un lit.

Elle serait consentante. Elle aimerait cela. Il l'obligerait à l'avouer et à en redemander. À implorer. Et s'il se sentait d'humeur charitable, il accéderait à ses suppliques. Et alors...

Un jeune garçon fit irruption dans la salle.

— Au secours ! À l'aide ! Une maison vient de s'écrouler et il y a des gens dedans !

Ce n'étaient pas une, mais deux maisons qui s'étaient effondrées aux numéros 4 et 5 d'Exeter Street. Une cinquantaine d'hommes avaient abandonné leur travail dans les égouts d'une rue avoisinante et commençaient déjà à déblayer les lieux. Le premier corps découvert fut celui d'un charretier qui chargeait du charbon devant la maison. Une demi-heure plus tard, on dégagea des gravats toute une famille : une vieille femme qui s'en tirait indemne, hormis un bras cassé ; un garçonnet de sept ans, à peine blessé ; un nourrisson qui avait, hélas, succombé ; la grande sœur, âgée de dix-sept ans, qui ne souffrait que de contusions diverses ; et enfin un enfant de neuf ans. Bien que vivant, ce dernier tenait des propos incohérents. La mère n'avait pas survécu à la catastrophe. Quant au père, il ne se trouvait pas sur place, ayant quitté sa famille depuis belle lurette.

Lydia obtint tous ces détails d'un de ses informateurs qui traînait dans le coin. Retenue ailleurs par une enquête, elle arriva sur place avec du retard, mais suffisamment tôt pour voir quel rôle avait joué Ainswood dans les opérations de sauvetage.

Lui ne remarqua pas sa présence.

Se tenant discrètement à l'écart, elle le vit s'attaquer farouchement aux décombres, soulevant moellons et poutres comme si sa propre vie en dépendait. Tandis que Bertie Trent l'aidait de son mieux, il fut le premier à atteindre le garçonnet de neuf ans et s'arc-bouta sous une solive pendant que d'autres arrachaient la petite victime aux entrailles de la maison.

Lorsque le corps désarticulé de la mère fut sorti, Lydia vit le duc s'approcher de sa fille en pleurs et lui glisser une bourse dans la main. Puis il fendit la foule et s'éloigna, Trent sur les talons.

Lydia se lança à leurs trousses.

Elle déboucha sur le Strand alors que les deux hommes s'apprêtaient à monter dans un fiacre.

— Attendez ! cria-t-elle en agitant son calepin. Deux minutes de votre temps, Ainswood.

Comme Trent marquait un temps d'arrêt, Ainswood le poussa dans la voiture, puis grimpa à sa suite. Sur son ordre, le cocher fouetta ses bêtes et le véhicule s'ébranla sous le nez de Lydia qui arrivait en courant.

Elle ne renonça pas pour autant. Le Strand était une artère encombrée et elle n'eut pas trop de mal à se maintenir au niveau du véhicule.

— Allons, Ainswood, juste un mot sur votre conduite héroïque. Depuis quand êtes-vous devenu si timide et modeste ?

Le fiacre n'était pourvu que d'une capote en cuir et de rideaux pour protéger les passagers des éléments.

Ainswood ne pouvait donc pas prétendre qu'il ne l'entendait pas. Le rideau fut brutalement écarté et sa tête furibonde apparut.

— Nom de Dieu, Grenville, vous allez vous faire écrabouiller ! cria-t-il pour couvrir les bruits de la rue.

— Juste une déclaration, s'entêta-t-elle. Pour mes lecteurs.

— Dites-leur que vous êtes la pire emmerdeuse que la terre ait jamais portée !

— Pire emmerdeuse, répéta-t-elle docilement. D'accord. Mais au sujet des victimes d'Exeter Street...

— C'est vous qui serez bientôt une victime si vous ne remontez pas sur le trottoir. Et je n'irai pas gratter ce qui restera de vous sur les pavés !

— Puis-je écrire que vous envisagez sincèrement de devenir un saint ? Ou doit-on imputer cette bonne action inattendue à un accès transitoire de noblesse ?

— C'est Trent qui m'a forcé la main, rétorqua-t-il, avant de hurler au cocher : On n'avance pas ! Votre cheval est mort ou quoi ?

Profitant d'une brèche, le cocher accéléra l'allure, et cette fois, à bout de souffle, Lydia laissa le fiacre poursuivre son chemin.

— La peste soit de cette femme ! grommela Vere après un dernier regard en arrière pour s'assurer que la Valkyrie avait abandonné la partie. Que diable fichait-elle ici ? Elle était censée enquêter du côté de Lamberth Road et en avoir pour la journée.

— Il y a toujours des imprévus, philosopha Trent. Et si elle découvre que Joe Purvis la surveille pour ton compte, c'est sur son corps à *lui* qu'on enquêtera. Et voilà, je pense encore à Charles II ! Chaque fois que je la vois, c'est pareil. Tu vois le rapport entre les deux ?

— La Grande Peste de Londres ?

— Pourquoi ne lui as-tu pas parlé ? Elle était prête à réviser son jugement sur toi. Et pourquoi prétendre que je t'avais forcé la main alors que tu t'es précipité sur les lieux le premier…

— Nous étions au moins cinquante à déblayer les gravats et elle n'a pas cherché à interroger d'autres personnes, que je sache. C'est tellement féminin de demander pourquoi ci et pourquoi ça, et d'imaginer qu'il y a une raison profonde à tous les actes.

Il n'y avait pas de raison profonde. Il avait sauvé ce garçon par hasard. Une victime parmi tant d'autres. Et s'il avait maintenant la gorge irritée, les yeux larmoyants et la voix enrouée, c'était à cause de toute cette poussière. Pas parce qu'il pensait à un autre petit garçon qu'il avait été incapable de sauver.

À la lecture de ses articles, il avait bien compris qu'elle était particulièrement sensible à la question des enfants. Elle voulait le faire parler de ses sentiments ? Et puis quoi encore ? Non, il n'était pas en colère. Non, il n'avait pas de chagrin. Il était cynique, égoïste, indifférent aux autres, dépourvu de sens moral. Et cette fille ne l'intéressait que d'un seul point de vue. S'il la pourchassait, ce n'était pas pour lui faire des confidences. De toute façon il ne se confiait jamais. À personne. Pour la simple et bonne raison qu'il n'avait rien à confier. Et si cela avait été le cas, il aurait préféré rôtir sous le soleil du Sahara plutôt que de s'épancher sur l'épaule d'une bonne femme !

Il se répéta tout cela durant le trajet de retour, avec une conviction croissante. Et pas une seconde il ne lui vint à l'esprit que ses protestations étaient trop véhémentes pour être honnêtes.

— C'est Trent qui lui a forcé la main. Ben voyons ! murmura Lydia.

Alors qu'un régiment d'infanterie n'aurait pas réussi à lui faire traverser la rue si cette tête de mule n'avait pas été d'humeur.

Elle entra dans son petit bureau, jeta son chapeau sur le secrétaire, puis s'en alla chercher la dernière édition du *Debrett*[1].

Elle découvrit rapidement un premier indice. Elle consulta ensuite sa collection du *Registre annuel* qui couvrait les vingt-cinq dernières années, s'intéressa plus particulièrement à l'appendice des décès concernant l'année 1827. Et là, au mois de mai, elle trouva l'épitaphe qu'elle cherchait : *En sa propriété de Longlands, Bedfordshire, à l'âge de neuf ans, l'Honorable Robert Edward Mallory, sixième duc d'Ainswood.*

Cela continuait sur quatre colonnes, une longueur inhabituelle pour le décès d'un enfant, même s'il s'agissait d'un membre de l'aristocratie. Mais l'histoire était assez poignante, et le *Registre* affectionnait le pathos.

« Je suis allé à suffisamment d'enterrements », avait dit Ainswood. Et c'était vrai, comme Lydia ne tarda pas à s'en apercevoir. Au fil de ses recherches, elle répertoria pas moins de douze décès sur une période de dix ans. Et il s'agissait seulement des parents proches !

Si Ainswood était le noceur superficiel qu'on prétendait, cette litanie de morts n'avait pu l'affecter.

Mais pourquoi un noceur superficiel se serait-il rué au secours de petites gens qui ne lui étaient rien ? En prenant de gros risques, qui plus est.

Lydia aurait refusé de croire à une action aussi altruiste de sa part si elle n'en avait été témoin. Elle l'avait vu, couvert de poussière et en nage, sortir des décombres après qu'on lui eut assuré qu'il n'y avait plus

1. L'équivalent du Bottin mondain. *(N.d.T.)*

personne dessous. Et elle n'avait pas inventé cette bourse qu'il avait glissée dans la main de la jeune fille.

Ses yeux la picotèrent et une larme tomba sur la page qu'elle était en train de lire.

— Quelle gourde tu fais, ma pauvre fille ! s'invectiva-t-elle à voix haute.

Sans résultat probant.

Une galopade bruyante en provenance du couloir la ramena à la raison. C'était Brigitte qui traînait vraisemblablement Tamsin dans son sillage à leur retour de promenade.

Lydia s'essuya vivement les yeux.

La porte du bureau, qui était entrebâillée, s'ouvrit à la volée et la chienne jaillit dans la pièce.

— Brigitte, couchée ! ordonna Lydia.

La chienne, qui tentait de lui sauter sur les genoux, obéit aussitôt, quoique à regret. Lydia adressa un regard interrogateur à Tamsin.

— Pourquoi cette exubérance ? Aurait-elle croqué deux ou trois gamins en chemin ? Je ne pense pas qu'elle se soit roulée dans ses excréments, elle ne sent pas pire que d'habitude.

— Elle a été infernale, déclara Tamsin en dénouant les rubans de sa capote. Nous avons croisé sir Bertram Trent à Soho Square, et du plus loin qu'elle l'a vu, Brigitte s'est élancée en courant, m'arrachant la laisse des mains. Elle lui a sauté dessus et l'a plaqué au sol pour lui lécher la figure et le renifler dans des endroits que la pudeur m'interdit de citer. J'ai eu beau la rappeler, elle a fait la sourde oreille. Heureusement, sir Bertram l'a très bien pris. Je me suis platement excusée quand il a réussi à se remettre debout, mais il a trouvé toutes les excuses du monde à Brigitte. Il a dit qu'elle s'amusait, qu'elle ne connaissait pas sa force...

La chienne aboya en entendant son nom.

— Il a fallu ensuite qu'elle fasse son intéressante, poursuivit Tamsin. Elle lui a donné la patte. Elle lui a apporté un bâton pour qu'il le lui lance. Ah oui, elle a aussi fait la morte ! Et elle a roulé sur le dos pour qu'il la grattouille... Bref, vous n'imaginez pas !

Brigitte posa sa grosse tête sur les genoux de Lydia et leva sur elle un regard mélancolique.

— Brigitte, tu ne sais pas ce que tu veux, la morigéna sa maîtresse tout en la caressant. Il me semble me rappeler que tu as montré les dents la première fois que tu as vu sir Bertram.

— Elle a peut-être senti qu'il avait fait une bonne action, suggéra Tamsin.

— Ah, Trent t'a tout raconté ! Et que faisait-il à Soho Square alors qu'il aurait dû se reposer à Ainswood House après cet après-midi de dur labeur ?

— Il m'a expliqué que chaque fois qu'il vous voyait, il pensait à Charles II, qu'il ne savait pas pourquoi, que cela l'agaçait et qu'il était donc venu là pour regarder la statue du roi.

Cette association d'idées n'avait aucun sens pour Lydia, mais elle n'était qu'à demi étonnée. Le beau-frère du marquis de Dain n'était pas connu pour ses fulgurances intellectuelles.

— À propos de dur labeur, reprit Tamsin, que pensez-vous du comportement du duc d'Ainswood à Exeter Street ? Vous croyez qu'il s'agit d'une aberration passagère ou essaie-t-il vraiment de s'amender ?

Avant que Lydia puisse répondre, Millie apparut sur le seuil.

— M. Purvis est ici, mademoiselle, annonça-t-elle. Il dit qu'il a un message urgent pour vous.

À 21 heures ce soir-là, Lydia pénétra dans une petite pièce ornée de lourdes tentures, dans un immeuble situé sur la piazza de Covent Garden. La jeune fille qui l'avait introduite s'éclipsa derrière un rideau et, quelques instants plus tard la femme qui avait convoqué Lydia entra.

Elle était presque aussi grande qu'elle, mais plus corpulente. Sous le turban qui lui ceignait le front, son visage était outrageusement fardé. Ses petits yeux cernés de khôl pétillèrent d'amusement lorsqu'elle vit l'accoutrement de Lydia.

— Intéressant, ce déguisement, commenta Mme Ifrita.

— Vous ne m'avez pas laissé le temps de trouver mieux.

La femme fit signe à Lydia de prendre place sur une chaise, tandis qu'elle-même s'installait de l'autre côté de la petite table sur laquelle trônait une boule de cristal.

Mme Ifrita, diseuse de bonne aventure de son état, faisait également partie des informateurs les plus fiables de Lydia. En temps normal, les deux femmes se rencontraient hors de Londres, en toute discrétion. Il faut dire que Mme Ifrita aurait perdu tous ses clients si ceux-ci l'avaient soupçonnée de partager leurs confidences avec une journaliste.

Pour la rencontre de ce soir, un déguisement s'imposait. Prise de court, Lydia n'avait pas eu le temps d'enfiler son costume d'homme. Attrapant ce qui lui tombait sous la main, elle s'était transformée en bohémienne.

Elle portait six jupons de couleurs différentes qui dévoilaient ses chevilles, ainsi qu'un corsage de velours écarlate lacé devant, qui menaçait d'exploser sous la pression de ses seins. En vérité, elle ressemblait davantage à une catin qu'à une bohémienne. Mais le temps pressait et elle avait dû faire avec. Heureusement, la nuit était assez fraîche pour qu'un châle n'apparaisse pas incongru.

Des écharpes en soie multicolore drapées autour de la tête dissimulaient sa chevelure blonde et ajoutaient à l'exotisme de sa tenue. Quant à la couleur des yeux, eh bien, il faisait sombre, aussi ne s'était-elle pas souciée de ce détail. De toute façon elle ne comptait pas se laisser approcher par qui que ce soit.

Du rouge sur les lèvres, une couche de poudre et des bijoux de pacotille complétaient son déguisement.

— Je suis censée être votre cousine, annonça-t-elle à Mme Ifrita.

— Malin, approuva celle-ci. Je savais que vous trouveriez une solution. Désolée de vous avoir avertie si tard, mais je n'ai eu l'information que dans l'après-midi… grâce à ma boule de cristal ! acheva-t-elle avec un clin d'œil.

Les puissants pouvoirs divinatoires de Mme Ifrita faisaient l'admiration de ses clients trop crédules. Mais pas de Lydia, qui savait que pour se renseigner sur ces derniers, la diseuse de bonne aventure disposait d'un vaste réseau d'informateurs.

Évidemment, cette méthode avait un coût.

Lydia sortit de sa bourse cinq souverains qu'elle aligna sur la table devant elle. Elle en fit glisser trois vers Mme Ifrita.

— Annette est venue me voir aujourd'hui, commença celle-ci. C'est la fille que Coralie a ramenée de Paris. Elle voudrait retourner en France, mais elle a peur. À raison. Il y a dix jours, on a retiré de la Tamise une fille qui avait tenté de s'échapper de chez Coralie. Elle était défigurée et portait la trace d'un garrot autour du cou. J'ai raconté tout cela à Annette, plus deux ou trois choses qu'elle croyait secrètes. Puis j'ai regardé dans ma boule de cristal et je lui ai dit qu'une malédiction pesait sur Coralie, que je la voyais avec des plaies sanglantes aux poignets, autour du cou et aux oreilles.

Lydia haussa les sourcils. Mme Ifrita continua :

— Vous n'êtes pas la seule à avoir vu Coralie porter cette parure de rubis au *Jerrimer*. Un de mes agents m'en a fait la même description que vous. Je me suis aussi laissé dire que le duc d'Ainswood était présent. Apparemment il est reparti en compagnie d'un jeune homme que personne ne connaissait. Il vous a démasquée, pas vrai ?

— À cause de ce maudit cigarillo, j'en suis sûre, bougonna Lydia.

— Et il se serait lui-même trahi aujourd'hui, sur Exeter Street.

Le regard perçant de Mme Ifrita mit Lydia mal à l'aise. Elle poussa un autre souverain sur la table.

— Ce n'est pas pour parler de ça que je suis là. C'est Coralie qui m'intéresse.

— Elle conserve tous les bijoux que ses troupes dérobent. Elle a un faible pour ce qui brille, comme une pie. Depuis l'assassinat de cette fille, Annette fait des cauchemars. Je suppose qu'elle a dû assister au massacre, voire y participer.

— Et cela aurait heurté sa sensibilité ? railla Lydia. Vous savez aussi bien que moi qu'Annette est tout sauf un ange.

— C'est pourquoi j'étais si pressée de vous parler. Si elle fait des cauchemars, c'est sans doute sa belle petite figure qu'elle voit défigurée, et sa propre gorge tranchée. Peut-être a-t-elle vu ce qu'elle n'aurait pas dû voir. Peut-être y a-t-il autre chose. Quoi qu'il en soit sa peur est authentique, et je suis sûre qu'elle va s'enfuir. Mais elle ne partira pas les mains vides. Elle est trop maligne pour ça. Non, elle volera tout ce qu'elle pourra – y compris votre précieuse parure – avant de se volatiliser.

— Quand ?

— Ce soir, Coralie a besoin d'elle pour mater une nouvelle recrue. Et je sais que demain soir Annette a rendez-vous avec un client spécial. Il se pourrait qu'elle tente sa chance après. Coralie quitte la maison tous les soirs à 21 heures pour aller écumer les tripots. Elle ne rentre jamais avant l'aube. Annette aurait amplement le temps de faire main basse sur ses bijoux et de prendre une bonne avance.

La diseuse de bonne aventure marqua une pause avant d'ajouter :

— Je lui ai fait croire que la parure de rubis était maudite. Mais je ne sais pas si elle est superstitieuse au point de la dédaigner.

— Alors j'ai intérêt à la récupérer avant elle, déclara Lydia, mal à l'aise.

Elle savait déjà qu'il lui faudrait l'aide d'Helena et elle doutait que celle-ci se montre enthousiaste.

Elle poussa le dernier souverain vers Mme Ifrita qui secoua la tête.

— Je n'ai pas grand-chose d'autre à dire. Actuellement, Coralie vit au numéro 14 de Francis Street. Une espèce de brute prénommée Mick garde la maison en son absence. Souvent, une fille reste aussi pour recevoir un client choisi.

Non, Helena n'allait pas aimer, songea Lydia. Trop de gens sur place. Trop de risques. Cambrioler la maison de Coralie exigerait l'habileté d'une professionnelle. Et impossible de recruter quelqu'un d'autre, le temps manquait.

Restait à la convaincre.

Lydia prit congé de Mme Ifrita.

Un fiacre l'attendait à quelques rues de là. Elle traversa sans hâte la piazza pour ne pas attirer l'attention. Elle longeait la halle quand une haute silhouette émergea de sous les arcades.

Lydia reconnut l'homme au premier coup d'œil. Il lui fallut deux secondes pour décider de changer d'itinéraire. Feignant de reconnaître quelqu'un sur la piazza, elle rebroussa chemin.

7

Vere était sur le point de renoncer. Il avait cherché partout dans les alentours de Covent Garden, en vain. Quand Purvis l'avait prévenu que la diablesse allait sortir seule, il s'était réjoui. Mais, apparemment, elle s'était envolée. Enfin il y aurait d'autres occasions. Rien ne pressait, se rappela-t-il. Il pouvait prendre son temps et choisir le moment idéal pour lui donner la petite leçon qu'il avait en tête. Il savait où se divertir en attendant.

Tout cela était vrai, néanmoins l'impatience le gagnait. Ses provocations ne lui manquaient certes pas. Pas plus que le son de sa voix hautaine. Ou la vue de son visage d'une beauté exaspérante, de son corps aux courbes...

Il interrompit sa litanie mentale comme une gitane sortait de l'ombre, ses jolis mollets dévoilés par ses jupons qui se balançaient au rythme de sa démarche dansante. Mais soudain la fille s'arrêta, fit signe à quelqu'un et traversa la piazza.

Un instant, la brise souleva les pans de son châle multicolore, révélant un bustier généreusement rempli dont la vue le fit saliver. Puis il pila net, demeura quelques secondes pétrifié. Avait-il la berlue ? Était-il saoul ? Non, il n'avait pas bu une goutte ce soir.

Elle était là, devant lui. La Valkyrie. En chair et en os. Surtout en chair.

Aussitôt il se mit en chasse, se faufilant entre les passants qui commençaient à se diriger vers le marché couvert. La « gitane » s'arrêta devant un pub, près d'un passage qui reliait deux rues. Puis son châle bariolé disparut à la vue.

Persuadé qu'elle venait d'emprunter le passage, Vere s'apprêtait à l'imiter lorsqu'il tourna la tête à gauche. À demi dissimulée par un groupe de badauds, la fausse gitane était accroupie près d'une petite fleuriste estropiée assise sur une panière pourrie. Elle lui lisait les lignes de la main, semblait-il.

Vere s'avança. Accaparées par leur conversation, les deux femmes ne remarquèrent pas sa présence.

— Mon avenir est tordu, comme moi, pas vrai ? disait la fleuriste. On m'a dit qu'un docteur pourrait m'aider, mais il habite en Écosse. Je n'aurai jamais de quoi aller là-bas. Et puis, les opérations ça coûte cher. Hier soir, un monsieur m'a proposé une guinée pour aller dans une chambre avec lui. J'ai refusé, mais après, je me suis dit que j'étais idiote. Il a dit qu'il reviendrait ce soir, et je ne sais pas ce que je vais faire. C'est facile d'être vertueuse quand personne ne vous promet un tas d'argent pour mal vous conduire.

Vere préféra ne pas penser à ces pervers qui tentaient de dévoyer des handicapées sans défense. Il devait réfléchir à une stratégie, et le temps lui était compté.

Un souvenir lui revint soudain : Grenville en train de l'imiter, pris de boisson, dans l'arrière-salle de *La Chouette bleue*.

D'une voix pâteuse d'ivrogne, il s'écria :

— Une guinée seulement ? Pour une telle beauté ?

Deux jolis visages se tournèrent vers lui. L'un fardé, l'autre pas. Ils affichaient une égale surprise.

Vere s'approcha d'une démarche titubante.

— Bon sang, j'en donnerais dix… non vingt pour le simple privilège de vous regarder, ma petite rose.

Tenez, fit-il en se penchant pour fourrer une bourse dans la main de la jeune fille qui le fixait avec de grands yeux. Donnez-moi ces bouquets, à présent. Ces pauvres fleurs sont rouges de honte, vous ne voyez pas ? C'est parce qu'à côté de votre splendeur... elles passent pour de vulgaires mauvaises herbes ! Pas étonnant que personne ne les achète. Vous feriez mieux de rentrer, conclut-il, avant que quelqu'un vous soulage de la recette.

Il feignit de glisser, se rattrapa au mur, puis saisit la béquille de la jeune invalide pendant que Mlle La-gitane-dépoitraillée aidait cette dernière à se lever.

— Allez voir le Dr Hayward de ma part, reprit-il d'une voix vaseuse en sortant un bristol froissé de sa poche.

La jeune fleuriste s'en empara et balbutia un remerciement ahuri. L'instant d'après, elle s'éloignait en clopinant. Vere la suivit des yeux jusqu'à ce qu'elle tourne à l'angle de la rue. Puis il reporta son attention sur sa proie.

Elle s'était évaporée !

Il balaya la place d'un regard fébrile, et repéra le châle multicolore parmi une grappe de piétons. Il s'élança, rattrapa « la gitane » aux abords de Russel Street, se planta devant elle et brandit les maigres bouquets que lui avait donnés la fleuriste.

— *Des fleurs pour une fleur*[1] ! déclama-t-il.

Avec un haussement d'épaules elle s'empara des bouquets, et poursuivit sa route sur un :

— Adieu !

Il la suivit en protestant :

— Comment ça, « adieu » ?

— C'est bien ce que dit la reine Gertrude avant de jeter des fleurs sur la tombe d'Ophélie, non ?

1. *Hamlet*, Acte V, scène I, Shakespeare.

Joignant le geste à la parole, elle lança les bouquets dans le ruisseau.

— Ah, une comédienne ! Le costume de bohémienne, c'est pour annoncer une nouvelle pièce, si je comprends bien.

Sans ralentir l'allure, elle rétorqua :

— J'ai été comédienne en des temps meilleurs, m'sieur ! Et diseuse de bonne aventure en des temps pires. Comme aujourd'hui.

Elle avait adopté un accent faubourien. Les yeux fermés, il s'y serait laissé prendre. Elle avait un talent extraordinaire. Lui-même s'était tiré honorablement de sa prestation d'ivrogne. L'avait-il mystifiée ? Ou entrait-elle dans son jeu en attendant de trouver le moyen de lui faire faux bond sans attirer l'attention ?

Comme si sa tenue ne retenait les regards de tous les mâles alentour !

— Vous auriez pu proposer la bonne aventure à un riche bourgeois, pourtant, vous avez choisi cette petite handicapée. Je vous ai prise pour un ange, je l'avoue.

— Vous avez si bien joué le rôle, je ne pouvais être que la doublure !

Si elle avait adressé à un autre homme le regard de biais qu'elle venait de lui couler, elle se serait retrouvée dos au mur, les jupes retroussées. L'image lui donna le tournis.

— Bah, donner de l'argent à cette gamine était le moyen le plus facile de me débarrasser d'elle. Maintenant que nous voilà seuls et que j'ai toute votre attention, il faut me lire les lignes de la main. Je parie que ma ligne d'amour vient de prendre un excellent tour. Ça vous ennuierait de jeter un coup d'œil ?

Après avoir ôté son gant, il agita la main sous son nez. Elle l'écarta d'une tape.

— Si c'est de l'amour que vous voulez, il y a dans ce quartier des belles de nuit qui fleurissent un peu partout et qui sauront sûrement vous contenter en échange de quelques pièces. S'il vous en reste.

Pendant qu'un de ces coureurs de jupons qui rôdaient dans le quartier l'effeuillerait *elle* ? Jamais de la vie !

Avec un soupir outrancier, il pressa contre sa poitrine la main qu'elle venait de repousser.

— Elle m'a touchée et me voilà transporté au septième ciel ! Gitane, sainte, tragédienne, j'ignore qui elle est vraiment, mais je bénis le sol qu'elle foule de ses petits pieds, et...

— Au fou ! s'écria-t-elle soudain, le faisant sursauter. Oyez, oyez, braves gens, et prenez cet homme en pitié. Il divague, il déraisonne !

Ses cris attirèrent l'attention de plusieurs putains et de leurs clients qui négociaient non loin.

— *Fou comme la mer et comme la tempête, quand elles luttent à qui sera la plus forte*[1], continua-t-elle de déclamer.

Encore Hamlet. Mais Vere n'avait pas l'intention de jouer le rôle du type qui perdait la fille à la fin de la pièce.

— Oui fou. Fou de vous ! jeta-t-il avec emphase.

Non loin, une catin gloussa. Imperturbable, il poursuivit devant son auditoire improvisé :

— J'errais seul dans le désert de mon existence aride lorsqu'elle parut, parée de couleurs flamboyantes, telle une aurore boréale...

— *Oh, secourez-le, cieux cléments*[2] ! chevrota-t-elle, les yeux au ciel.

— Et foudroyez-moi, embrasez-moi de mille feux si ses lèvres purpurines daignent m'adresser un sourire...

Portant le dos de la main à son front, elle gémit :

— Oh, que voilà un noble esprit bouleversé ! Gentes dames, protégez-moi ! ajouta-t-elle en se précipitant

---

1. *Hamlet*, Acte IV, scène I.
2. *Hamlet*, Acte III, scène I.

vers les prostituées qui s'esclaffaient. Je crains que ce furieux ne commette un acte désespéré !

— Oui, le même que d'habitude, chérie, intervint une vieille putain hilare. C'est Ainswood et il est généreux !

Les gens commençaient à s'attrouper, et Vere dut se frayer un chemin parmi les curieux pour poursuivre l'objet de sa flamme.

— Belle Aurore, ayez pitié de moi ! Ne me fuyez pas ! Vous êtes l'unique étoile de mon ciel, mon soleil, ma lune, ma galaxie…

Le châle multicolore, qui avait un instant disparu de son champ de vision, réapparut un peu plus loin. Vere la rejoignit en quelques enjambées.

— Soyez enfin mienne, belle Aurore !

— Et quelle loi aberrante vous autoriserait à me posséder comme un objet, monsieur le forcené ?

— Un décret d'Amour !

Il tomba à genoux :

— Voyez, belle Aurore, me voici prostré à vos pieds…

— Prostré ? Non pas, monsieur le toqué. Pour cela il faudrait que votre visage touche le pavé.

— Elle veut dire « cul en l'air », Votre Grâce ! cria une catin.

Les spectateurs masculins ne ratèrent pas cette occasion de faire des remarques grivoises. Vere décida qu'il les étriperait plus tard. L'un après l'autre.

— Commandez, ma déesse, reprit-il, et j'obéirai. Je n'attends que votre bon plaisir pour me relever, m'arracher à cette fange infâme et rejoindre le royaume céleste où nos deux âmes fusionneront. Laissez-moi boire le nectar divin à vos lèvres, et pénétrer les doux secrets de votre corps paradisiaque ! Et laissez-moi mourir d'extase en embrassant… vos pieds.

— Fi, monsieur ! s'exclama-t-elle avec une horreur feinte. Vous prétendez m'adorer, mais vous souillez mes oreilles en parlant de... *baisers* ? Seigneur, je défaille ! Mon Dieu, où trouver refuge ?

Et dans un bruissement de jupons, elle détala.

Vere ne se laissa pas surprendre et se précipita à ses trousses.

Il vit la collision arriver.

Grenville changea brusquement de direction pour courir vers les arcades et jeta un coup d'œil par-dessus son épaule. Au même moment, une femme vêtue d'une robe noire scintillante émergea de l'ombre.

— Attention ! cria Vere.

Mais il n'empêcha pas sa belle Aurore de heurter la femme de plein fouet et d'aller se cogner le dos contre un pilier.

— Regarde donc où tu vas, espèce de grande bougresse ! brailla la femme en noir.

C'était Coralie Brees. Vere aurait reconnu sa voix nasillarde à dix lieues. Déjà, il les avait rejointes. D'un coup d'œil, il repéra ses sbires.

— C'est ma faute, intervint-il. Querelle d'amoureux. Mais nous sommes réconciliés maintenant, n'est-ce pas, mon soleil, ma lune, mon étoile filante ?

Il se tourna vers Grenville pour ajuster sur sa tête le foulard qui menaçait de glisser. Elle repoussa sa main d'un geste impatient.

— Mille excuses, madame, dit-elle à Coralie d'un ton contrit. J'espère que je ne vous ai pas fait mal.

Vere aurait parié cinquante guinées que c'était la première fois que la maquerelle s'entendait donner du « madame ». Grenville avait dû repérer les deux brutes, elle aussi, et optait sagement pour la conciliation.

Mais Coralie ne semblait pas le moins du mode conciliante.

D'ordinaire Vere ne refusait jamais une bonne petite bagarre. Ce soir toutefois, il ferait exception. Après avoir passé l'après-midi à charrier des gravats, il préférait garder ses forces pour honorer Sa Majesté Grenville. En outre, celle-ci risquait de tomber entre de mauvaises mains pendant qu'il boxait les deux autres.

Il saisit son épingle à cravate en jade et la lança à la maquerelle qui l'attrapa au vol. Elle y jeta un coup d'œil et se radoucit.

— Pour le dérangement, dit-il. Pardonné, ma petite paonne ? ajouta-t-il d'une voix pâteuse à l'adresse de Gtrenville.

— C'est le mâle qui a des plumes multicolores. La paonne a un plumage très terne. Je ne vais pas rester ici à me faire insulter, monsieur le siphonné.

Elle fit volte-face, mais il l'imita, et, riant, la souleva dans ses bras.

— Posez-moi, espèce d'idiot ! s'écria-t-elle. Je suis trop grande pour vous.

— Et trop vieille, commenta Coralie, acerbe. Une vieille brebis coriace, alors que je peux vous proposer tout un choix de tendres agnelles, Votre Grâce.

Voilà que la maquerelle commençait à lui faire l'article. Vere s'empressa de décamper avec son fardeau qui se tortillait.

— Trop grande ? fit-il. Voyez comme ma tête repose juste au creux de votre épaule.

Sans s'arrêter, il enfouit le nez au creux de son cou.

— Et je parie qu'elle serait tout aussi bien sur votre poitrine. Pour ce qui est du reste…

Sa main droite remonta sournoisement vers sa croupe. Elle lança une ruade.

— Reposez-moi sur le sol ! Le jeu est terminé.

Terminé ? Oh non, il ne faisait que commencer ! se réjouit Vere en se dirigeant vers un établissement qu'il connaissait bien pour l'avoir fréquenté avec assiduité. Sans hésiter, il poussa la porte, longea le couloir.

— Écoutez-moi, Ains...

Il la fit taire d'un baiser. Grenville s'était raidie dans ses bras. Lèvres pincées, elle s'efforçait de détourner la tête. L'angoisse le rattrapa soudain.

Elle ne savait pas embrasser, se rappela-t-il.

« Elle n'a jamais couché avec un homme ! » lui cria une voix intérieure. Celle de sa conscience. Mais cela faisait déjà dix-huit mois qu'il avait cessé de l'écouter.

Elle joue la comédie, décida-t-il. Grenville feignait d'être une oie blanche, mais c'était une femme adulte, avec un corps fait pour le péché, un corps fait pour lui.

Si elle voulait jouer les pucelles, libre à elle. Ça ne le dérangeait pas.

Sans quitter sa bouche, il la reposa à terre. Son baiser s'adoucit. Il n'exigeait plus, il tentait de persuader, avec patience. Il referma les mains autour de son visage avec précaution, comme s'il s'agissait d'un objet fragile.

Elle frissonna. Ses lèvres s'assouplirent sous les siennes, se mirent à trembler. Et il éprouva un brusque élancement dans la poitrine, comme si on venait de le transpercer d'un coup de poignard. Une bouffée de désir, sans doute, se dit-il en l'enlaçant étroitement.

Cette fois elle ne résista pas, et son abandon enflamma Vere. Jamais il n'avait autant vibré pour une femme. Peut-être parce qu'elle feignait l'innocence, justement. Ou parce qu'il avait l'habitude d'obtenir ce qu'il voulait d'un claquement de doigts et que sa résistance l'émoustillait.

Il ne s'était jamais donné la peine de conquérir une femme. Un regard, un sourire, et hop ! l'affaire était dans le sac, que la relation soit tarifée ou pas.

Si Grenville voulait interpréter le rôle de l'ingénue, il jouerait volontiers celui du mentor.

Le résultat fut que le tendre prélude se mua en baiser dévorant et que le sang de Vere se mit à bouillir dans ses veines. Diantre, ce jeu était excitant ! Il s'arma de patience, fit doucement descendre ses mains sur ses épaules dénudées, puis le long de ses bras, pour venir lui encercler la taille. Il poursuivit sa progression, lui empoigna les fesses et pressa son érection contre son ventre en étouffant un grognement de plaisir. Ce jeu était d'une perversion inouïe, délicieuse !

« Tu vas trop loin ! » lui cria la voix assourdie de sa conscience.

Sûrement pas, pour la simple et bonne raison qu'elle n'essayait pas de se dérober. Au contraire, elle laissait ses mains courir sur lui, timidement, comme si elle n'avait encore jamais touché de corps masculin.

Toutefois elle se limitait à ses épaules et à son torse, feignait de ne pas oser aller plus bas. Il interrompit leur baiser pour lui dire qu'elle n'avait pas à être timide, mais s'en découvrit incapable. Il se contenta d'enfouir le visage au creux de son cou, de respirer son parfum en embrassant sa peau de satin.

Elle tressaillit, laissa échapper un petit cri surpris comme si tout cela était entièrement nouveau pour elle.

Ce qui n'était pas possible.

Elle respirait aussi fort que lui, sa peau était brûlante sous ses lèvres. Et lorsqu'il referma la main sur son sein, il sentit la pointe se dresser contre sa paume à travers son corsage. Un corsage qui ne couvrait pas grand-chose, si bien qu'il n'eut besoin que de tirer un peu sur l'étoffe pour dégager sa poitrine tout entière et s'en emplir enfin les mains comme il en rêvait.

— Tu es si belle, chuchota-t-il, la gorge nouée.

— Non, arrêtez ! cria-t-elle en se raidissant. Je ne peux pas...

Elle lui agrippa les mains.

— Bon sang, Ainswood, c'est *moi*, espèce d'ivrogne ! *Grenville !*

Lydia s'attendait qu'Ainswood se pétrifie d'horreur. Mais à son grand désarroi, elle eut un mal fou à décoller ses mains de ses seins.

— C'est moi... Grenville, dut-elle répéter au moins cinq fois pour qu'il consente à cesser de butiner cet endroit si sensible sous le lobe de son oreille. Arrêtez !

Il la lâcha enfin, et l'amant fougueux redevint instantanément l'odieux butor qu'elle commençait à bien connaître. Il affichait en outre une expression si maussade qu'elle aurait pu en rire si elle n'avait été si furieuse contre elle-même.

Elle ne lui avait même pas opposé un semblant de résistance.

— Laissez-moi vous expliquer quelque chose, Grenville, déclara-t-il d'une voix grondante. Si vous voulez jouer avec un homme, il faut vous préparer à aller jusqu'au bout. Sinon vous risquez de mettre le monsieur de *très* mauvaise humeur.

— Vous êtes né de mauvaise humeur, rétorqua Lydia en remontant son corsage.

— Faux. J'étais d'excellente humeur il y a quelques minutes.

Elle regarda ses grandes mains sur lesquelles on aurait dû tatouer « Attention, danger ». Ses grandes mains habiles qui l'avaient caressée, palpée, à demi dévêtue, sans qu'elle articule un mot de protestation.

— Vous n'avez qu'à pousser cette porte. Covent Garden grouille d'authentiques filles de joie qui ne demandent qu'à vous rendre votre bonne humeur.

— Si vous ne voulez pas être traitée comme une traînée, vous ne devriez pas vous habiller comme une traînée. Enfin, je ne sais pas si le terme « habiller » convient, en l'occurrence. Vous ne portez ni chemise ni corset. Et je suppose que vous n'avez pas pris la peine d'enfiler une culotte.

— J'avais une excellente raison pour me costumer ainsi. Mais je ne vais pas vous l'exposer, vous m'avez fait perdre assez de temps comme ça.

Furieuse, elle se dirigea vers la porte.

— Vous devriez mettre un peu d'ordre dans votre tenue, lui conseilla-t-il. Votre turban est de travers, et votre corsage de guingois.

— Tant mieux. Les gens penseront savoir ce que je faisais ici, et je pourrai filer sans me faire trancher la gorge, répliqua-t-elle.

Elle ouvrit la porte, jeta un coup d'œil dehors. Pas trace de Coralie et de ses brutes. Puis elle se tourna à demi vers le duc. Un sursaut de culpabilité l'assaillit.

Il n'avait pas l'air solitaire ou perdu, décréta-t-elle pour calmer sa conscience. Il boudait, c'est tout. Il l'avait prise pour une catin, et était resté sur sa faim.

Et s'il n'avait pas été si diaboliquement doué, elle l'aurait arrêté plus tôt. Mais il l'avait entourée de ses bras puissants, l'avait embrassée avec la douceur et l'ardeur d'un prince charmant, et, l'espace d'un instant, elle avait eu l'impression d'être la plus belle, la plus désirable des princesses.

Sauf qu'elle n'était pas une princesse, et que lui n'avait rien d'un prince charmant – qui du reste n'existait pas.

Elle sortit.

Une fois la porte refermée, elle murmura :

— Je suis désolée.

Puis elle traversa la piazza et tourna à l'angle, dans St James Street.

Vere était si furieux qu'il l'aurait bien laissée partir. Comme elle le lui avait rappelé d'un ton narquois, le quartier grouillait de putains qui ne demandaient qu'à lui donner ce qu'elle lui avait refusé. Mais il grouillait également de noceurs qui, tout à l'heure, avaient reluqué la belle gitane avec convoitise.

Étouffant un juron, il se précipita à sa suite.

Il la rattrapa dans Hart Street. Elle le fusilla du regard.

— Je n'ai pas de temps à perdre avec vous, Ainswood, lâcha-t-elle. J'ai des choses *importantes* à faire. Allez donc au théâtre, ou voir un combat de coqs, que sais-je encore ?

Un passant qu'ils croisaient lorgna ses mollets dénudés. Au lieu de le gifler comme il en avait envie, Vere saisit la main de Lydia et la coinça au creux de son coude.

— Je savais que c'était vous, Grenville. Je l'ai su dès le début.

— C'est ce que vous dites maintenant, mais vous n'auriez jamais fait… ce que vous avez fait si vous aviez su qu'il s'agissait de moi et non d'une prostituée.

— Votre déguisement ne m'a pas abusé une seule seconde, insista-t-il. Je vous ai reconnue au premier coup d'œil.

Elle lui adressa un regard acéré.

— Donc, vous faisiez semblant d'être saoul, l'accusa-t-elle. C'est encore pire. Si vous m'aviez reconnue, vous n'aviez qu'une seule raison pour… pour…

— Il n'y en a qu'une, en effet.

— Vous vouliez vous venger ! Parce que je vous ai ridiculisé en public il y a deux semaines.

— Vous ne vous êtes pas regardée ! Vous êtes à peine vêtue. En général, il n'en faut pas plus à un homme.

— À vous, si. Vous me détestez.

— Ne vous flattez pas. Vous m'irritez, c'est tout.

L'euphémisme de l'année ! Cette petite allumeuse lui avait incendié les sangs, et l'avait planté là au moment où les choses commençaient à devenir intéressantes.

Pire, elle l'avait fait douter.

Peut-être ne jouait-elle pas la comédie, finalement.

Peut-être qu'aucun homme ne l'avait jamais touchée.

Il fallait qu'il en ait le cœur net. Parce que si elle était réellement vierge, il mettrait un terme à cette entreprise de séduction. Les pucelles, très peu pour lui. Il n'en avait jamais défloré et n'avait pas l'intention de commencer. Non qu'il ait des scrupules, mais c'était se donner trop de mal pour une piètre récompense. Il ne mettait jamais deux fois la même femme dans son lit, ce n'était pas pour s'embêter avec une novice. Il n'allait pas faire son éducation pour qu'un autre homme en retire tous les bénéfices !

Inutile de tourner autour du pot, décida-t-il.

— Vous êtes vierge, n'est-ce pas ?

— Je pensais que c'était évident, répliqua-t-elle.

Et elle s'empourpra. Du moins, lui sembla-t-il, vu la faible lumière dispensée par les réverbères. Il faillit poser la main sur sa joue pour vérifier. Il se rappela la douceur de sa peau, et la façon dont elle avait tremblé sous ses caresses. De nouveau, il éprouva cet étrange coup au cœur.

Du désir, se dit-il. Et de la frustration. Elle l'avait rendu fou avec ses timides caresses de vestale.

Mais était-on « timide » quand on était capable d'arpenter Londres déguisée en homme ou en gitane, qu'on n'hésitait pas à escalader une gouttière pour s'introduire chez quelqu'un, ou à attaquer un poursuivant à coups de canne ?

Timide, elle ?

Et vierge ?

C'était ridicule.

— Vous aurais-je choqué ? Vous êtes sans voix tout à coup, fit-elle remarquer.

Il se rendit compte qu'il lui serrait le bras à la meurtrir et la lâcha. Elle s'écarta, rajusta son châle de manière à se couvrir à peu près la poitrine. Puis, glissant deux doigts dans la bouche, elle émit un sifflement strident.

Une voiture garée à quelques dizaines de mètres s'ébranla.

Le tympan vrillé, Vere se frotta l'oreille.

— J'ai loué ce fiacre pour la soirée, expliqua-t-elle. Je ne comptais pas rentrer à pied ainsi travestie, figurez-vous. Même si vous êtes persuadé du contraire, je ne voulais aguicher personne.

— C'est suicidaire pour une femme de s'aventurer dans un quartier si mal famé après la tombée de la nuit. Pourquoi ne vous êtes-vous pas fait escorter ? Il y a bien un grand type baraqué parmi vos collègues journalistes, non ?

— Un grand type baraqué, répéta-t-elle d'un air pensif. Vous savez quoi, Ainswood ? Vous n'avez pas tort.

Elle lui avait dit avoir une bonne raison pour se déguiser ainsi. Il ne lui avait pas demandé laquelle, n'avait pas besoin de le savoir. Il lui avait posé la seule question pertinente, avait obtenu une réponse, et n'avait par conséquent plus qu'à s'en aller.

— Au revoir, Grenville. Bon vent.

Il se détournait lorsque la main de la jeune femme se referma sur son bras.

— J'ai une proposition à vous faire, dit-elle.

— Votre cocher attend.

— Qu'il attende. J'ai loué ses services pour la nuit.

— Pas les miens.

Il lui attrapa le poignet entre le pouce et l'index, et lui écarta la main comme s'il s'agissait d'un objet répugnant. Le châle glissa, révélant une épaule blanche et la rondeur d'un sein au-dessus du corsage.

— Comme vous voudrez, soupira-t-elle. Je ne vais pas vous supplier. Du reste, l'idée n'était peut-être pas aussi bonne que cela. L'aventure pourrait se révéler trop dangereuse.

Elle pivota sur ses talons, s'approcha du fiacre et échangea quelques mots à voix basse avec le cocher.

Vere marmonna un juron.

Il savait fort bien qu'elle était en train de l'appâter. Il suffisait de dévoiler quelques centimètres de chair et de prononcer les mots magiques « aventure » et « dangereux ». Des mots irrésistibles. Mais si elle pensait le manipuler en employant une tactique aussi éculée...

... elle avait raison, la diablesse !

Il s'élança, ouvrit la portière, la poussa littéralement à l'intérieur avant de grimper à son tour.

— Vous avez intérêt à ce que cela en vaille la peine, râla-t-il pour la forme.

8

Lydia lui raconta brièvement comment Mlle « Price » s'était fait dérober ses bijoux, puis comment l'enquête avait suivi son cours jusqu'aux événements de cette nuit. Elle lui tut la véritable identité de la jeune fille et le passé de pickpocket d'Helena, se contenta de préciser qu'elle avait déjà quelqu'un en vue pour cambrioler le repaire des brigands qui aimaient taillader le visage de leurs victimes avant de les étrangler. Ainsi, si Ainswood se ravisait, elle pourrait toujours revenir à son plan initial, conclut-elle.

Sa Grâce se borna à grommeler.

Bras croisés, il avait écouté son récit sans mot dire. Lorsqu'elle se tut pour lui permettre de poser des questions, il conserva le silence.

— Nous y sommes presque, fit-elle après avoir jeté un coup d'œil par la fenêtre. Vous voudrez peut-être jeter un coup d'œil aux lieux avant de vous engager ?

— Je connais ce quartier. Il est étonnamment respectable pour quelqu'un comme Coralie Brees. Je suis surpris qu'elle ait les moyens de se loger ici. Les breloques et colifichets qu'elle revend n'ont pas grande valeur. On est loin du niveau de Mlle Martin. À ce propos, je trouve que vous avez de curieux critères pour choisir vos amies. Vous affectionnez les extrêmes apparemment. L'une est une courtisane célèbre, l'autre presque une gamine. Vous ne connaissez Mlle Price que depuis deux semaines, mais vous êtes prête à risquer votre vie pour récupérer ses babioles.

— Ces babioles, comme vous dites, ont une valeur sentimentale. Vous ne pouvez pas comprendre.

— Tant mieux. Les femmes s'affolent toujours pour des vétilles. Un bas qui file, et c'est la catastrophe. Bien, je m'occuperai des détails pratiques, comme entrer et sortir de la maison sans se faire repérer. Autrement je risque d'être obligé de tuer quelqu'un, et Jaynes en fera une maladie. Ça le met toujours d'une humeur de dogue quand je rentre à la maison avec des vêtements tachés de sang.

— Qui est Jaynes ?

— Mon valet.

Elle le considéra avec une attention accrue. Ses épais cheveux étaient en bataille, comme si un jardinier aviné les avait peignés au râteau. Sa cravate chiffonnée était dénouée. Et un pan de sa chemise pendouillait sous son gilet déboutonné.

Elle était consciente d'être en partie responsable de ce débraillé. En partie seulement, espérait-elle. Elle ne se rappelait pas s'être attaquée à ses boutons ou avoir tiré sur sa chemise. Certes, sa mémoire n'était peut-être pas très fiable, car au moment des faits elle n'était pas dans son état normal.

Elle dut serrer les poings pour s'empêcher d'écarter une mèche qui lui retombait sur le front.

— Votre valet devrait être fouetté pour vous autoriser à sortir dans une tenue si négligée.

— C'est l'hôpital qui se moque de la charité, ricana-t-il. Je suis peut-être mal habillé, mais au moins je suis habillé.

— Le problème, c'est que vous êtes le duc d'Ainswood.

— Ce n'est pas ma faute. Je n'ai rien demandé.

Il détourna la tête pour fusiller la rue du regard.

— Que cela vous plaise ou non, insista Lydia. Vous êtes le symbole de quelque chose qui dépasse votre personne, le représentant d'une lignée vieille de plusieurs siècles.

— Si je veux un sermon sur les obligations qui m'incombent, il me suffit de rentrer chez moi et d'écouter Jaynes, répliqua-t-il. Nous approchons de Francis Street. Je vais descendre jeter un coup d'œil aux lieux. Vous, ne bougez pas. Vous êtes visible à cent mètres.

Sans attendre son approbation, il ordonna au cocher d'arrêter la voiture. Comme il ouvrait la portière, elle le mit en garde :

— J'espère que vous ne mijotez pas quelque action d'éclat en solo. Cette opération nécessite d'être soigneusement planifiée. Nous ignorons combien de personnes se trouvent actuellement dans ces murs et il n'est pas question que vous débarquiez…

— Je sais ce que je fais, Grenville, coupa-t-il d'un ton rogue. Cessez de vous agiter.

Et il sauta sur le pavé.

Le matin du jour J, Lydia se leva très tard.

De fait elle était rentrée à une heure indue. Lorsque Ainswood était revenu après son inspection, ils s'étaient disputés dans le fiacre, Sa Grâce s'étant mis en tête d'opérer avec l'aide de son valet plutôt qu'avec elle.

Elle avait perdu un temps fou et une énergie considérable à lui faire comprendre que cette option n'était pas envisageable. Et c'est seulement au terme d'interminables pourparlers qu'ils avaient pu enfin réfléchir à la stratégie à mettre en œuvre.

En conséquence il était près de 3 heures du matin lorsqu'elle avait rejoint son lit. Elle aurait dû s'endormir aussitôt, l'esprit en paix, soulagée d'avoir conçu un plan simple et efficace qui avait en outre l'avantage de ne pas impliquer Helena.

Mais son affreux petit démon intérieur l'avait tenue éveillée.

Au lieu de s'inquiéter des dangers qui les attendaient le lendemain soir ou de craindre que l'opération tourne au drame, c'était aux sensations vertigineuses éprouvées dans les bras d'Ainswood qu'elle avait songé. À son torse musclé. À ses baisers ardents qui lui avaient presque fait perdre la tête. À ses grandes mains dont elle sentait encore l'empreinte brûlante sur son corps.

Elle s'était querellée avec le petit démon : il fallait être complètement folle pour nouer une liaison avec un pareil débauché. Elle perdrait le respect d'elle-même si elle couchait avec un homme réputé mépriser les femmes. Elle perdrait aussi le respect de ses lecteurs, car à n'en pas douter Ainswood ferait en sorte que cela se sache. Les gens les plus ouverts seraient en droit de douter de la pertinence de son jugement, sans parler de sa moralité. Elle avait beaucoup à perdre dans l'histoire et tout sacrifier sur l'autel dérisoire de la passion physique serait d'une stupidité sans nom.

Mais le petit démon s'en fichait. Il gambadait et sautillait, la pressant de se vautrer dans la luxure sans se soucier des conséquences.

Elle s'était endormie à l'aube, épuisée.

Lorsqu'elle descendit, à midi passé, Tamsin s'empressa de la rejoindre dans la salle à manger pour la bombarder de questions.

— Alors, que s'est-il passé ? Pourquoi Mme Ifrita vous a-t-elle convoquée ? Qu'avait-elle de si urgent à vous dire ?

— Elle m'a fait des révélations sur Bellweather. Il va falloir que je vérifie ce soir si tout cela est vrai ou pas.

Il était impossible de dire la vérité à Tamsin qui pousserait les hauts cris et passerait la nuit suivante à se ronger les sangs.

Lydia lui offrit une version édulcorée de sa rencontre avec Ainswood, sans omettre leur baiser torride dans le couloir de l'hôtel borgne.

— Ne me demande pas ce qui m'a pris, je n'en ai aucune idée, conclut-elle, désabusée.

— Si je ne m'abuse, il a commis deux bonnes actions dans la même journée, d'abord à Exeter Street, puis avec la petite fleuriste.

— Trois, rectifia Lydia d'une voix crispée. Il a arrêté de m'embrasser quand je le lui ai demandé. Sinon je ne suis pas du tout sûre que j'aurais défendu ma vertu avec la conviction requise.

— Peut-être y a-t-il un homme bien en lui qui lutte pour prendre le dessus, hasarda Tamsin.

— Dans ce cas, je lui souhaite bien du plaisir, lâcha Lydia qui se resservit en café avant d'enchaîner : As-tu lu les notes que j'ai laissées sur mon bureau ?

— Oui. C'est d'une tristesse ! Et ce petit garçon qui est mort de la diphtérie seulement six mois après avoir perdu son papa…

— Tout de même, qu'est-ce qui a pris au cinquième duc de laisser la tutelle de ses trois enfants à un débauché notoire ?

— Il savait peut-être que l'âme de son cousin n'était pas si noire que cela.

— Ou peut-être que je cherche à excuser le fait que j'ai perdu la tête dans les bras d'un séducteur patenté, soupira Lydia avant de vider sa tasse.

— Pas à cause de moi, j'espère. Je ne porte aucun jugement sur votre vie sentimentale, vous savez. Au contraire, je suis très curieuse, admit Tamsin, ses yeux bruns pétillant de malice derrière ses lunettes.

Lydia essaya de lui retourner un regard sévère, en vain. Et les deux femmes éclatèrent de rire.

Tamsin était vraiment adorable. En quelques mots, elle avait dissipé la morosité de Lydia. Et ce n'était pas la première fois. On pouvait parler de tout avec elle, elle comprenait vite, avait du cœur et un délicieux sens de l'humour de surcroît. Elle n'exigeait rien, ne se plaignait jamais des longues heures passées seule, et se rendait utile à la moindre occasion.

Dans la maison, tout le monde l'aimait, y compris Brigitte. Quant à Lydia, elle la considérait un peu comme un don du Ciel.

Ce soir, si tout se passait comme prévu, elle récupérerait les bijoux et aurait ainsi l'occasion de la remercier pour sa précieuse amitié.

Comme elle se levait de table, Tamsin remarqua :

— Vous n'avez presque rien mangé, mais j'ai réussi à vous dérider. J'aimerais que ce soit aussi facile avec Brigitte. Elle a refusé sa gamelle ce matin et n'a daigné sortir que trois minutes. Depuis, elle est dans le jardin, la tête posée sur les pattes, et elle m'ignore quand je l'appelle pour lui lancer sa balle ou un bâton.

— Et son canard en bois ?

— J'étais justement en train de le chercher quand vous êtes descendue. Soit elle a mangé quelque chose qui ne passe pas…

— Un pékinois égaré, peut-être ?

— … soit elle boude.

— Je vais aller la voir.

Lydia sortit de la salle à manger et se dirigea vers l'arrière de la maison. Elle avait à peine fait quelques pas qu'elle entendit une cavalcade. La porte de service s'ouvrit à la volée et la chienne remonta le couloir au triple galop, manquant de renverser Lydia au passage.

La sonnette de la porte d'entrée retentit.

— Brigitte, au pied ! appela Lydia.

En vain. La chienne contourna Bess qui s'apprêtait à ouvrir, se prit les pattes dans ses jupes. Bess trébucha, se rattrapa à la poignée de la porte qui s'entrouvrit. Brigitte glissa la truffe dans l'interstice et poussa violemment le battant, ainsi que Bess qui faillit tomber de nouveau.

Deux visiteurs se tenaient sur le seuil. Le plus proche reçut les énormes pattes du mastiff en pleine poitrine et chancela sous le choc.

Ce fut la dernière vision qu'eut Lydia avant de poser le pied sur un objet dur abandonné sur le tapis. Elle dérapa et perdit l'équilibre tandis que le canard en bois roulait sous un meuble.

Une seconde avant qu'elle s'affale sur le sol, deux mains la rattrapèrent, et elle se retrouva plaquée contre un large torse.

— Bonté divine, ça vous arrive de regarder où vous mettez les pieds ? fit une voix on ne peut plus familière.

Levant les yeux, Lydia croisa le regard rieur du duc d'Ainswood.

Cinq minutes plus tard, elle était dans son bureau et regardait Sa Grâce inspecter les rayonnages de sa bibliothèque avec la minutie d'un huissier mandaté par un créancier.

Trent – remis de l'accueil chaleureux de Brigitte –, Tamsin et la chienne étaient partis se promener du côté de Soho Square – sur l'ordre impérieux d'Ainswood.

— Ah ! *La Vie à Londres*, de Pierce Egan, dit-il en s'emparant d'un livre. C'est l'un de mes préférés. Est-ce là-dedans que vous avez appris à vous battre comme une chiffonnière ?

— J'attends toujours de savoir ce que vous faites ici. Je vous avais dit que je passerais vous chercher à 21 heures. Voulez-vous que tout le monde sache que nous nous connaissons ?

— Tout le monde le sait depuis que nous avons été présentés dans Vinegar Yard il y a un mois, répondit-il sans lever le nez du bouquin. Au fait, vous devriez changer d'illustrateur pour vos articles. Purvis fait du Hogarth[1]. Cruikshank est plus caustique.

— J'aimerais savoir pourquoi vous avez envahi ma maison, insista-t-elle. En amenant Trent, par-dessus le marché.

— J'avais besoin de lui pour que Mlle Price débarrasse le plancher. Il va lui rebattre les oreilles avec le mystère Charles II, si bien qu'elle n'aura pas le loisir de se demander pourquoi j'ai débarqué ici à l'improviste.

— Vous auriez obtenu le même résultat en ne venant pas.

Il referma le livre, le remit à sa place. Puis parcourut Lydia d'un lent regard, lui arrachant un frisson. Elle baissa les yeux sur ses mains dont la vue éveillait tant de souvenirs… Une langueur insidieuse l'envahit. Affolée, elle se retrancha derrière son bureau de peur de faire quelque chose qu'elle regretterait.

Pourquoi n'avait-elle pas vécu la moindre amourette quand elle était plus jeune ? Elle n'aurait pas été si démunie devant ces émotions inconnues.

— J'ai prié Trent d'inviter Mlle Price au théâtre ce soir, annonça-t-il.

Lydia revint au présent. Trent. Tamsin. Au théâtre. Ensemble. Elle s'efforça de rassembler ses idées. Elle avait sûrement une objection à formuler.

— Il fallait bien que j'occupe Trent, poursuivit Ainswood. Jaynes ne sera pas là pour le distraire au billard. J'ai bien pensé l'inclure dans notre conspiration…

— *Quoi ?* sursauta Lydia.

— … mais la perspective de le voir trébucher, renverser les tables, briser les bibelots et ameuter tout le quartier m'en a dissuadé assez vite, je le reconnais.

---

1. William Hogarth, peintre satirique, 1697-1764. *(N.d.T.)*

— Si c'est un tel boulet, pourquoi diable l'avez-vous adopté ?

— Disons qu'il me divertit.

Ainswood s'approcha de la cheminée. Il se déplaçait avec une aisance et une grâce athlétique surprenante chez un homme de ce gabarit. S'il s'était contenté d'être beau, Lydia aurait pu le considérer avec détachement. Mais ce mélange de charme et de force physique la fascinait. Le corps d'Ainswood était un instrument parfaitement huilé dont il savait se servir à merveille. La veille, il l'avait soulevée sans effort, et elle avait eu l'impression d'être une fille « normale ».

Pour la première fois de sa vie.

Pour l'heure, elle se sentait stupide, comme une gamine énamourée. Et elle pria pour que cela ne se voie pas.

— Inutile d'être mal à l'aise, dit-il.

Le coude appuyé sur le manteau de la cheminée, il l'observait avec attention.

— J'ai raconté à Trent que vous aviez besoin de moi pour une mission confidentielle, continua-t-il, et je l'ai chargé d'inviter Mlle Thomasina au théâtre pour « dissiper les soupçons ». Il n'a pas demandé lesquels, ni en quoi aller au théâtre les dissiperait, mais un garçon capable d'imaginer qu'une fille peut s'échapper d'un donjon en creusant un tunnel à la petite cuillère est capable d'imaginer n'importe quoi, conclut-il avec un sourire.

— Un tunnel ? À la petite cuillère ? répéta Lydia sans comprendre.

— Miranda, dans *La Rose de Thèbes*, précisa-t-il.

Lydia ne fit qu'un tour. Paniquée, elle balaya le bureau du regard.

Ouf ! Elle n'avait pas oublié le dernier chapitre du feuilleton. Ou bien Tamsin avait pris l'initiative de le mettre en sûreté. Se fiant à son instinct, Lydia avait en effet mis la jeune fille dans le secret, ce qui lui facilitait la vie au quotidien. Fine mouche comme elle était, Tamsin n'aurait de toute façon pas été dupe très longtemps.

Tamsin avait aussi eu la bonne idée de ranger le *Debrett* et le *Registre annuel*. En revanche, ses notes et l'arbre généalogique de la famille Mallory qu'elle avait commencé de dresser étaient toujours bien en évidence.

Avec nonchalance, elle se percha sur le coin du bureau où ils étaient posés.

— Vous n'allez pas me poignarder avec un coupe-papier, n'est-ce pas ? feignit-il de s'inquiéter. Je n'ai pas soufflé mot de nos intentions. Je suppose que de votre côté vous avez trouvé une couverture pour l'opération de ce soir.

— Oui, je suis censée enquêter sur un journaliste rival. Il n'y a pas de raison pour que Trent et Tam... Thomasina en parlent entre eux. Ma dame de compagnie est très discrète sur mes agissements. L'éventualité qu'elle puisse décliner l'invitation de Trent ne vous a pas effleuré, j'imagine.

Il s'écarta de la cheminée, contourna le bureau, et s'arrêta à un pas d'elle.

— J'ai ouï dire qu'ils s'étaient vus hier et qu'elle avait supporté la conversation de Trent un bon moment. Peut-être qu'il lui plaît, ajouta-t-il à mi-voix en inclinant la tête.

Elle percevait son souffle sur sa figure, sentait presque son corps peser sur le sien, ses bras se refermer autour d'elle. Mais « presque » ne suffisait pas. Sa main la démangeait d'attraper sa cravate et d'attirer son visage à elle.

— J'en doute, commença-t-elle avant de s'interrompre, perplexe.

Ladite cravate était nouée à la perfection et bien empesée, et ses vêtements n'étaient ni froissés, ni tachés, ni troués.

— Bonté divine, Ainswood ! Que vous arrive-t-il ? Vous êtes peigné, et vous n'avez pas dormi avec vos vêtements !

Il haussa les épaules.

— Nous parlions de Mlle Price et de Trent, pas de ce que je porte pour dormir.

— Auriez-vous suivi mon conseil et fouetté votre valet pour lui faire retrouver un semblant de conscience professionnelle ? Mazette, vous sentez bon, constata-t-elle avec un reniflement ostentatoire. Qu'est-ce que c'est ?

— Je n'ai pas fouetté mon valet, je lui ai simplement dit que vous aviez exprimé votre désapprobation quant à mon apparence, et que depuis ma vie avait perdu toute saveur, conclut-il en plaquant les mains sur le bureau, de chaque côté des hanches de Lydia.

Elle ferma les yeux et huma l'air.

— C'est une fragrance boisée... comme celle d'une forêt de pins lointaine... une trace subtile portée par la brise...

Elle ouvrit les yeux. Sa bouche n'était qu'à quelques centimètres de la sienne.

Il se redressa brusquement, épousseta une poussière invisible sur sa manche.

— Je dirai à Jaynes que vous avez été transportée et que vous vous êtes lancée dans de grandes envolées lyriques, si bien qu'il était impossible d'avoir une conversation intelligente avec vous. Cela étant, vous n'avez pas trouvé d'objection à ce que Trent emmène votre dame de compagnie au théâtre, ce qui est déjà un miracle en soi. À ce soir, donc.

Il pivota sur ses talons et se dirigea vers la porte.

— C'est tout ? s'écria Lydia. Vous n'êtes venu que pour me parler de vos plans concernant Trent ?

— Oui, répondit-il sans se retourner.

Une seconde après, la porte claquait derrière lui.

Grenville avait eu la bonne idée d'emprisonner ses boucles dorées sous une casquette. Elle portait aussi un pantalon noir et une chemise sombre sous un spencer. Une tenue certes pratique et confortable pour jouer les monte-en-l'air, mais, hélas, diablement excitante. Car le spencer ne dissimulait ni la finesse de la taille, ni l'arrondi des fesses. En fait, on ne voyait que ça. Résultat, Vere avait le bas-ventre en feu depuis un bon moment déjà.

« Concentre-toi sur l'opération en cours », s'enjoignit-il.

Ils venaient de se faufiler dans la cour qui jouxtait la maison de Coralie, et il faisait la courte échelle à Grenville afin qu'elle se hisse sur le toit des latrines extérieures.

Lorsque sa croupe eut disparu de sa vue, il prit le temps d'ajuster le foulard qui lui recouvrait la figure et dans lequel des fentes avaient été pratiquées pour les yeux et la bouche. Puis il grimpa à son tour sur le toit de l'appentis à la force des bras. De là, il était facile de s'introduire dans la maison par la fenêtre.

Celle-ci était fermée, mais non verrouillée. Vere en vint à bout à l'aide d'un canif en quelques minutes.

Coralie avait quitté les lieux depuis un certain temps. De leur perchoir, ils entendaient le bruit d'une dispute au rez-de-chaussée, mais le premier étage semblait tranquille. Rassuré, Vere ouvrit la croisée. Il sauta à l'intérieur de la pièce. Grenville balança ses jambes interminables par-dessus l'appui, et le rejoignit.

— C'est un débarras, chuchota-t-elle. Inutilisé, à l'évidence.

Le matin même, dans son bureau minuscule, il avait été totalement déstabilisé par son regard scrutateur. Elle avait commenté sa tenue, sa coiffure. La scène aurait dû être comique, mais il s'était découvert incapable d'en rire, aussi embarrassé qu'un collégien surpris à enfiler ses habits du dimanche pour impressionner sa dulcinée.

Ces yeux bleu glacier avaient le don de faire grimper dangereusement la température d'un homme. Ils l'avaient troublé à un point tel qu'il s'était enfui avant de perdre tout contrôle de la situation.

Du coup, il n'avait pu l'informer de certaines modifications qu'il avait pris la liberté d'appliquer à leur plan initial. Au lieu de l'attendre comme convenu, il avait débarqué chez elle à 20 h 30 pour la pousser dans la berline qu'il avait louée – alors qu'elle avait exigé un fiacre, plus discret à son avis.

Bien entendu, elle s'était insurgée et allait certainement lui faire payer ces initiatives. De toute façon, même s'il lui avait expliqué les raisons de ces changements – fort logiques, au demeurant – elle ne l'aurait sans doute pas écouté, occupée qu'elle était à le passer en revue de ce regard qui l'avait enflammé. Puis elle était partie dans un élan poétique et... c'était un miracle qu'il ne l'ait pas culbutée sur le bureau pour en finir avec cette satanée virginité.

Il s'obligea à se concentrer sur le présent, tendit l'oreille. Aucun bruit. Il ouvrit la porte du débarras avec précaution. Dans la pièce adjacente, une petite lampe était allumée.

— C'est une chambre, annonça-t-il à voix basse.

— Fouillez à gauche, je fouille à droite.

En silence, ils commencèrent leurs recherches.

Il y avait là tout un fatras d'objets personnels, robes, dessous, pantoufles, éparpillés un peu partout dans un désordre indescriptible. Vere ne put empêcher son esprit de dériver de nouveau. Il s'imagina dans sa propre chambre, le sol jonché de vêtements féminins et d'articles de lingerie appartenant au dragon ; étendue sur le lit dans sa glorieuse nudité, Grenville...

— Bonté divine !

Il s'approcha sur la pointe des pieds, et s'accroupit près de Grenville. Elle était penchée sur une boîte à chapeau. Il l'imita, et découvrit un enchevêtrement de bracelets, boucles d'oreilles, bagues, et colliers dont les pierreries miroitaient doucement. On aurait dit le trésor caché d'une pie voleuse.

Mais ce n'était pas pour cela que Grenville avait poussé une exclamation outrée.

Sur le tas rutilant reposait une grosse épingle en argent dont la tête en ivoire sculptée représentait un fessier et un sexe masculin unis d'une façon que l'Église autant que la loi réprouvaient.

Vere confisqua l'épingle avec impatience.

— Le moment est mal choisi pour faire votre éducation, chuchota-t-il. La parure de Mlle Price se trouve là-dedans ?

— Oui. Avec la totalité des bijoux de l'hémisphère Nord, je crois. Comment allons-nous démêler tout ça ? C'est inextricable !

Elle attrapa une chemise dans une pile de vêtements, l'étala sur le plancher pour déposer le trésor dessus, puis ramena les manches et les pans qu'elle noua ensemble pour former une sorte de baluchon.

— Dénichez-moi une jarretière, ordonna-t-elle.

— Vous êtes folle ! on ne peut pas emporter tout. Si jamais…

— Nous n'avons pas le choix. C'est un vrai nœud gordien. Je vous ai demandé… Oh, peu importe ! En voilà une.

Elle attrapa une jarretière qui traînait sur le sol, s'en servit pour fermer le baluchon. Vere soulagea sa colère en plantant l'aiguille obscène dans un chapeau.

Grenville commença à se redresser, puis se figea.

Vere aussi avait entendu le bruit de pas et les voix qui se rapprochaient.

Il se jeta sur elle, la plaqua au sol et la poussa sous le lit. Après avoir jeté en hâte une poignée de vêtements sur la boîte à chapeau, il plongea à son tour sous le lit.

9

Cela dura une éternité : le matelas agité de violents soubresauts, la Française qui criait tour à tour de plaisir et de douleur, tandis que son partenaire alternait les rires et les menaces d'une voix qui parut vaguement familière à Lydia.

Écœurée, elle se serait volontiers enfouie sous le grand corps rassurant d'Ainswood si le support central du lit ne l'en avait empêchée. Elle priait pour que celui-ci ne s'effondre pas, priait aussi pour qu'un des deux acrobates là-haut ne dégringole pas sur le sol.

Dans une telle position, comment se défendraient-ils s'ils étaient découverts ?

Bon sang, cette bacchanale ne finirait donc jamais ?

Enfin, au bout d'un long moment, le tumulte s'apaisa au-dessus de leurs têtes.

Mais il fallut encore que les amants terribles commentent leurs prouesses.

— Jolie performance, Annette. Mais tu pourras dire à ta patronne qu'il faut plus d'une catin complaisante pour me satisfaire.

Le matelas se souleva, et deux pieds masculins se posèrent sur le parquet, à quelques centimètres de la tête de Lydia. Elle frémit, sentit la main d'Ainswood appuyer entre ses omoplates. Elle comprit le message et retint son souffle.

— Regarde ça ! s'exclama l'homme. Mon épingle en argent ! Elle se moque de moi, la Coralie ! Elle sait très bien que cette épingle m'appartient. Je me doutais que je l'avais perdue chez elle, mais elle m'a dit qu'elle n'avait rien trouvé. Et je la retrouve plantée dans ce chapeau !

— Je n'étais pas au courant, répondit la fille, mal à l'aise. C'est la première fois que je la vois, je vous jure.

Les pieds se déplacèrent, puis disparurent. La fille poussa un cri perçant.

— Tu aimes ça, Annette ? Tu ne veux pas me servir de pelote à épingle pendant une heure ou deux ? J'adorerais planter celle-ci dans certaines parties de ton anatomie...

— S'il vous plaît, monsieur. Ce n'est pas moi qui l'ai prise. Pourquoi me punir ?

— Parce que je suis très fâché, Annette. Ta patronne m'a volé ce petit bijou unique qui m'a coûté très cher. Et puis, je suis contrarié. J'avais décidé de m'offrir cette jolie petite éclopée qui fait la manche à Covent Garden, et j'avais demandé à Coralie de me la livrer. Mais elle a réagi trop tard et la fille a disparu. Je vais devoir écumer tout Londres pour la retrouver.

Le matelas remua et Annette cria de nouveau. Lydia sentit Ainswood se raidir à son côté. Elle aussi avait envie de jaillir hors de sa cachette pour flanquer une correction à cette ordure, mais tout à coup la fille se mit à glousser, et Lydia se rappela qu'Annette ne valait guère mieux que Coralie, et qu'elle se montrait tout aussi brutale et cruelle lorsqu'elle aidait Josiah et Bill à mater les nouvelles recrues.

Elle trouva la main d'Ainswood et la pressa pour lui enjoindre de ne pas bouger.

— Non, ce n'est pas le meilleur moyen de punir Coralie, grommela l'homme. Elle se fiche de ce qui peut t'arriver.

Les pieds réapparurent. L'homme alla récupérer les vêtements dont il s'était défait si hâtivement un peu plus tôt.

— Habille-toi, ordonna-t-il à Annette. Ou pas, ça m'est égal. Toi et moi, on va partir à la chasse au trésor. Et j'espère pour toi qu'on ne va pas revenir bredouille.

— Mais je ne sais pas où sont les bijoux de Coralie !

Le cœur de Lydia lui remonta dans le cou. La fille savait parfaitement que les bijoux n'étaient plus chez Coralie, puisque c'était elle qui les lui avait volés.

L'homme se mit à rire.

— Je ne te parle pas de ça ! Je me moque de toute cette pacotille. Non, ce que je veux, c'est la cassette dans laquelle elle met ses pièces d'or et ses billets.

— Monsieur, je vous en supplie. Je suis la seule à savoir où elle la cache. Si la cassette disparaît, elle me tiendra pour responsable et…

— Tu n'auras qu'à lui dire que je t'ai forcée. Je *veux* que tu le lui dises. Je veux qu'elle sache, cette vieille truie ! Alors, où est la cassette ?

Un silence, puis Annette répondit d'un ton boudeur :

— Dans la cave.

L'homme s'éloigna en direction de la porte.

— Allons-y.

La fille descendit du lit, et s'habilla rapidement avant de quitter la chambre.

La porte à peine refermée, Ainswood souffla :

— Dehors, vite.

Elle commença docilement à ramper. Une main sur son arrière-train, il l'aida à s'extirper de sous le lit. L'instant d'après, il l'entraînait dans le débarras par lequel ils étaient arrivés.

Les toilettes extérieures étaient occupées et ils durent attendre avant de sauter sur le toit. Les pieds d'Ainswood touchèrent le sol en même temps que ceux de Lydia. Il la saisit par l'épaule.

— Ne bougez pas, chuchota-t-il. J'ai quelque chose à faire. Ça ne sera pas long.

Lydia s'efforça de lui obéir, mais au bout de quelques minutes, la curiosité l'emporta. Elle longea le mur de l'appentis et risqua un coup d'œil dans la cour.

Elle aperçut Ainswood plaqué contre le mur de la maison, près d'un escalier qui s'enfonçait sous terre. Un homme était en train de remonter, une boîte à la main. Il se figea en apercevant l'individu masqué qui l'attendait, pivota pour redescendre en catastrophe, mais Ainswood fut plus rapide. Sous le regard ahuri de Lydia, il l'attrapa et le traîna hors de la cage d'escalier avant de le balancer contre le pignon. Puis il lui envoya son poing dans l'estomac.

L'homme se courba en deux et la boîte lui échappa.

Ainswood redressa son adversaire d'un crochet au menton qui l'envoya à terre, inconscient.

— Espèce de sale vermine ! gronda Ainswood d'une voix que Lydia eut du mal à reconnaître.

Abandonnant sa victime, le duc rejoignit la jeune femme. Tous deux s'éloignèrent d'un pas vif. Ils ôtèrent leur foulard avant de déboucher sur Francis Street.

Il fallut à Lydia plusieurs minutes pour se remettre de sa stupeur.

— Au nom du ciel, pourquoi avez-vous fait cela ? souffla-t-elle.

— Vous avez entendu comme moi. La petite fleuriste. C'est lui qui a tenté de la séduire. Vous avez une petite idée de ce qu'il lui aurait fait subir, à présent.

— Oh, Ainswood…

Lydia s'était arrêtée. Le duc avait le visage crispé par la colère. Elle le saisit aux épaules dans l'intention de le secouer, cet hypocrite, qui, la veille, avait affirmé avoir donné de l'argent à cette pauvre petite pour se débarrasser d'elle ! Mais elle se retrouva en train de l'étreindre.

— Merci, murmura-t-elle. J'avais tellement envie de lui mettre mon poing dans la figure...

« ... que je pourrais vous embrasser de l'avoir fait à ma place ! », acheva-t-elle en pensée.

Mais penser ne suffisait pas.

Alors elle l'embrassa.

Elle comptait se cantonner à un bref baiser sur la joue, pour saluer son action chevaleresque. Mais il tourna la tête et leurs lèvres se rencontrèrent. Et lorsqu'il referma les bras autour d'elle, elle comprit que c'était elle qui était hypocrite en feignant de ne vouloir rien de plus.

La bouche qui écrasait la sienne était possessive, insistante. Elle aurait dû interrompre ce baiser, elle le savait, mais comment résister à ce qu'elle désirait si ardemment.

Suspendue à son cou, elle s'abandonna à la passion qui courait dans ses veines, la laissa se propager dans tout son corps, tandis que le petit démon intérieur se remettait à danser la sarabande.

Elle n'aurait pas dû se sentir si heureuse entre ces bras d'acier qui la retenaient captive. Pourtant elle se sentait à sa place. Elle devenait une part de lui, telle une pièce manquante qui se serait imbriquée à la perfection.

Ses lèvres s'entrouvrirent sous la pression des siennes, et elle fondit de plaisir lorsque sa langue l'envahit. Un plaisir coupable, mais si doux... Ses grandes mains la parcouraient avec audace, comme si elle lui appartenait. Et en cet instant, cela lui semblait l'évidence même. Ses propres mains s'aventurèrent sous son gilet, lui caressèrent le torse, et elle frissonna en sentant ses muscles durcir sous ses paumes. Elle découvrit avec délectation qu'elle aussi avait du pouvoir sur lui.

Avec un grondement sourd, il lui empoigna les fesses pour presser son bassin contre le sien.

Cette fois elle n'avait pas plusieurs épaisseurs de jupons pour la protéger. Elle perçut la dureté de son érection et sursauta. Il dut le sentir, car il interrompit leur baiser et murmura d'une voix enrouée :

— Bon sang, Grenville, nous sommes sur la voie publique !

Il la lâcha, s'écarta d'un pas et se baissa pour ramasser le baluchon qu'elle avait lâché sans même s'en rendre compte. Puis il lui prit le bras et l'entraîna fermement vers la berline stationnée un peu plus haut dans la rue.

Annette s'apprêtait à refermer la porte de la cave quand elle avait entendu des pas précipités dans l'escalier. Retenant son souffle, elle avait écouté les bruits sourds et les gémissements qui avaient suivi. Elle savait reconnaître une bagarre à l'oreille.

Une voix, qui n'était pas celle de son client, avait retenti. Puis le crissement des graviers l'avait avertie que l'homme s'en allait.

Prudente, elle attendit un moment avant de s'aventurer dans la cour. Son client gisait, inanimé, au pied du mur. Elle s'approcha, et constata, déçue, que ce porc était toujours en vie. Elle chercha autour d'elle le moyen de l'achever, mais ne trouva rien, pas même une brique. Ce quartier était décidément trop respectable.

C'est alors que son regard tomba sur la cassette abandonnée sur le sol. Comme elle esquissait un mouvement pour aller la ramasser, l'homme remua en poussant un grognement de douleur. Sans hésiter, Annette lui flanqua un coup de pied en pleine tête. Puis elle ramassa la boîte et détala.

À peu près au même moment, Vere regardait Grenville monter dans la berline tout en se disant qu'il était décidément le dernier des crétins.

Assis sur le siège du cocher, Jaynes arborait un petit sourire entendu. Vere le fusilla du regard. Cette fripouille avait tout vu, bien sûr. Et il n'était sans doute pas le seul. Mais contrairement à lui, les passants ignoraient qu'une femme se cachait sous le pantalon de Grenville.

Il grimpa à son tour dans la voiture, se laissa tomber sur la banquette. L'attelage s'ébranla si abruptement que Grenville fut projetée contre lui. Elle se redressa vivement, ce qui eut le don de le mettre hors de lui.

— C'est un peu tard pour jouer les rosières, grinça-t-il. À midi tout le monde saura que le duc d'Ainswood a tourné sa jaquette !

— C'est un peu tard pour se soucier du scandale, rétorqua-t-elle avec froideur. Cela fait des années que vous alimentez les colonnes des journaux à scandales, et tout à coup, vous seriez devenu sensible à l'opinion publique ?

— Inutile de me foudroyer du regard. C'est vous qui avez commencé.

— Vous n'avez pas appelé au secours, que je sache. Et vous ne vous êtes pas débattu. À moins que la bagarre avec ce sale type ne vous ait tellement affaibli que vous n'avez pu repousser mes assauts.

Il n'avait même pas songé à résister. Si elle n'avait pas pris l'initiative, c'est lui qui l'aurait embrassée. Ce qui aurait été doublement stupide. D'abord parce qu'ils étaient dans un lieu public, et surtout parce que ce baiser ne les aurait menés nulle part. Combien de fois devrait-il se le répéter ? *Il ne couchait pas avec les novices !*

Cela dit, le désir qui s'était emparé de lui était davantage dû aux circonstances qu'à la personne elle-même, tenta-t-il de se justifier. Le danger pouvait être sexuellement très excitant.

Pourtant il n'avait ressenti aucune excitation quand il était caché sous le lit. Malade d'angoisse, il avait imaginé les pires choses : on allait lui planter un couteau dans le dos ou peut-être l'assommer d'un coup de matraque, bref le tuer. Et Grenville se retrouverait à la merci de ce pervers et de cette catin sans scrupule qui n'hésiteraient pas à lui faire subir d'atroces sévices...

« Mon Dieu, permettez-moi de vivre assez longtemps pour la protéger ! avait-il prié avec une ferveur désespérée. Et je Vous promets de ne plus jamais m'égarer hors du droit chemin. »

Une image s'immisça dans sa mémoire : il se revit, tenant la main d'un enfant, suppliant et s'efforçant de marchander avec une Puissance invisible.

Il chassa en hâte ce souvenir maudit et ignora l'étau qui lui serrait la poitrine.

— Je n'ai pas envie de vous, lâcha-t-il.

— Menteur.

— Quelle vaniteuse vous faites. Vous croyez tout savoir, mademoiselle Vestale-Grenville, alors que vous ne saviez même pas embrasser avant que je vous l'apprenne.

— Je ne me rappelle pas avoir réclamé de leçon.

— Et donc vous en concluez que vous êtes irrésistible ?

— J'en conclus que *vous* êtes incapable de me résister. Et j'aimerais bien savoir pourquoi vous en faites toute une histoire.

— Je n'en fais pas toute une histoire, se défendit-il, avant de se rebiffer : Et j'apprécierais que vous quittiez ce ton condescendant avec moi.

— Alors cessez de mentir. Vous n'êtes pas du tout convaincant. Je sais que je vous plais. Vous refusez de l'admettre parce que cela vous vexe et parce que je vous agace, mais je suppose qu'il ne vous est pas venu à l'esprit que je puisse être moi aussi vexée. Figurez-vous que c'est très humiliant pour moi d'être attirée par quelqu'un comme vous. Franchement, je pensais avoir meilleur goût. De tous les mauvais tours que le destin m'a joués, celui-ci est sans doute le pire.

— Que voulez-vous de moi ? Que je vous mette dans mon lit ? Vous avez vécu jusqu'à cet âge avancé…

— Vingt-huit ans, précisa-t-elle d'un air pincé. Je ne suis pas si vieille.

— Si vous vous êtes cramponnée à votre vertu durant toutes ces années, continua-t-il, et si vous avez envie de vous en débarrasser aujourd'hui, ce n'est pas une raison pour m'en rendre responsable !

— Croyez ce que vous voulez, ça m'est égal.

— Vous saviez quel genre d'homme j'étais. Votre amie Helena vous a mise en garde et vous a même conseillé d'aller vous mettre au vert.

— Londres est une grande ville. Il n'y avait aucune raison pour que nos chemins se croisent de nouveau. Aucune raison que vous débarquiez à *La Chouette bleue*. Ou que je vous croise au *Jerrimer*. Ou à Covent Garden. Vous n'allez pas me dire que c'est un hasard ? Vous m'avez fait surveiller. Osez prétendre le contraire ?

— Bon sang, Grenville, je ne l'aurais jamais fait si j'avais su que vous n'aviez pas d'expérience avec les hommes !

Le silence retomba et ses paroles demeurèrent comme suspendues entre eux. Vere se sentait mortifié. À quoi bon nier ? Il mentait et se mentait à lui-même. C'était pathétique. Oui, il la désirait, cette magnifique ogresse. Elle l'obsédait. Et cela le pétrifiait de trouille. Jamais il ne s'était attaché à une femme auparavant. À ses yeux, elles se ressemblaient toutes et sa dernière maîtresse valait bien la prochaine. Mais pas cette fois.

Cette fois il avait l'horrible pressentiment que personne ne pourrait la remplacer. La meilleure preuve, c'est qu'il aurait dû se tourner vers une autre depuis longtemps. Il n'y avait pas pénurie de femmes à Londres, aux dernières nouvelles.

Quand ils atteignirent Soho Square, il n'avait toujours pas décidé quoi faire.

— Vous semblez en proie à l'un de vos accès sporadique de noblesse, commenta le beau monstre.

— Je ne suis pas noble. Ne me faites pas passer pour ce que je ne suis pas. J'ai commis une erreur, voilà tout. Cela m'arrive souvent. Souvenez-vous, j'ai pris lady Dain pour une prostituée. Du reste, hier soir, quand j'ai compris mon erreur, j'étais prêt à partir pour de bon. C'est *vous* qui m'avez rappelé et demandé de l'aide. Si vous aviez gardé vos distances il y a un certain temps déjà, je ne vous aurais pas touchée. Mais vous ne pouvez vous attendre que...

Il s'interrompit. Son regard venait de dériver du côté d'une longue cuisse fuselée. Il remonta jusqu'à une hanche bien dessinée sous la taille fine, continua plus haut, s'arrêta sur un sein dont il devinait la rondeur entre les pans du spencer.

Et lorsqu'il en vint à contempler le beau visage orgueilleux, il commença enfin à comprendre l'origine de ces coups de poignards qu'il ressentait régulièrement dans la région du cœur.

— Je comprends, dit-elle d'un ton raisonnable. Si j'avais été une femme d'expérience, vous auriez pu passer outre l'antipathie que je vous inspire. Mais supporter ma personnalité odieuse et devoir jouer en plus les mentors, c'est trop vous demander. Ce n'est pas parce que vous avez commencé mon initiation dans un domaine que mon éducation avait négligé que vous devez l'achever. Le sujet n'est pas ésotérique, après tout, et je trouverai bien quelqu'un d'autre pour continuer les leçons.

— Quelqu'un d'autre ? répéta-t-il bêtement.

— Oui. Ne prenez pas cet air ahuri, c'est insultant. Tous les goûts sont dans la nature, et je ne crois pas trop m'avancer en disant qu'il existe sûrement des hommes capables d'apprécier ma compagnie.

— Ah oui ? ricana-t-il. Un de ces scribouillards imbibés de bière qui hantent *La Chouette bleue* ? Laissez-moi juste vous dire une chose à propos des hommes, mademoiselle Messaline-Grenville : ce n'est ni votre compagnie ni vos facultés intellectuelles qu'ils apprécient.

Elle pivota tranquillement, la main sur la poignée de la portière.

— Je suis arrivée. Permettez-moi de vous remercier, en toute sincérité. Votre aide m'a été précieuse ce soir. Ce sale type m'a vraiment effrayée, et j'ai été bien aise que vous le laissiez sur le carreau.

La voiture s'immobilisa.

Vere regardait Lydia fixement. La petite phrase odieuse tournait en boucle dans sa tête : « Quelqu'un d'autre... quelqu'un d'autre... ». Son cœur battait furieusement.

— Il n'y aura personne d'autre, déclara-t-il enfin d'une voix étranglée. Vous dites cela uniquement pour me...

Non, pas le rendre jaloux, c'était ridicule d'être jaloux d'un homme qui n'existait pas.

— ... pour me manipuler, comme hier soir.

Jayne ouvrit la portière. Il pouvait être étonnamment rapide quand il le voulait, maudit soit-il !

— Seriez-vous assez gentil pour sortir de cette voiture, Votre Grâce, que je puisse en descendre à mon tour ? s'enquit-elle.

Jayne n'avait pas bougé. Il n'en perdait pas une miette, visiblement.

Vere lui adressa un regard menaçant et se décida à sortir. Il n'eut pas le temps de tendre la main à Grenville qu'elle avait sauté à terre et se dirigeait vers sa porte. Vere lui emboîta le pas promptement.

— Qu'êtes-vous en train de me dire, Grenville ? Que je vous ai corrompue ? Que c'est ma faute si vous avez l'intention de brader votre vertu au premier venu ? Que je suis tenu de réparer ?

— Ne soyez pas ridicule, rétorqua-t-elle en sortant sa clé de la poche de son spencer. Je ne suis pas une dame de qualité, je suis journaliste, et tout le monde sait que les journalistes sont dépourvus de sens moral.

Il s'interposa entre la porte et elle.

— Laissez-moi passer, Ainswood. Je ne vous accuse de rien. Inutile de faire une scène.

— Bien sûr ! Je suis blanc comme neige. Je vous ai juste poussée sur la route du vice. Et maintenant, vous avez décidé dans votre petite caboche que vous n'êtes pas une femme honorable, que cela n'a pas d'importance…

— Chut ! Vous allez réveiller Brigitte. Elle n'aime pas que des hommes bizarres me crient dessus.

— Au diable, votre maudit clébard ! Vous ne pouvez pas me jeter à la figure que vous allez trouver un autre homme et que…

— Je ne… Et voilà, ça devait arriver !

Vere aussi avait entendu le grondement sauvage derrière le battant et qui semblait monter tout droit des entrailles de l'enfer.

— Oui, Brigitte, c'est ma faute ! brailla-t-il. Tu arrives trop tard, le mal est fait. Tu ferais mieux de t'habituer dès maintenant aux hommes bizarres, ma fille, parce que…

— Oh, la peste soit de vous, Ainswood !

Forçant le passage, Grenville réussit à donner un tour de clé et entrouvrit la porte. Elle voulut se faufiler, mais

Vere donna un coup d'épaule et tous deux se retrouvèrent projetés à l'intérieur.

La porte rebondit sur le mur, puis claqua derrière eux.

Vere eut le temps d'apercevoir un mufle noir ourlé de bave, ouvert sur deux rangées de crocs.

Grenville se plaqua sur lui pour lui faire un rempart de son corps.

— Brigitte, *couchée* !

— COUCHÉE, SALE BÊTE ! rugit-il tandis que le mastiff bondissait.

Vere se laissa aller contre la porte, les bras enserrant Grenville, et attendit que son cœur recommence à battre et que ses entrailles se dénouent.

Il regarda la chienne faire demi-tour avec un jappement mécontent et trottiner jusqu'à la porte de service par laquelle une petite servante à la figure ensommeillée venait de faire son entrée. La fille saisit la chienne par son collier et, avec un regard d'excuse, l'entraîna à sa suite.

Le cri de sa maîtresse ou ses vociférations à lui avaient de toute évidence pénétré dans le cerveau de Brigitte puisqu'ils étaient entiers. Vere n'avait pas vu comment le chien avait réussi à s'arrêter au beau milieu de son attaque, car il s'était tourné à demi pour tenter d'encaisser le plus gros de l'assaut.

Il connaissait bien les mastiffs. Il y en avait trois à Longlands. Plutôt débonnaires et joueurs, ils n'étaient pas agressifs de nature mais demeuraient imprévisibles, comme n'importe quel chien. Et avec une mâchoire pareille...

Sa belle Valkirie aurait pu être défigurée... ou tuée.

Dire qu'elle n'avait pas hésité à se dresser entre la chienne et lui !

— Bon sang, Grenville, vous aurez ma peau, murmura-t-il en glissant les doigts sur sa nuque, puis dans ses cheveux.

Sa casquette tomba. Elle leva la tête, ses yeux bleus étincelèrent.

— Si vous n'aviez pas bougé, Brigitte ne vous aurait pas attaqué, expliqua-t-elle en le repoussant. Elle tentait juste de vous faire peur.

— J'ai pris dix ans en dix secondes, assura-t-il. Je dois avoir une touffe de cheveux blancs sur le crâne.

Il posa les mains sur ses épaules, prêt à la secouer. Elle ouvrit la bouche, sans doute pour l'agonir de reproches. Alors il se pencha et lui écrasa les lèvres dans un baiser vengeur.

Grenville ferma le poing et se mit à lui marteler la poitrine. Une fois, deux, trois... Les coups s'espacèrent... faiblirent. Puis elle lui rendit son baiser avec un abandon si sensuel qu'il en eut les jambes flageolantes.

Voilà, c'était décidé, il renonçait à toute raison. Il n'était plus question de pinailler parce qu'elle était vierge, insupportable et butée. Il s'en fichait, que ce soit clair. Il n'était pas un saint. Il n'avait pas l'habitude de résister à la tentation. Elle était là, dans ses bras, et il n'avait pas l'intention de la laisser partir.

Leurs langues s'affrontaient dans un ballet lascif. Elle se pressait contre lui, aguicheuse. Il avait été trop bon professeur, ou elle trop bonne élève. Il n'y avait plus trace de timidité en elle. Et lui ne pouvait penser à rien d'autre qu'à la douceur de sa peau et à ses courbes voluptueuses qui réclamaient ses caresses.

Elle interrompit leur baiser, promena les lèvres le long de sa mâchoire, explora son cou tout en s'attaquant à ses vêtements.

Éperdu, il tira sur les boutons de sa chemise, en repoussa les pans, sa main frôlait déjà la rondeur d'un sein, son pouce en titillait la pointe quand une vive douleur l'arracha à sa transe érotique.

La poignée lui rentrait dans les reins. La poignée de la porte.

Il était sur le point de prendre Grenville contre la *porte d'entrée*.

— Seigneur !

Il se redressa, aspira une goulée d'air, puis une autre. Ses mains retombèrent.

— Grenville...

Elle s'efforçait maladroitement de rajuster sa chemise, de reboutonner ce qui pouvait l'être.

— Ne dites rien, haleta-t-elle. C'est ma faute. Je suis entièrement responsable.

— Grenville, vous...

— Je suis folle, c'est évident. Vous avez de la chance d'être capable de garder la tête froide. Moi, je suis une dévergondée...

— Grenville, je ne garde pas plus la tête froide que vous ! coupa-t-il d'une voix trop forte, trop tranchante. Mais, au nom du Ciel, nous ne pouvons pas faire ça contre la porte d'entrée ! Et, non, ce n'est pas votre faute... C'est moi le débauché. Dans le feu de l'action, il arrive qu'on perde la tête. Le danger peut être très excitant, vous savez.

Elle jeta un coup d'œil hagard autour d'elle, ramassa le baluchon qui lui avait échappé, puis remonta le couloir d'une démarche raide.

Il lui emboîta le pas.

— Allez-vous-en, articula-t-elle. Et surtout... ne revenez pas !

Elle s'engouffra dans son bureau et claqua la porte. Vere demeura immobile, étourdi, emberlificoté dans son désir et ses mensonges.

« Quelqu'un d'autre ! Quelqu'un d'autre ! » répétait un mauvais génie dans son crâne.

Alors il comprit.

C'était peut-être vexant, mais c'était ainsi. Il ne supportait pas l'idée qu'un autre homme la touche. Et tant pis pour elle, qui avait eu le malheur de croiser sa route, de piquer sa curiosité, d'enflammer sa passion. Il n'avait plus le choix.

De tous les méfaits dont il s'était rendu coupable, celui qu'il s'apprêtait à commettre était sans doute le pire.

Mais, après tout, n'était-il pas un gredin de Mallory ?

Un crime de plus ou de moins dans une existence vouée au vice et au scandale, ce n'était sans doute pas si grave.

Il ouvrit la porte, pénétra dans le bureau.

Elle était en train de vider le baluchon sur son bureau.

— Je vous ai demandé de partir, Ainswood. Si vous avez un tant soit peu de considération…

— Je n'en ai pas, coupa-t-il en refermant la porte. Épousez-moi, Grenville.

10

Ainswood avait l'air d'un fou. Il avait perdu sa cravate – sans doute avec l'aide de Lydia –, sa chemise à demi déboutonnée révélait en partie ses pectoraux puissants. Son pantalon était taché, ses bottes éraflées.

— Épousez-moi, répéta-t-il, les yeux rivés sur son visage.

Il arborait cette expression déterminée qu'elle lui connaissait bien. Elle signifiait qu'il avait pris sa décision et que dorénavant elle pourrait tout aussi bien argumenter avec la porte.

Qu'est-ce qui pouvait bien être à l'origine de cette nouvelle lubie ?

Un accès de culpabilité inattendu ? Un sens du devoir erroné ? Ou encore ce besoin immémorial du mâle de dominer la femelle ?

Sans doute un peu des trois.

Mais quelles que soient les raisons d'Ainswood, il était indéniable que le mariage établissait la domination de l'homme sur la femme – avec la bénédiction de la société et de toutes les formes d'autorité existantes : la loi, l'Église, la Couronne. Certaines – les plus ignorantes – voulaient à tout prix se retrouver en puissance d'époux ; d'autres – moins nombreuses, mais plus éclairées – refusaient de subir une telle tutelle. Lydia s'était rangée depuis longtemps dans cette catégorie et rien ne pourrait la faire changer d'avis.

— Merci, répondit-elle de son ton le plus froid, mais je ne suis pas faite pour le mariage.

Il s'avança jusqu'à ce qu'ils ne soient plus séparés que par le bureau.

— Ne me dites pas que vous obéissez à quelque principe supérieur qui s'y oppose ?

— En fait... si.

— Et j'imagine que vous ne voyez pas pourquoi une femme devrait se comporter différemment d'un homme. Pourquoi vous ne pourriez pas simplement coucher avec moi, puis passer à autre chose. Après tout, c'est ce que font les hommes.

— Certaines femmes aussi.

— Oui, les prostituées.

Il s'assit de biais au bord du bureau, et poursuivit :

— Vous allez me rétorquer qu'il est injuste de les traiter de « prostituées », et me demander pourquoi les femmes devraient être honnies pour ce que les hommes font en toute impunité.

C'était en effet ce qu'elle s'apprêtait à lui dire. Déconcertée, elle s'efforça de déchiffrer son expression, mais elle ne voyait que son profil. Elle aurait mis sa main au feu qu'il ignorait tout de ses opinions. Il n'était pas censé les connaître puisqu'il ne s'intéressait à la gent féminine que dans un but précis.

— J'aimerais savoir en quel honneur je serais la seule femme à devoir vous épouser pour avoir ce que vous obtenez des autres en les payant.

— Cela vous paraît injuste, semble-t-il. Vous vous estimez lésée. Vous trouvez que je ne suis pas un cadeau. Ou plutôt, et c'est pire, vous pensez cela de tous les hommes.

Il quitta son perchoir, s'approcha de la cheminée. S'étant saisi du seau à charbon, il entreprit de nourrir le feu qui mourait dans l'âtre.

— Vous êtes tellement aveuglée par votre mépris des hommes en général que vous ne voyez même pas les avantages que vous auriez à m'épouser, moi, en particulier.

Les avantages du mariage. Oh si, elle les connaissait ! Combien de femmes n'avait-elle vues, impuissantes, le cœur brisé, bafouées, spoliées, et trop souvent battues ?

— Les avantages ? répéta-t-elle. Vous voulez parler de votre fortune ? J'ai tout l'argent dont j'ai besoin et suffisamment d'économies en prévision de mes vieux jours ou d'une éventuelle période de vaches maigres. Mais peut-être faites-vous allusion à votre rang et aux privilèges afférents. Comme porter des tenues à la dernière mode lors de magnifiques réceptions où l'activité principale consiste à dénigrer son voisin. Oh ! j'oubliais la présentation à la Cour, où j'aurais l'immense honneur de pouvoir ramper devant le roi.

Il s'occupait du feu avec l'aisance d'un homme qui a fait cela toute sa vie, alors que cette tâche ingrate était considérée comme indigne d'un valet.

Le regard de Lydia glissa de ses larges épaules à son dos puissant, et elle dut refouler un élan de désir.

— Mais peut-être, reprit-elle, considérez-vous comme un privilège cette obligation de vivre selon des règles et des principes rigides censés me dicter ma conduite de tous les jours.

Il se redressa enfin et lui fit face, l'air très calme.

— Non, je ne pensais pas à tout cela. Mais à Mlle Price, par exemple. Vous avez risqué votre vie pour lui rendre sa précieuse parure. Mais en tant que duchesse d'Ainswood, vous pourriez la doter richement, ce qui lui permettrait d'épouser qui bon lui semble.

Lydia ouvrait déjà la bouche pour se récrier que l'argument était fallacieux, que « Mlle Price » n'avait pas plus besoin de se marier que Mlle Grenville. Mais elle la referma dans un sursaut d'honnêteté. Qu'en savait-elle ? Et si Tamsin était tombée amoureuse de Trent ? Tout le monde savait que celui-ci n'avait pas de fortune. S'ils se mariaient, ils n'auraient pas de quoi vivre.

Mais elle extrapolait, se défendit-elle. Tamsin ne lui avait fait aucune confidence à ce sujet.

« Sans doute, mais quel sera son avenir ? répliqua sa conscience. Si tu attrapes une maladie mortelle ou si tu disparais dans un accident, que deviendra-t-elle ? »

— Dans vos articles, vous parlez beaucoup des miséreux et de l'injustice en général, enchaîna Ainswood. Vous n'avez pas pensé que la duchesse d'Ainswood disposerait d'une influence politique considérable, qu'elle pourrait, entre autres, user de son pouvoir pour inciter les membres du Parlement à voter la création d'une force de police métropolitaine ?

Il s'approcha de la bibliothèque, feignit d'étudier les livres.

— Il y a aussi la question du travail des enfants. C'est l'un de vos chevaux de bataille, non ? Avec la santé publique et l'insalubrité consternante de certains quartiers pauvres. Sans oublier les conditions de vie en prison.

Lydia se rappela la prison de Marshalsea, sa petite sœur assise sur sa paillasse crasseuse, les couloirs jonchés de déjections, les enfants en guenilles, la puanteur, la maladie… la turberculose qui avait tué Sarah.

Sa gorge se serra.

— L'éducation, continua-t-il, impitoyable. Les progrès de la médecine et de la science en général, qu'il faut soutenir et encourager. Saviez-vous que la cousine de Trent, qui vient d'épouser le comte de Rawnsley, est en train de faire construire un hôpital très moderne à Dartmoor ?

L'accès à la connaissance qui lui avait été refusé quand elle était enfant... et des livres, indispensables pour apprendre. Comment aurait-elle fait sans l'aide de Quith ? Grâce à lui, elle avait étudié et décroché un emploi qui lui permettait aujourd'hui de vivre sans dépendre de personne.

Elle était autonome et en bonne santé, mais qu'en était-il des faibles, des malades et des plus démunis ?

Ainswood enfonça le clou.

— Vous pourriez *agir* au lieu de vous contenter d'écrire pour dénoncer ce qui ne va pas.

Aurait-il passé des années à étudier la carte de ses points faibles qu'il n'aurait pas fait davantage mouche. Lydia était déjà en train de se dire qu'il fallait être d'un égoïsme sans nom pour rejeter le pouvoir et la fortune simplement parce qu'on souhaitait préserver sa liberté personnelle.

Pourtant, il devait bien y avoir un défaut dans cette logique en apparence imparable. Il ne pouvait avoir entièrement raison et elle entièrement tort. La réponse – l'échappatoire – était là, elle le sentait, dans un recoin de son cerveau...

Un frottement contre la porte l'empêcha de la trouver.

— Cuisine, Brigitte ! lança-t-elle d'un ton ferme.

Derrière le battant, un gémissement lui répondit.

— Brigitte veut sa maman, commenta Ainswood en se dirigeant vers la porte.

— Non, ne lui...

Mais déjà il tournait la poignée. Brigitte pénétra dans le bureau et, comme si Ainswood n'existait pas, trottina vers sa maîtresse.

— Je sais, tu es gentille, soupira Lydia, comme elle lui léchait la main. Ce n'est pas ta faute s'il t'a réveillée en sursaut.

— Pauvre Brigitte !

Ainswood considérait la chienne en secouant la tête.

— Elle est bien trop grosse pour rester enfermée dans une cuisine minuscule. Pas étonnant qu'elle soit agressive.

— Elle n'est pas agressive ! protesta Lydia. Tout le monde sait que les mastiffs...

— À Longlands, elle aurait des hectares de terrain pour s'ébattre, et d'autres mastiffs avec lesquels s'amuser. Ça te plairait, Brigitte ?

La chienne remua les oreilles en entendant son nom, mais ne daigna pas tourner la tête.

— Brigitte ? chantonna-t-il. Briiigiiiiite ?

Cette dernière changea de position, jeta un coup d'œil à Ainswood et émit un gémissement plaintif que Lydia connaissait bien.

« Je t'interdis de succomber à son charme, toi aussi ! », lui ordonna-t-elle en silence.

Ainswood se tapa la cuisse.

— Allez, Brigitte, viens. Tu n'as pas envie de me renifler ? Et peut-être aussi de m'arracher la tête ? C'est ta maîtresse qui serait contente, pas vrai ?

— Wwwouf ! répondit Brigitte.

Mais elle se faisait juste désirer. Au bout d'un moment elle condescendit à s'approcher, feignit de s'intéresser au coin du bureau, puis alla étudier un morceau de tapis. Elle prit son temps, mais finit par s'immobiliser près de lui.

Lydia lui adressa un regard dégoûté.

— Je pensais que tu étais une chienne de goût, marmonna-t-elle.

Brigitte la regarda brièvement avant de renifler la main du duc. Puis, comme celui-ci s'accroupissait, elle lui renifla le visage, les oreilles, le cou, et, bien sûr, les parties génitales.

Lydia sentit ses joues s'enflammer. La chienne devait être intriguée parce qu'elle sentait l'odeur de sa maîtresse partout sur cet inconnu. Ainswood s'en était rendu compte, à en juger par son regard amusé.

— J'aimerais bien savoir pourquoi vous vous préoccupez soudain des malheureux, y compris ma pauvre chienne maltraitée, lança-t-elle d'un ton acerbe.

— Je n'ai fait qu'énumérer certaines choses qui vous tiennent à cœur pour vous éviter de le faire, répliqua-t-il, l'air innocent.

Lydia s'approcha à son tour de la cheminée, s'arma du tisonnier et entreprit de remuer les braises.

— Vous cherchez juste à faire vibrer la corde sensible, lui reprocha-t-elle.

— Vous ne vous attendiez quand même pas que je joue franc-jeu alors que vous ne jouez que selon vos propres règles ?

— Je m'attendais que vous n'insisteriez pas après que j'ai refusé votre offre.

Il se redressa.

— J'aimerais savoir ce qui vous fait si peur chez moi.

— Peur ? répéta-t-elle d'une voix haut perchée. Vous croyez que j'ai peur de *vous* ?

— Pour quelle autre raison refuseriez-vous une offre aussi mirifique ?

— Si vous n'en voyez pas d'autre, c'est que vous avez l'esprit trop borné pour cela. D'abord vous cherchez à me séduire, et maintenant que vous me savez inexpérimentée, vous jouez les preux chevaliers en voulant sauver ma réputation. Ce serait comique si vous n'étiez pas si têtu et sournois !

— Vous m'accusez d'être sournois, vous, la reine des hypocrites ? Qui jouez la comédie à longueur de temps ?

— Quoi que j'aie pu faire par ailleurs, je n'ai jamais utilisé de ruses pour que vous vous intéressiez à moi, rétorqua-t-elle en s'éloignant de la cheminée. Tandis que vous, vous avez été jusqu'à me faire espionner.

Vous me poursuivez, me harcelez, et quand j'accepte enfin de vous donner ce que vous voulez, vous décidez tout à coup que cela ne suffit pas. Je devrais renoncer à ma carrière, à mes ambitions, et jurer de me consacrer à votre petite personne jusqu'à ce que la mort nous sépare.

— En échange d'une fortune, d'un titre et de la possibilité de faire avancer les choses autour de vous, répliqua-t-il avec impatience.

— Le prix à payer est trop élevé ! Je n'ai pas besoin de votre…

— Vous avez eu besoin de moi, ce soir, vous l'avez admis.

— Cela ne signifie pas que je souhaite vous aliéner ma liberté.

Brigitte se coucha avec un grognement excédé. Ainswood s'adossa à la porte, bras croisés.

— Si je n'étais pas intervenu la nuit dernière, vous ne seriez peut-être pas en vie aujourd'hui. Vous n'auriez pas pu vous pavaner déguisée en gitane à Covent Garden si je ne vous avais pas fait sortir du *Jerrimer* avant que Coralie et ses sbires vous reconnaissent sous votre déguisement. Et si je n'avais pas été à Vinegar Yard, un de ses hommes aurait pu vous planter un couteau dans le dos. Et je ne parle pas de Bertie Trent, qui serait passé sous les roues de votre voiture si je ne l'avais pas tiré en arrière.

— Vous racontez n'importe quoi. Je n'ai jamais…

— Vous conduisez comme vous vous comportez dans la vie : impétueusement et sans vous soucier des conséquences.

— Je conduis depuis longtemps et je n'ai encore jamais blessé personne, ni humain ni animal, riposta-t-elle froidement. Vous ne pouvez pas en dire autant. À la fin de cette stupide course que vous avez organisée le jour de l'anniversaire du roi, il a fallu abattre deux chevaux.

Le coup porta visiblement.

— Ce n'étaient pas les miens !

— Peu importe, fit-elle, profitant impitoyablement de son avantage. C'est vous qui étiez à l'origine de ce pari insensé. Selon Sellowby...

— C'était une course normale. Ce n'est pas ma faute si cet idiot de Crenshaw a pris des risques inouïs !

— Ah, votre ami était incompétent *en dépit* du fait que c'est un mâle supérieur, mais, moi, je ne peux être considéré comme une bonne conductrice simplement parce que je suis une femme !

— Une bonne conductrice ? *Vous ?* Vous vous imaginez en train de mener un attelage à quatre ?

— Vous ne me croyez pas de taille à rivaliser avec vous ou n'importe lequel de vos balourds d'amis ?

— Si nous faisions la course, vous verseriez dans le fossé au bout de deux minutes.

En trois enjambées rageuses, Lydia parcourut la distance qui les séparait.

— Vraiment ? grinça-t-elle. Et combien voulez-vous parier ?

Une lueur s'alluma dans le regard vert.

— Tout ce que vous voudrez, Grenville.

Lydia répondit du tac au tac :

— Cinq mille livres pour Mlle Price, et mille à chacune des trois organisations charitables que je vous désignerai. J'exige également que vous alliez siéger à la chambre des Lords et exerciez votre influence pour faire voter la création d'une force de police métropolitaine.

Il laissa retomber les bras le long de son corps. Ses poings se fermaient et s'ouvraient machinalement, tandis qu'il semblait peser le pour et le contre.

— L'enjeu est trop élevé pour vous ? railla-t-elle. Vous doutez de votre supériorité ?

— Et vous, que mettez-vous en jeu, Grenville ?

Le regard moqueur, il ajouta :

— Que diriez-vous de votre précieuse liberté ? Êtes-vous suffisamment sûre de vous pour la risquer ?

Avant même qu'il ait achevé sa phrase, Lydia comprit qu'elle s'était fait manipuler. Elle était acculée.

Ainswood la considérait à présent avec un petit sourire narquois. Il était trop tard pour regretter. La voix de la raison ne prendrait jamais le dessus sur l'orgueil des Ballister et leur goût de la conquête.

Battre en retraite serait revenu à admettre sa faiblesse ou, pire, sa peur.

— Va pour ma liberté, lâcha-t-elle, la tête haute. Si vous me battez, je vous épouserai, Ainswood.

Il fut décidé qu'ils partiraient de Newington Gate à 8 heures tapantes le mercredi matin. Aucune excuse ne saurait être invoquée et un renoncement équivaudrait automatiquement à une défaite. Chacun aurait droit de prendre à son bord un unique passager chargé d'acquitter les droits aux portes des villes. L'équipage serait composé d'une seule bête qu'on changerait à chaque étape. La ligne d'arrivée serait franchie à *L'Auberge de l'ancre*, située à Liphook.

Il leur fallut moins d'une demi-heure pour arrêter ces conditions. À ce moment-là, Vere savait déjà qu'il était en train de commettre une énorme erreur, mais qu'il était désormais exclu de faire marche arrière.

La course qui avait eu lieu en juin dernier lui avait laissé un souvenir cuisant. Grenville l'avait provoqué, et il avait foncé tête baissée dans le panneau.

En juin, il avait l'excuse d'être fin saoul lorsqu'il avait mis au défi une salle entière de recréer les courses de char de la Rome Antique sur une route anglaise. Quand il avait repris ses esprits – autrement dit cuvé son vin –, on était le lendemain matin, et il était dans son phaéton, sur la ligne de départ, avec une douzaine d'autres véhicules.

La course avait été un véritable cauchemar. Les conducteurs, encore à demi avinés et prêts à tout pour gagner, avaient causé pour plusieurs centaines de livres de dégâts. Quatre concurrents s'étaient cassé un membre. Deux voitures avaient été démolies. Et il avait fallu abréger les souffrances de deux chevaux.

Vere avait payé tous les frais. Il n'avait pas obligé ses idiots d'amis à participer à cette course, néanmoins, les journaux, les hommes politiques et les prêtres le tinrent pour seul responsable non seulement de cette débâcle mais aussi, à en juger par leurs discours, de la chute de la civilisation tout entière.

Cette fois, il n'avait aucune excuse. Il n'avait pas bu une goutte d'alcool quand, en quelques phrases, il avait détruit ce qu'il venait de construire avec tant de soin, à savoir, un argumentaire imparable en faveur du mariage.

À présent, il était obsédé par des images de voitures brisées et de corps estropiés – sa voiture à *elle*, son corps à *elle*.

Il quitta le bureau de Lydia et gagna le hall. Comme il ouvrait la porte d'entrée, il se retrouva nez à nez avec Bertie. Au même instant, un bruit de cavalcade retentit au fond du couloir. Vere n'eut que le temps de se jeter de côté pour éviter d'être piétiné par Brigitte qui accourait à la rencontre de son bien-aimé.

Dressée de toute sa hauteur, la chienne posa les pattes avant sur les épaules de Bertie et tenta de lui lécher le visage.

— Je me demande bien ce qu'elle lui trouve, bougonna Vere. Couchée, Brigitte !

À sa grande surprise, la chienne obéit. Elle libéra Bertie si brusquement que celui-ci serait tombé si Mlle Price ne l'avait rattrapé par le bras.

— Mille mercis, mademoiselle, fit Bertie. Sapristi, vous avez une de ces poignes ! On ne dirait pas à vous voir. Non pas que je vous trouve chétive. C'est juste que… Euh…

Embourbé dans ses propos, il préféra changer de sujet.

— Mais que fais-tu là, Ainswood ? Il y a un problème ?

— Pas du tout, répondi le duc d'un ton crispé. Je m'en allais.

Il attendit que le couple ait franchi le seuil et, sur un hochement de tête assez raide à l'adresse de Mlle Price, sortit à la hâte.

— Attends-moi, lui cria Bertie. J'arrive !

Vere n'avait aucune envie d'attendre. Il avait envie de se ruer dans la première taverne venue et de boire jusqu'au mercredi matin. Hélas, depuis qu'il avait fait la connaissance de Mlle Cataclysme Grenville, rien ne se passait comme il le voulait. Sans doute valait-il mieux en prendre son parti.

Avec un soupir, il patienta le temps que Bertie prenne congé de Mlle Price.

Ainswood avait à peine quitté le bureau que Tamsin fit irruption, Brigitte sur ses talons. Elle posa un regard étonné sur le pantalon de Lydia. Puis elle aperçut le tas de bijoux sur le bureau. Elle s'approcha, remonta ses lunettes sur le front, et l'inspecta de plus près.

— C'est un butin de pirate ? Où avez-vous… Oh, Seigneur !

Elle eut beau se mordre la lèvre, un sanglot lui échappa, puis un autre. S'approchant de son amie, elle l'étreignit avec force. La gorge nouée, Lydia protesta :

— N'en fais pas toute une histoire, je t'en prie. J'ai toujours rêvé de devenir voleuse de bijoux. Et puis, ce n'est pas un crime de voler une voleuse.

Tamsin renifla et la considéra, les yeux noyés de larmes.

— Vous rêviez de devenir voleuse de bijoux ?

Lydia sourit.

— Je pensais que ce serait excitant. À raison. Que dirais-tu de boire un thé avec des gâteaux. Je meurs de faim. Décidément, ces disputes avec des aristocrates bornés ouvrent l'appétit !

Tamsin l'écouta raconter les péripéties de la soirée. Elle hochait la tête, souriait aux moments les plus cocasses, néanmoins Lydia sentit qu'elle était ailleurs.

— Tu ne dis rien, remarqua-t-elle alors qu'elles remontaient de la cuisine. J'espère que tu n'es pas choquée.

— Pas du tout, je suis juste un peu étourdie par la conversation de sir Bertram. Il n'a cessé de parler de Charles II. Une véritable obsession. Nous avons passé en revue les événements majeurs de son règne. Sir Bertram s'échine à trouver un lien entre le monarque et vous, du coup, je cherche aussi, conclut-elle avec un sourire. Pardonnez-moi, Lydia.

Tamsin la remercia de nouveau, et l'embrassa avec affection avant de rejoindre sa chambre. Lydia secoua la tête. Cette histoire de Charles II n'avait aucun sens.

Coralie Brees ne fut pas franchement ravie lorsque Josiah et Bill transportèrent Francis Beaumont dans la maison – ils l'avaient trouvé inanimé dans la cour.

Jadis à Paris, Coralie avait assuré la direction d'un bordel appelé *Le Vingt-huit*, qui appartenait à Beaumont. Au printemps, tous deux avaient dû fuir la capitale française. De retour en Angleterre, Coralie avait vu son train de vie diminuer de manière drastique, et elle avait dû se remettre à sillonner les rues en quête de chair fraîche à vendre à ces messieurs de l'aristocratie.

À présent, Beaumont était une épave rongée par l'alcool, l'opium, et très certainement la vérole. Non que Coralie s'intéressât le moins du monde à sa santé. Elle n'avait pas non plus besoin de lui pour faire marcher son petit commerce. Son esprit fonctionnait de manière simple. Elle n'avait jamais été à l'école, était incapable d'apprendre par l'exemple ou d'éprouver la moindre empathie envers autrui.

Elle aurait volontiers achevé Beaumont si elle avait été sûre que cela reste impuni. Elle n'avait pas hésité à étrangler des putains récalcitrantes dont la police avait retrouvé le corps flottant dans la Tamise. Mais personne ne se souciait de poursuivre les assassins d'une prostituée.

Beaumont, c'était autre chose. Il était marié à une artiste célèbre qui gravitait dans les milieux aristocratiques. Sa mort donnerait lieu à une enquête et la police offrirait une récompense à quiconque pourrait fournir des informations.

Or Coralie n'avait aucune confiance en ses employés, qui auraient été trop contents de la trahir en échange de quelques pièces.

Mieux valait laisser la vie à Beaumont.

Elle venait de prendre cette sage décision quand le ciel lui tomba sur la tête. Après avoir découvert Mick, le colosse qui lui servait d'homme à tout faire, inanimé dans l'arrière-cuisine, elle s'aperçut que sa propre chambre avait été cambriolée, et qu'Annette avait disparu avec ses bijoux et la cassette dans laquelle elle cachait son argent.

Ivre de rage, Coralie envoya ses hommes sur la piste de cette garce.

Beaumont, affalé sur une chaise, une bouteille de gin à la main, lui fit alors remarquer que ces deux-là n'avaient aucune chance de rattraper Annette. Elle avait plusieurs heures d'avance et s'était enfuie avec un complice d'une force herculéenne qui ferait de Josiah et de Bill de la chair à pâté.

— Vous ne pouviez pas le dire avant qu'ils partent ? s'écria Coralie. Mais non, vous étiez trop occupé à siphonner mon gin !

— C'est la deuxième fois en six mois que je me fais casser la figure, observa Beaumont avec une grimace. Dain m'est déjà tombé dessus à Paris, vous vous souvenez ? Si je ne le savais pas dans le Devon, j'aurais juré que c'était lui mon agresseur. Même taille, même gabarit hors du commun.

Le regard vitreux de Beaumont se posa sur l'épingle de jade piquée dans le corsage de Coralie. Par réflexe, celle-ci plaqua la main sur le bijou.

— Votre catin française a pris mon aiguille d'argent en même temps que vos bijoux et votre argent, dit-il. Mais je vois que vous avez là une nouvelle acquisition. Je m'en contenterai en guise de dédommagement. Et ce n'est pas cher payé ! Quand je pense que j'ai risqué ma vie en voulant empêcher Annette de vous voler ! J'aurais mieux fait de l'aider, vu les sales tours que vous m'avez joués. Vous m'avez volé mon aiguille, et vous n'avez même pas été fichue de m'amener la petite éclopée que je vous avais réclamée.

— Ce n'est pas ma faute si elle a disparu ! On ne vous a pas raconté ce qui s'est passé à Covent Garden ? Tout le monde a vu Ainswwod pourchasser une gitane, comme s'il était en rut. J'allais vous chercher cette fille, mais Ainswood lui a donné de l'argent et l'oiseau s'est envolé...

— Ainswood ? Avec une gitane ?

— Oui, une espèce de girafe qui a failli me faire tomber. Je me suis à demi assommée contre un pilier, et Ainswood m'a donné cette épingle pour s'excuser.

Un sourire cauteleux apparut sur les lèvres de Beaumont :

— Une girafe ? répéta-t-il. Ainswood ne s'intéresse qu'à une seule femme, très grande, depuis des semaines. Vinegar Yard, vous vous rappelez ? Ce jour-là elle vous a volé votre proie.

— La Grenville de l'*Argos* ? Bien sûr que je m'en souviens. Mais elle s'habille comme une nonne, en noir de la tête aux pieds. Rien à voir avec la gitane de Covent Garden.

Beaumont secoua la tête d'un air consterné, porta la bouteille de gin à ses lèvres et but une longue gorgée avant de soupirer :

— Décidément, vous êtes encore plus bête que je le croyais.

— Je suis assez maligne pour ne pas me faire tabasser, *moi* !

— Mais pas assez pour piger que c'est Ainswood qui a aidé votre Française à voler vos bijoux à votre nez et à votre barbe.

— Ainswood ? Il est duc. Il roule sur l'or et distribue son argent dans tout Londres comme si les pièces lui brûlaient les doigts.

— Votre petite cervelle est étonnante, Coralie. Elle est réfractaire à toute logique. Votre crâne exploserait si vous tentiez d'additionner deux et deux, pas vrai ? railla Beaumont.

Coralie ne comprenait pas un traître mot de ce qu'il lui racontait. Maussade, elle alla chercher une autre bouteille de gin, la déboucha et s'en servit une bonne rasade.

Beaumont aurait pu la laisser dans l'ignorance. Pour ce qu'il en avait à faire ! Du reste, parler lui flanquait mal au crâne. Mais quand il souffrait d'une manière ou d'une autre, il avait pour principe de se soulager en faisant partager sa misère.

— Laissez-moi deviner : vous gardiez chez vous quelque chose que vous aviez volé à la petite qui est partie avec Grenville.

Coralie se laissa choir dans un fauteuil, la mine défaite :

— Oui, une magnifique parure en rubis que cette gourde avait dans son réticule. Et un superbe collier de métisses. Maintenant, il ne me reste plus que cette épingle en jade que vous voulez me prendre.

— *Améthystes*, rectifia-t-il, espèce d'analphabète. Les pierres étaient sûrement vraies, sinon ils ne se seraient pas donné le mal de les reprendre. Vous ne comprenez donc pas ? Votre girafe était de mèche avec Ainswood pour récupérer les bijoux de sa petite camarade. Ils ont graissé la patte d'Annette qui a drogué Mick au laudanum. Il se trouve que je suis arrivé avec une heure d'avance à notre rendez-vous. La maison avait l'air déserte, j'ai dû appeler. Annette est descendue, mais elle n'avait pas l'air ravie de me voir. J'ai pratiquement dû l'emmener à l'étage par les cheveux. Quand j'ai découvert le chaos dans sa chambre, j'ai compris ce qu'elle mijotait. Elle a paniqué, et s'est enfuie. En la pourchassant, je suis tombé sur Ainswood. Je vous fiche mon billet que Grenville et lui ont partagé le butin avec Annette avant de l'aider à quitter la ville. Ah, ils doivent bien rire de vous en ce moment même ! Ils vous ont volé deux filles et tous vos trésors.

Le teint verdissant de Coralie procura à Beaumont une intense satisfaction. Malheureusement sa bouteille de gin était vide et il devait se mettre en quête d'une autre. Aussi décida-t-il de partir, laissant le poison qu'il venait de distiller se propager dans l'esprit retors de la maquerelle.

Le jeudi, Elizabeth et Emily apprirent par *Le Chuchoteur* que leur tuteur s'était conduit de manière héroïque dans Exeter Street.

Le samedi, un courrier urgent arriva de Londres alors que la famille était attablée pour le petit déjeuner. Les filles eurent le temps de reconnaître l'écriture du duc sur l'enveloppe, ainsi que son sceau, avant que lord Mars quitte la salle à manger pour aller lire la missive dans son bureau où lady Mars ne tarda pas à le rejoindre.

Les exclamations indignées de cette dernière leur parvinrent bientôt en dépit de l'épaisseur de la porte.

Le samedi soir, la sœur aînée de Dorothy Mars arriva en compagnie de son époux. Le dimanche, ce fut le tour de ses deux autres sœurs. Quant à Elizabeth et à Emily, elles avaient eu le temps de se faufiler dans le bureau de leur oncle pour lire la fameuse lettre et, à force d'écouter aux portes, elles avaient compris l'essentiel de cette crise familiale majeure.

Le dimanche soir, il leur suffit d'entrouvrir la fenêtre de leur chambre pour surprendre la conversation qui se déroulait sur la terrasse où les messieurs fumaient le cigare.

— C'est une honte, mais nous devons avant tout songer à Elizabeth et à Emily, disait lord Bagnigge, manifestement éméché. La famille doit s'unir pour faire front. Cette course, c'est d'un vulgaire ! Remarquez, cela lui ressemble bien.

— Quel malheur que le titre soit revenu à ce débauché ! Et cette pauvre Elizabeth qui est sur le point de faire ses débuts dans le monde.

— Comment pourra-t-elle garder la tête haute si par malheur cette journaliste roturière devient duchesse d'Ainswood ? Même le père de Charlie, ce vieux filou, doit se retourner dans sa tombe !

— Ils n'iront pas, chuchota Elizabeth à sa sœur.

— Ce n'est pas bien, s'emporta Emily. Papa se serait déplacé, lui.

— Cousin Vere a toujours été là pour papa.

— Et lui seul est resté au chevet de Robin quand tout le monde avait peur d'attraper la diphtérie.

— Papa l'adorait.

— Robin aussi.

— Cousin Vere nous invite à son mariage. Ça m'est bien égal que Mlle Grenville ne vienne pas d'une famille titrée. Elle pourrait bien être la Putain de Babylone en personne, je m'en moque ! Il l'a choisie, c'est tout ce qui m'importe.

— À moi aussi, opina Emily.

— Dans ce cas, on ferait bien de le lui montrer, pas vrai ?

11

Mercredi 1er octobre

Le soleil s'élevait péniblement dans le ciel et luttait pour dissiper les bancs de brouillard qui s'accrochaient à la rivière.

À cause de ce fichu brouillard et du temps passé à essayer de dissuader Tamsin de l'accompagner – en pure perte –, Lydia arriva à Newington Gate un tout petit quart d'heure avant 8 heures.

Il y avait là la cohue attendue de journalistes, ruffians et curieux, mais aussi quelques membres de l'aristocratie qui ne paraissaient pas particulièrement sobres. Ils étaient accompagnés de demi-mondaines parmi les plus célèbres de Londres. Helena, elle, n'était pas là. Elle avait attrapé un rhume et aurait préféré être pendue plutôt que de se montrer en public le nez rouge.

Les partisans d'Ainswood s'étaient quant à eux regroupés à Liphook, là où il les avait conviés à célébrer sa victoire.

— Sellowby dit que Sa Grâce a déjà obtenu une dispense de bans et qu'un prêtre attendra les concurrents à *L'Auberge de l'ancre* pour procéder à leur union, lui avait raconté Helena le samedi précédent.

Lydia n'avait cessé de fulminer depuis. Mais à présent, elle se demandait si Sellowby n'avait pas raconté n'importe quoi. Il était 7 h 45 et Ainswood n'était toujours pas là.

— Peut-être a-t-il recouvré la raison, dit-elle à Tamsin, tout en dirigeant son attelage vers la ligne de départ. Quelqu'un lui aura ouvert les yeux sur ses devoirs en tant que duc. Un membre de sa famille, peut-être, qui l'aura dissuadé de se donner en spectacle et lui aura fait remarquer que ce n'est pas ainsi qu'on trouve une femme, que le scandale éclaboussera ses pupilles. Cela dit, étant de simples femelles, je suppose qu'il a oublié jusqu'à leurs noms.

Lydia préférait ne pas penser à Elizabeth et à Emily Mallory, qui vivaient chez leur tante paternelle, lady Mars, dans le Bedfordshire, et dont elle avait découvert l'existence dans le *Debrett*, une semaine plus tôt.

À l'heure qu'il était, elle avait collecté presque autant d'informations sur les Mallory que sur les Ballister. Toutefois, ayant un emploi du temps chargé, c'est Tamsin qui avait poursuivi son enquête.

Mais au lieu de se cantonner aux Mallory, la jeune fille avait élargi les recherches à la famille de sir Bertram Trent. À l'origine elle voulait dénicher des personnes ou des anecdotes susceptibles d'expliquer son obsession pour Charles II, mais avait découvert en route que sa famille avait plus que sa part de personnages hauts en couleur. Le soir au dîner, elle racontait à Lydia les histoires les plus remarquables.

C'était certes divertissant, mais les pensées de Lydia revenaient inéluctablement à la famille Mallory, et en particulier au jeune duc décédé dix-huit mois plus tôt. Son cœur se mettait alors à saigner pour ce petit garçon qu'elle n'avait pas connu. De fil en aiguille, elle songeait à ses deux sœurs orphelines, se surprenait à s'inquiéter de leur sort. C'était bien sûr absurde. Rien ne lui disait qu'elles n'étaient pas très heureuses chez leur oncle et leur tante, eux-mêmes à la tête d'une famille nombreuse à en croire le *Debrett*.

Lydia avait beau se répéter que tout cela ne la regardait pas, sa tête l'acceptait mais son cœur se cabrait.

Après avoir consulté sa montre de gousset, elle fronça les sourcils.

— Il reste moins de dix minutes. Bon sang, s'il a changé d'avis, il aurait pu me faire prévenir ! Bellweather va écrire dans son torchon que j'ai tout inventé pour me faire remarquer alors que c'est Ainswood qui a parlé le premier de cette course à ses amis. Comme si j'avais envie que le monde entier sache que je me suis laissé entraîner dans cette histoire grotesque par cette brute suffisante !

— Évoquer ma situation et faire appel à vos sentiments envers moi était très mal de la part de Sa Grâce, déclara Tamsin. Et ridicule. Qu'ai-je besoin d'une dot, franchement ? Je suis en âge de gagner ma vie et de me débrouiller seule. D'ailleurs je l'ai dit à sir Bertram.

— Tu pourras faire ce que tu veux de ces cinq mille livres.

— Oui, comme aider les gens dans le besoin. Ce sera assurément une grande satisfaction. Je ne doute pas un instant que vous remportiez cette course, Lydia. Je suis sûre que vous allez leur faire avaler la poussière.

— Je ne sais pas ce que font ces messieurs, marmonna Lydia en consultant de nouveau sa montre. Plus que quelques minutes et…

Elle fut interrompue par des cris et des sifflets qui s'élevèrent soudain de la foule.

Un élégant tilbury tiré par un robuste cheval bai venait de franchir la porte de Newington et vint se ranger au côté de la voiture de Lydia.

Ainswood souleva son chapeau – pour une fois il en portait un – et lui adressa un sourire en coin. Il portait une chemise immaculée, une cravate empesée savamment nouée, une veste qui moulait ses larges épaules à la perfection.

À sa vue, elle sentit les battements de son cœur s'affoler. Tout à coup, de manière inattendue, un flot de souvenirs l'assaillit : le garçonnet sauvé dans l'éboulement d'Exeter Street, la petite fleuriste, la rage meurtrière avec laquelle il s'en était pris au client d'Annette chez Coralie…

Masquant son trouble, elle le salua d'un bref hochement de tête et rangea sa montre.

— Vous m'attendiez avec impatience, Grenville ? lança-t-il par-dessus les sifflements et les encouragements de la foule.

— Pourquoi ce retard, Ainswood ? Vous aviez les chocottes ? riposta-t-elle.

— Je me hâtais, au contraire !

— Hâtez-vous tant que vous voudrez, c'est moi qui atteindrai Liphook la première. Sans doute avec une demi-lieue d'avance sur vous.

Dans l'assistance, les paris s'échangeaient et on se tapait gaillardement dans la paume, sans que Lydia parvienne à déterminer si sa cote était élevée ou non. Quoi qu'il en soit, le sort en était jeté. Et elle était résolue à se battre pour préserver ce qu'elle avait de plus cher : sa liberté.

— Une minute ! cria une voix par-dessus le tumulte ambiant.

Le silence retomba autour d'eux. Un grand calme s'empara de Lydia. Elle fixa le regard sur le mouchoir blanc que quelqu'un venait de brandir, s'empara du fouet d'un geste décidé.

Puis, au moment où les cloches de l'église voisine se mettaient à sonner, le mouchoir fut abaissé vers le sol.

Elle fit claquer son fouet… et la course démarra.

Il existait deux routes pour rejoindre la Robin Hood Gate qui marquerait la fin de la première étape. Pour plusieurs raisons très pragmatiques, Lydia avait choisi la plus longue. D'abord parce qu'elle serait moins encombrée. Et ensuite parce qu'elle conviendrait à sa jument noire Cléo, une bête placide qui n'avait pas peur de grand-chose.

Hélas, il fallut vite admettre que la brave Cléo n'était pas de taille contre le puissant hongre d'Ainswood. Le tilbury était presque aussi lourd que le cabriolet de Lydia, et les deux hommes à bord devaient forcément peser plus que Tamsin et elle, pourtant Ainswood les dépassa aisément, et aux deux tiers de l'étape, il avait déjà une bonne avance.

Quand Lydia atteignit la première auberge, le tilbury était hors de vue. Elles reprirent la route après avoir changé de cheval et, tandis qu'elles dépassaient Richmond Park à vive allure, Lydia sentit peser sur elle le regard inquiet de Tamsin.

— Je sais, cela paraît compromis, mais tout espoir n'est pas perdu, assura-t-elle. Il faut juste que ce canasson et moi parvenions à nous entendre.

Le pommelé gris qui avait remplacé Cléo n'était pas aussi coopératif que la jument, et d'un caractère plutôt ombrageux. Mais il lui fallut bien se soumettre à l'autorité de Lydia et, une fois Kingston dépassé, elle fit claquer son fouet et il fila comme le vent.

Le changement suivant eut lieu à Esher. Lydia repartit à un train d'enfer et, alors qu'elles franchissaient Cobham Gate, le tilbury réapparut sur la route.

Agrippé à la banquette, Trent jeta un coup d'œil pardessus son épaule.

— Mordieux, les revoilà ! annonça-t-il. On dirait qu'elles s'accrochent.

Vere leva les yeux. Des nuages gris menaçants s'amoncelaient au-dessus de leurs têtes. Le vent était en train de forcir, soulevant des cortèges de feuilles mortes.

Il avait déjà poussé les deux premiers chevaux au-delà de leurs limites et pensait avoir pris une avance suffisante pour décourager n'importe quel être humain raisonnable. Or, non seulement Grenville ne se décourageait pas, mais elle était en train de gagner du terrain.

Pour couronner le tout, une tempête s'annonçait alors que le pire de la course était encore à venir.

Pour la énième fois en cinq jours, il se maudit d'avoir entraîné la jeune femme dans cette course insensée – ou de s'être laissé entraîner. Il ne savait toujours pas avec certitude qui avait provoqué qui, néanmoins il regrettait d'avoir laissé les choses dégénérer à ce point.

Pourquoi diable ne lui avait-elle pas jeté un objet à la figure ? Elle en aurait tiré une évidente satisfaction, et lui-même aurait peut-être repris ses esprits.

Dans la lumière déclinante, on devinait à présent les premières habitations de Ripley. Les rafales de vent s'étaient faites cinglantes, et Vere aurait aimé croire que c'était la raison de ces frissons qui le secouaient.

Il s'en garda bien.

Il était insensible au temps, était capable d'endurer avec le même stoïcisme la canicule, le blizzard ou la mousson. Il ne tombait jamais malade, quoi qu'il infligeât à son corps, même s'il était exposé aux pires intempéries, même s'il côtoyait les plus contag…

Il chassa ce souvenir avant qu'il se forme et se concentra sur la route. Il restait encore une quinzaine de lieues à parcourir dans des conditions qui s'annonçaient épouvantables. Le terrain deviendrait plus accidenté et le danger augmenterait. Si jamais la voiture de Grenville versait dans le fossé, il n'en saurait rien et ne pourrait pas lui venir en aide…

Comme d'habitude, il ne serait pas au bon endroit au bon moment.

À l'auberge *Talbot*, changer de cheval ne leur prit que quelques minutes. Puis Vere fit claquer son fouet et la bête s'élança à vive allure dans la rue qui traversait le village.

Il était totalement impuissant, pouvait seulement prier pour que Grenville, effrayée par la tempête, se décide à abandonner. Elle n'avait aucune chance de gagner, de toute façon. Il avait trop d'avance.

Trent se tourna de nouveau sur la banquette.

— Alors ? fit Vere. Elle est toujours là ?

— Elle se rapproche.

Ils traversèrent Guildford à un train d'enfer et, tandis que le tilbury prenait de la vitesse dans la descente, les roues se mirent à cahoter furieusement sur les pavés.

Pourtant le cabriolet gagnait du terrain.

Vere avait presque l'impression de sentir l'haleine de l'autre cheval dans la nuque.

Au loin, le tonnerre grondait. Vere se représenta les périls qui les attendaient : la route semée d'ornières, les pentes glissantes, la boue, les cailloux… et l'orage qui ne tarderait pas à se déchaîner, les éclairs, la panique des chevaux, leurs hennissements sauvages…

Le cabriolet se fracassant contre un arbre.

Elle allait renoncer, forcément.

Mais plus le temps passait, plus il en doutait.

Il ne connaissait pas de femme plus obstinée. Il avait déjà eu la preuve, à maintes reprises, qu'elle allait toujours au bout de ce qu'elle entreprenait, parfois au péril de sa vie. Grenville n'avait peur de rien. Et pour ce qui était de l'orgueil, il ne voyait qu'une seule personne capable de rivaliser avec elle : son ami le marquis de Dain, lord Belzébuth lui-même.

À Godalming, il prit une décision.

Ils atteignirent presque en même temps la cour de l'auberge. À présent il pleuvait, le tonnerre grondait sans discontinuer et les éclairs déchiraient le ciel à intervalles réguliers.

Il força la voix pour se faire entendre par-dessus ce vacarme :

— Grenville ! Les conditions sont trop mauvaises. Arrêtons cette folie. Nous sommes au coude à coude, proclamons-nous ex aequo.

— Merci, mon Dieu, marmonna Bertie qui tira son mouchoir de sa poche pour s'éponger le front.

Grenville se contenta de fixer Vere de ce regard frondeur qui produisait toujours le même effet sur lui. Même en cet instant, alors qu'il était bien près de céder à la panique, il avait envie d'aller la secouer.

— Vos nerfs lâchent, Ainswood, rétorqua-t-elle d'un ton froid.

— Je ne veux pas avoir votre mort sur la conscience.

Un palefrenier s'approcha du cabriolet de Lydia. Il tenait par la bride un grand hongre noir à la musculature impressionnante, dont les yeux étincelaient.

— Ramenez cette bête à l'écurie ! aboya Vere. N'importe quel imbécile peut voir qu'elle est vicieuse.

— Pas question ! se récria Grenville. Attelez ce cheval.

— Grenville…

— Occupez-vous de votre cheval, Ainswood. Nous nous reverrons à Liphook, coupa-t-elle en se détournant pour déplier la capote de sa voiture.

— Vous êtes sourde ou quoi ? J'ai dit que nous étions à égalité. Il n'y aura pas de perdant et vous ne serez pas obligée de m'épouser. C'est fini. J'admets que vous êtes une excellente conductrice, acheva-t-il en hurlant.

— De toute évidence, je n'ai rien prouvé du tout. Vous ! interpella-t-elle le palefrenier. Venez me donner un coup de main avec cette fichue capote.

Sous le regard incrédule de Vere, la capote fut montée et le cheval harnaché. Et avant qu'il ait la présence d'esprit de courir jusqu'au cabriolet pour arracher Grenville à son siège, le grand hongre noir s'élança et la voiture quitta la cour dans un fracas.

Plaquée contre le dossier de la banquette, Tamsin s'exclama :

— Mon Dieu, Lydia, ce cheval est fou ! Le duc va avoir une attaque. Il doit se faire un sang d'encre, le pauvre homme.

— Tu as peur ? demanda Lydia sans quitter la route des yeux.

Le hongre était une brute difficile à maîtriser, à n'en pas douter, et suffisamment puissante pour leur permettre de gravir Hindhead Hill à bonne vitesse. Mais il avait une sale tendance à tirer à gauche.

— Peur ? répéta Tamsin. Sûrement pas, je m'amuse trop !

Elle se pencha pour regarder derrière elles.

— Ils nous talonnent, annonça-t-elle. Sir Bertram est très rouge. Seigneur, quelle force de caractère il vous a fallu pour refuser l'offre de Sa Grâce ! J'admets qu'il aurait pu se montrer un peu plus diplomate...

— Non seulement, il me croit irresponsable au point de risquer ma vie – et la tienne –, ce qui est en soi intolérable, mais il voudrait m'entendre déclarer forfait, certainement pour s'attribuer ensuite la victoire devant ses amis. Cet homme est d'un sournois ! Et il faudrait que je devienne sa propriété jusqu'à ce que la mort nous sépare ? Mais cela n'arrivera pas, crois-moi.

Un éclair zébra le ciel suivi d'un grondement de tonnerre comminatoire. Le cabriolet avait entamé la longue montée à flanc de colline. Le hongre ralentit, mais n'en continua pas moins d'avancer avec vaillance. Le sommet approchait. La pluie crépitait sur la capote et les bourrasques faisaient vibrer le véhicule tout entier.

À la lumière des éclairs, les deux femmes aperçurent la silhouette sinistre du gibet de Hindbeat, sur l'autre versant.

Lydia arrêta le hongre dont le corps fumait et qui avait bien mérité un peu de repos. Mais au bout de quelques minutes, il se mit à tirer sur les rênes, impatient de repartir.

— Tu es infatigable, toi, murmura Lydia. Mais il va falloir te calmer dans la descente. Je n'ai pas l'intention d'arriver en bas en morceaux.

Elle entendait au loin un raclement de roues ponctué d'un martellement de sabots. Le tilbury les rattrapait.

Son regard embrassa le paysage que les éclairs illuminaient par intermittence. Cette zone était sauvage, très peu peuplée. La route, d'ordinaire encombrée, avait été désertée en raison de l'orage. Un peu plus loin, on distinguait une volute de fumée blanchâtre. C'était *L'Auberge des sept épines*, un établissement sordide dans lequel Lydia ne se voyait pas trouver refuge.

Ce n'était pas le moment d'avoir un accident.

Lydia engagea le cabriolet dans la descente, les mains crispées sur les rênes, arc-boutée pour résister à la force du hongre qui, avec cette obstination propre aux mâles, tirait obstinément à gauche.

Lorsqu'elles atteignirent le bas de la pente, elle avait mal aux bras et aux épaules. Le hongre ne montrait aucun signe de fatigue. Elle jeta un regard penaud à Tamsin qui frissonnait dans ses vêtements trempés.

— Encore une bonne lieue et nous y serons ! cria-t-elle pour couvrir le tambourinement de la pluie sur la capote.

— Ne vous tracassez pas pour moi, ce n'est que de la pluie, je ne vais pas fondre !

La brave Tamsin faisait bonne figure, mais ses lèvres étaient bleues de froid. Lydia se prit soudain à douter. Et si Ainswood avait raison ? Elle n'aurait jamais dû entraîner Tamsin dans cette entreprise périlleuse, n'aurait pas dû se lancer dans cette course stupide. Et pourquoi n'avait-elle pas au moins accepté la trêve qu'Ainswood lui proposait ? Si jamais Tamsin attrapait une pneumonie...

Un éclair zébra le ciel d'encre. Le tonnerre explosa presque aussitôt, assourdissant. Affolé, le hongre se dressa sur les antérieurs avec un hennissement de terreur et Lydia eut l'impression qu'on lui arrachait les bras.

Elle tira de toutes ses forces, mais l'animal cabré était trop fort pour elle. Retombant sur ses quatre fers, il s'emballa.

Le cabriolet bondit, zigzagua sur la route, dangereusement près du fossé.

Derrière eux, d'autres hennissements retentirent. Lydia, désespérément cramponnée aux rênes, mit une seconde à comprendre que le tilbury arrivait à pleine vitesse.

À peine eut-elle infléchi la trajectoire du hongre que l'autre voiture les dépassait en trombe, manquant de les percuter d'un cheveu.

Puis le tilbury bascula dans le fossé.

Lydia avait conscience de la pluie battante, des éclairs, du tonnerre, et de voix qui semblaient provenir de très loin. Mais toutes ses facultés étaient concentrées sur la forme humaine étendue dans l'herbe, à côté du tilbury renversé.

Éperdue, elle dégringola dans le fossé, se laissa tomber à genoux dans la boue, à côté d'Ainswood qui gisait face contre terre.

« Me voici prostré à vos pieds », avait-il clamé à Covent Garden, devant un public de prostituées et de soûlards.

Un rire hystérique monta dans sa gorge. Mais elle ne cédait jamais à l'hystérie. Elle le saisit par son manteau.

— Relevez-vous, espèce d'idiot !

Elle ne pleurait pas. C'était la pluie qui lui emplissait les yeux et glissait sur ses joues, le froid qui lui piquait la gorge. Il était si lourd ! Le col de son manteau se déchira alors qu'elle essayait de le faire basculer sur le dos.

Elle attrapa les revers de son manteau, tenta de le soulever.

— Réveillez-vous ! Oh, réveillez-vous, je vous en prie ! Oh, Seigneur...

Mais il demeurait inerte, les yeux clos.

Les mots s'étranglèrent dans la gorge de Lydia. Elle se mit à le bercer contre elle, essuyant la boue sur ses joues et son front, promettant et menaçant d'une voix hachée :

— Je vous interdis... de mourir ! Je me suis... attachée à vous. Vous savez bien... que je n'ai jamais eu l'intention de... Oh, c'est injuste ! D'accord, c'est bon. Vous avez gagné. Vous m'entendez ? Vous avez gagné, Ainswood ! Je ferai tout ce que vous voudrez. La bague. L'église. Et tout le reste. Je serai votre duchesse... C'est ce que vous vouliez, non ? Alors décidez-vous, c'est maintenant ou jamais. Réveillez-vous, bon sang ! Réveillez-vous et épousez-moi.

Elle ravala un sanglot.

— Ou je vous abandonne ici. Dans ce fossé. Dans la boue. Oh, Seigneur... Je savais bien que tout ça finirait mal !

C'était très mal. Honteux même. Mais on ne se refaisait pas. Vere était un cas irrécupérable.

Il aurait dû ouvrir les yeux depuis longtemps, mais il avait peur de découvrir que tout cela n'était qu'un rêve. Son ogresse était à genoux et l'implorait, folle d'angoisse parce qu'elle le croyait blessé à mort.

Mais c'était bel et bien la réalité. Elle devait être trempée jusqu'à la moelle, et il était la pire des brutes de la laisser ainsi sangloter sous la pluie au risque d'attraper une pneumonie.

Il tendit les mains, prit son beau visage têtu entre ses paumes.

— Suis-je mort ? Êtes-vous un ange du paradis, ou n'est-ce que vous, Grenville ?

Elle voulut se redresser, mais il n'était pas faible au point de la laisser s'échapper sans lui voler un baiser. Ses doigts glissèrent sur sa nuque pour approcher son visage du sien, et il captura sa bouche.

Comme d'habitude, elle résista avant de s'alanguir contre lui. Et sous le ciel obscur lézardé d'éclairs éblouissants, ils s'embrassèrent, éperdument.

Quand enfin il la relâcha, les mots qui franchirent ses lèvres furent pour une fois d'une totale sincérité.

— Je vous préfère à tous les anges du Ciel, fit-il d'une voix rauque. Vous acceptez de m'épouser, ma chérie ? Vous êtes sérieuse ?

Elle eut un soupir tremblé.

— Oui, je suis sérieuse. Que la peste vous emporte ! Et je ne suis pas votre chérie. Debout, espèce d'hypocrite.

Ce n'était pas la première fois que Bertie avait un accident, mais c'était la première fois que ce n'était pas lui qui conduisait. Toutefois, avait-il affirmé à Mlle Price, même le plus expérimenté des conducteurs n'aurait pu empêcher les chevaux de s'emballer.

Lui-même avait eu beaucoup de chance : quand le tilbury avait versé, il avait été projeté dans l'herbe et, après un roulé-boulé, s'en était tiré sans une bosse.

Il se serait précipité vers Ainswood si Mlle Grenville ne l'avait devancé. Alors il s'était hâté de vérifier que Mlle Price n'était pas blessée.

Rassuré sur ce point, il avait pris la situation en main. Le tilbury était en miettes et le cabriolet ne pouvait transporter quatre personnes. Il fallait donc aller chercher du secours. C'est ainsi qu'il partit en compagnie de Mlle Price pour rallier Liphook.

Cela ne prit pas longtemps, *L'Auberge de l'ancre* où les amis d'Ainswood attendaient avec impatience de connaître l'issue de la course étant à moins d'une lieue.

À l'entrée de la bourgade se dressait un poteau indicateur sur lequel étaient clouées plusieurs pancartes. Bertie l'aperçut et sursauta.

— Blackmoor ! s'exclama-t-il, tout excité. C'était ça !

Mlle Price, encore sous le choc de l'accident, s'était murée dans le silence. Elle tourna vers lui ses grands yeux bruns.

— Vous connaissez cet endroit ?

— Non. C'est ce que je cherche depuis si longtemps. Cela me revient maintenant. C'est un tableau que j'ai vu. Il représente le roi Charles II et un courtisan, le premier comte de Blackmoor. Un homme avec de longs cheveux blonds bouclés. Pas très viril, hein ? J'ignore après quel haut fait il a reçu le titre. Bref, c'est à lui que je pensais et non au roi Charles II. Le comte pourrait être le frère jumeau de Mlle Grenville tant il lui ressemble ! Enfin, tant il lui *ressemblait*. Parce qu'il est mort il y a des siècles. Ma sœur adore ce tableau, elle trouve le comte irrésistible. Cela ne l'a pas empêchée d'épouser… Sapristi, qu'est-ce qu'il fait là ?

Bertie avait arrêté le cabriolet dans la cour de l'auberge dont la porte venait de s'ouvrir sur la haute silhouette du marquis de Dain.

Celui-ci les aperçut et braqua sur eux ce fameux regard qui terrifiait les plus audacieux. Après toutes ces émotions, ce fut sans doute trop pour Mlle Price. Elle écarquilla les yeux à la vue du marquis.

— Ô mon Dieu ! s'exclama-t-elle d'une voix étouffée.

Et elle s'évanouit.

12

— Bien sûr que ça va, affirma Tamsin qui piquait avec habileté des épingles dans les cheveux de Lydia. Je me suis évanouie sous le coup de la peur, du froid et de la faim. Cette journée est la plus excitante de ma vie, je ne veux pas en manquer une seule seconde.

Les deux femmes se trouvaient dans une chambre de *L'Auberge de l'ancre*.

Lord Dain et lord Sellowby étaient venus en voiture récupérer Lydia et Ainswood. Sellowby leur avait expliqué qu'à la vue de Dain, Tamsin était « tombée en pâmoison ». Sur le moment, Lydia ne s'était pas vraiment inquiétée pour son amie. Elle était encore éberluée d'avoir finalement accepté la demande en mariage d'Ainswood.

L'apparition inattendue de Dain lui porta un coup supplémentaire. On lui avait toujours dit qu'elle ressemblait comme deux gouttes d'eau au père du marquis, mais par chance ni celui-ci ni Sellowby ne parurent remarquer une quelconque ressemblance.

À l'auberge, Ainswood avait annoncé que le mariage aurait lieu dès que sa future épouse et lui se seraient rafraîchis et changés. Et Lydia, trop troublée pour pouvoir élever la moindre objection, s'était retrouvée dans une chambre du premier étage.

Elle avait pris un bain chaud, bu un thé revigorant et s'était abandonnée aux mains expertes de Tamsin, pourtant, elle se sentait encore étourdie, dépassée par les événements. Et ce n'était pas une sensation très agréable.

— J'aurais dû demander un délai pour me faire à l'idée. Mais Ainswood est si impatient, il a tellement insisté… et il est si pénible lorsqu'on lui dit non.

— Tout est prêt, à quoi bon retarder la cérémonie ? objecta Tamsin. N'est-ce pas étonnant ce que cet homme est capable de faire en matière d'organisation lorsqu'il a de bonnes raisons ?

— Je crois plutôt qu'il est têtu comme une mule. Cela dit, tout est prêt et ses amis sont là, alors autant en finir.

Tamsin recula pour admirer le chignon qu'elle venait de créer. La lourde chevelure de Lydia était ramassée au sommet du crâne, et quelques mèches fines s'en échappaient, encadrant son visage pâle.

— Lady Dain prétend que plus un homme attend, plus il est susceptible de faire des choses stupides, fit Tamsin. Je crois qu'elle sait de quoi elle parle. Elle m'a confié que les longues semaines de préparatifs du mariage ont failli la rendre folle.

— Il faut dire que ce mariage a été un événement majeur. L'église était comble, et il y avait encore plus de monde au petit déjeuner du lendemain.

— À en croire son mari, la marquise a des goûts dispendieux.

— Nous serons beaucoup plus modestes, admit Lydia en étudiant son reflet dans le miroir. Sauf en ce qui concerne ma coiffure. Ce chignon est magnifique. Grâce à toi, je suis d'une élégance…

En apparence du moins, elle avait l'air d'une grande dame. Mais à présent, elle ne savait plus vraiment qui elle était. Autrefois, lorsqu'elle témoignait de l'intérêt pour la famille de sa mère, son père l'accusait de vouloir se donner de grands airs. Mais si cette histoire n'était que pure invention de la part de sa mère ? Si elle n'avait jamais été apparentée aux Ballister ? Dain n'avait eu aucune réaction en la voyant. Il lui avait à peine jeté un regard, alors qu'elle était le sosie de ses ancêtres d'après le journal d'Anne. Sellowby non plus n'avait pas bronché.

Oui, il était bien possible que sa mère ait inventé cette ressemblance pour enjoliver son triste quotidien.

— Je ne crois pas que le duc se soucie outre mesure de votre coiffure, médita Tamsin. Je suis sûre que s'il l'avait pu, il vous aurait épousée sur la route, avec vos cheveux trempés et votre jupe boueuse.

— Lui-même ne ressemblait pas vraiment au Beau Brummel !

Tamsin pouffa.

— Allons, vous pouvez le dénigrer tant que vous voulez, je sais bien que vous avez un tendre penchant pour lui. Je vous ai vue sauter du cabriolet pour le rejoindre après l'accident. C'était d'un romantique !

— Je crois que je vais vomir, lâcha Lydia avec une grimace écœurée.

— Ce sont les nerfs. Je parie que Sa Grâce est dans le même état, voire pire. J'espère que le prêtre ne fera pas traîner la cérémonie en longueur, ce ne serait pas charitable de prolonger vos souffrances.

Lydia se leva de la coiffeuse, la tête haute, et riposta :

— Je ne suis pas sujette aux crises de nerfs, mademoiselle l'Impertinente. Je suis très calme. Tout à fait maîtresse de moi-même. Bientôt je serai duchesse d'Ainswood et alors... vous autres, humbles paysans, aurez intérêt à faire attention, conclut-elle d'un air condescendant.

Sur quoi, elle sortit de la chambre, accompagnée par le rire de Tamsin.

Grâce à Dain, Sellowby et Trent qui faisaient de leur mieux pour le distraire, Vere était encore à peu près sain d'esprit. Aucune de ces trois pipelettes n'était capable de se taire pendant plus de trente secondes, aussi n'avait-il guère le temps de réfléchir à ce qui était sur le point de lui arriver.

Ils s'étaient retranchés dans un petit salon réservé aux noces.

— Je t'assure, c'est incroyable, disait Trent. Je ne comprends pas que tu n'aies rien vu. C'est peut-être à cause de ses cheveux mouillés et de toute cette boue. Sa propre mère ne l'aurait pas reconnue...

— Bien sûr que je l'ai reconnue, coupa Sellowby. Je l'ai vue devant l'église, le jour du mariage de Dain. Difficile de passer à côté d'une aussi belle fille, surtout quand elle dépasse tout le monde d'une tête. Et puis, c'était la seule femme parmi tous ces journalistes. La Valkyrie de l'*Argos*. Même de loin, on ne peut pas se tromper.

— Eh bien, tu ne peux pas ignorer la ressemblance, persista Trent. Rappelle-toi le tableau, ce grand type aux cheveux blonds bouclés...

— Je dirais plutôt filasse, intervint Dain. Et il n'avait pas la moindre boucle.

— Enfin, ils se ressemblent traits pour traits...

— La future duchesse a les yeux bien plus clairs, objecta Dain. À ce qu'il paraît, elle est née dans un marais de Bornéo et a été élevée par des crocodiles. Personnellement, je doute fort qu'il y ait des crocodiles à Bornéo. Tu en sais plus sur ses origines, Ainswood ?

— Je me contrefiche de ses origines, répliqua l'intéressé qui ne les écoutait que d'une oreille. Ce que je voudrais savoir, c'est où est passé ce fichu prêtre... et si la future mariée compte faire son apparition avant que nous changions de siècle !

Il avait mis moins d'une demi-heure à se baigner et à s'habiller, sans cesser une minute de râler contre Jaynes. Cela faisait donc une heure et demie qu'il rongeait son frein et s'angoissait inutilement, se demandant si elle n'avait pas pris froid et n'était pas en train d'agoniser en ce moment même, foudroyée par une angine purulente, pendant que ses imbéciles d'amis perdaient leur temps à discuter de la couleur de ses yeux ou à se demander s'il y avait des crocodiles à Bornéo.

— Peut-être qu'elle regrette d'avoir accepté de t'épouser, hasarda Dain avec un sourire moqueur que Vere envisagea un instant d'effacer d'un crochet du droit. Elle a peut-être dit oui sous le coup de l'émotion, et maintenant qu'elle a repris ses esprits…

— Non, l'interrompit une voix féminine, c'est par pitié que j'ai accepté de devenir sa femme. Et un peu par civisme. On ne peut pas le laisser semer la pagaille, traverser les villages en trombe, briser des voitures et terrifier des chevaux. Il faut bien que quelqu'un se dévoue pour y mettre le holà.

Les quatre hommes pivotèrent d'un bloc.

La Valkyrie se tenait sur le seuil, vêtue d'une robe de basin noir qui bruissait au moindre mouvement. Derrière elle se tenait Mlle Price. Puis venait le prêtre.

Dain esquissa un mouvement vers la porte.

— Je ferais bien d'aller chercher ma femme. Et tu as intérêt à ne pas commencer la cérémonie sans nous, Ainswood ! C'est moi qui suis censé te donner la main de Mlle Grenville.

Comme celle-ci lui jetait un regard étonné, Vere expliqua :

— C'est pour ne vexer personne. Trent est mon garçon d'honneur, et Sellowby est chargé de garder la porte pour tenir à distance les ivrognes trop bruyants.

Les amis et curieux s'étaient massés dans la grande salle commune de l'auberge, persuadés que le mariage serait célébré là. On les avait fait patienter à grand renfort de chopes de bière, et les tournées s'étaient enchaînées au rythme des chansons paillardes.

— Vos amis sont venus assister à l'arrivée de la course et ils ont déjà été spoliés du spectacle. Vous n'allez pas les priver en plus de cérémonie de mariage ? objecta Grenville.

— Je vous assure qu'ils ne sont pas en état de l'apprécier. Au point où ils en sont, la moitié d'entre eux seraient incapables de différencier le futur marié d'un tonneau de vin… et je crois qu'ils préfèrent nettement la compagnie du tonneau à la mienne.

Vere eut un geste impérieux en direction du pasteur qui s'éclaircit la voix :

— Eh bien, prenons place. Nous n'attendons plus que lord et lady Dain.

La mariée et ses suivantes s'étaient retirées depuis plusieurs heures, mais il était minuit passé quand les amis de Vere lui permirent enfin d'échapper aux libations qui avaient suivi la cérémonie. Et seulement parce que quelqu'un – Carruthers ou Tolliver – avait rameuté une cohorte de cocottes.

À ce stade des réjouissances, Dain avait décrété que les hommes mariés étaient libres de partir s'ils le souhaitaient. Bien que célibataire, Trent les avait suivis. Il n'avait pas renoncé à expliquer à Dain son incompréhensible théorie dans laquelle il était question de Charles II, d'un courtisan et de Dieu sait quoi d'autre.

— Chez toi, à Athcourt, insistait-il, alors que les trois hommes gravissaient l'escalier. Dans la galerie de portraits qui doit faire une demi-lieue de long. Jessica n'arrêtait pas de dire que c'était son préféré…

— La galerie fait cinquante-quatre mètres de long, soupira Dain. Ainswood peut en attester. Le jour des obsèques de mon père, j'ai posé un de ses portraits sur un chevalet et proposé un concours de tir à l'arc. Tu t'en souviens, Ainswood ? Tu avais trouvé l'idée minable, tu m'avais fait remarquer que je trouverais davantage de satisfaction à trousser cette diablesse de rouquine dans la chambre du maître de maison. Tu l'avais toi-même testée et tu prétendais que l'expérience en valait la peine.

Comme ils atteignaient le palier, Dain assena quelques claques bien senties sur l'épaule d'Ainswood.

— Cette époque est révolue, mon vieux ! Plus de catins à partager, désormais. Nos ardeurs doivent être réservées à une seule dame.

Il se tourna vers Bertie.

— Bonne nuit, Trent. Fais de beaux rêves.

— Mais Dain, je n'ai pas fini...

Dain le fit taire d'un regard.

— Bon, comme tu veux, grommela Bertie. Bonne nuit, Ainswood. Ou plutôt félicitations. Et mille mercis pour le grand privilège, tu sais... Garçon d'honneur.

Il serra la main de Vere, adressa un vague signe de tête à son beau-frère, puis s'éloigna dans le couloir.

Vere s'apprêtait à prendre congé de Dain quand celui-ci déclara :

— L'enfant que porte Jessica doit naître en février ou mars. Il lui faudra un parrain et une marraine, et je me demandais si ta femme et toi accepteriez ce titre.

Vere mit un moment à saisir les implications de cette proposition. Sa gorge se noua. En dépit du temps, de la séparation, des malentendus, Belzébuth et lui demeuraient amis.

— Voilà pourquoi tu étais si pressé de me voir marié, dit-il d'une voix enrouée.

— J'avais plusieurs raisons, mais je ne vais pas t'obliger à m'écouter les énumérer. Tu as des devoirs à assumer, conclut Dain avec un demi-sourire.

À sa grande horreur, Vere sentit une vive chaleur lui envahir les joues. Dain s'esclaffa.

— Tu rougis, Ainswood ! C'est vraiment la journée des miracles.

— Va au diable, marmotta Vere en tournant les talons.

Le rire bas de Dain le poursuivit.

— Il est temps d'honorer la duchesse, et si tu ne sais pas comment t'y prendre, n'hésite pas à venir me demander quelques conseils.

— C'est moi qui t'ai tout appris, sombre buse ! rétorqua Vere sans se retourner. Et tu ne sais pas la moitié de ce que je sais.

De nouveau retentit le grondement satanique qui, chez Dain, tenait lieu de rire, puis le bruit d'une porte qui se refermait. Agacé, Vere frappa à la porte de sa propre chambre.

— Tout appris, à ce grand escogriffe, marmonna-t-il. Monsieur Je-sais-tout. Un de ces jours, je vais lui…

Le battant s'ouvrit et sa femme apparut.

Il nota vaguement qu'elle était encore habillée, mais ne prit pas le temps de se demander pourquoi. Il entra, referma la porte d'un coup de talon, et l'attira dans ses bras pour enfouir le nez dans son cou et respirer son odeur délicieuse.

— J'ai cru que ces crétins ne me lâcheraient jamais, murmura-t-il.

Elle l'enlaça à son tour, mais d'une manière assez raide, et il perçut sa nervosité. Relevant la tête, il constata qu'elle était pâle et tendue. Ses yeux bleus avaient un éclat sombre et inquiet.

Il desserra son étreinte.

— Vous êtes lasse, remarqua-t-il. La journée a été longue.

— Je ne suis pas lasse, non. Quand je suis remontée, après la cérémonie, je suis tombée sur le lit et je me suis endormie aussitôt. Je me suis réveillée il y a une heure, précisa-t-elle en se libérant de ses bras. Et j'ai eu le temps de réfléchir.

— Ah. C'est donc pour cela que vous n'avez pas eu le temps d'enfiler un vêtement plus approprié aux circonstances, comme... une chemise de nuit, fit-il, ignorant les protestations de sa conscience – ils étaient fâchés, de toute façon – qui lui disait que Grenville avait été précipitée dans ce mariage, qu'il lui avait extorqué son consentement en profitant d'un moment de faiblesse.

Fort bien. Il était sans scrupules, dépravé, odieux, etc. C'était sa nature.

— Ce n'est pas grave. Je serais très heureux de vous aider à sortir de votre armure, enchaîna-t-il en tendant les mains vers le bouton qui fermait son col.

— Je... je ne suis pas prête à consommer notre union.

— Ce n'est pas un souci, je veillerai à vous préparer.

Elle écarta sa main d'un geste agacé.

— Je suis sérieuse, Ainswood. Il faut que nous parlions.

— Grenville, vous savez bien que nous sommes incapables de parler plus d'une minute sans nous quereller. Évitons toute discussion, ce soir, qu'en dites-vous ?

Il s'attaqua au deuxième bouton. La main de sa femme se referma sur la sienne.

— Ma conscience m'interdit d'être votre épouse. Je veux une annulation.

— Votre conscience a perdu l'esprit, très chère. Vous êtes nerveuse, comme n'importe quelle jeune mariée.

C'est très rafraîchissant, ajouta-t-il en se penchant pour lui embrasser le bout du nez.

— Je ne suis pas nerveuse. Inutile d'adopter ce ton protecteur. J'ai juste retrouvé mon bon sens. Le fait est que je ne suis pas une dame, ni même une demi-dame. Vous êtes le duc d'Ainswood, vous devez épouser une personne de votre condition, par respect pour vos ancêtres.

— C'est vous que j'ai épousée, riposta-t-il avec impatience. Je n'ai que faire d'une dame. Vous n'allez pas faire votre mijaurée, j'espère ? ajouta-t-il en la saisissant aux épaules.

Deux taches rouges apparurent sur les joues de sa femme qui murmura :

— Nous ne pouvons pas coucher ensemble. Je ne peux pas être la mère de vos enfants. Je ne vous laisserai pas prendre un tel risque.

— Un *quoi* ?

— Ma famille ! Vous ne savez rien d'elle. J'aurais dû... vous en parler plus tôt, mais j'étais trop... bouleversée. J'ai cru que vous étiez mort et... Oh, tout cela est absurde ! gémit-elle en s'écartant. Je voulais vous rendre heureux, et vous étiez si impatient de célébrer ce mariage. J'ignore pourquoi je voulais vous rendre heureux. Ou pourquoi je m'imaginais en être capable.

— Vous le pouvez, Grenville. Il vous suffit d'enlever votre...

— Ma mère est tombée malade à la naissance de ma sœur, continua-t-elle, les mots se bousculant dans sa bouche. Elle est morte quand j'avais dix ans. Sarah a attrapé la tuberculose et elle est morte trois ans plus tard. Mon père était un comédien raté, un ivrogne et un joueur invétéré. Il ne possédait pas une seule qualité susceptible de le racheter un tant soit peu. Le sang qui coule dans mes veines est mauvais. Votre famille mérite mieux. Vous devez songer à la lignée que vous représentez et...

— Enfin, Grenville, écoutez-vous. Vous êtes encore plus snob que Dain. Mon sang ? Ma lignée ? Où est passée Mlle Liberté-Égalité-Fraternité ? Où est passée mon ogresse ?

— Je ne suis pas une ogresse, répliqua-t-elle. Je suis juste une journaliste de la plèbe qui a mauvais caractère.

— Bon, je vois que vous n'êtes pas d'humeur à écouter la voix de la raison. Il va falloir régler le problème de manière plus musclée.

Il se débarrassa de sa veste, de sa cravate, et de son gilet, enleva ses chaussures. Puis se planta devant elle, poings levés, en position de combat.

Elle le dévisagea avec stupeur.

— Frappez-moi, ordonna-t-il. Vous avez droit à trois tentatives. Si vous me ratez, ce sera mon tour.

— De me frapper ?

Il se redressa à demi avec un soupir.

— Grenville, si je vous donnais un coup de poing, vous tomberiez raide morte. Et je ne vois pas ce que j'y gagnerais. Réfléchissez un peu. Si vous me ratez, j'aurai droit à trois tentatives pour vous faire basculer dans le lit, pantelante de désir.

Il reprit la position. Une petite lueur s'était allumée dans les yeux de Grenville qui répliqua avec irritation :

— Vous n'avez pas écouté un mot de ce que je viens de vous dire. Cessez un instant de penser avec vos génitoires, et songez à votre avenir, à vos ancêtres, à votre rang...

Il secoua la tête.

— Désolé. Pas assez civilisé. En place, Grenville. Ça ne vous démange pas de me coller votre poing dans le menton ? Ou sur le nez ? Bon, vous n'avez aucune chance, mais ça devrait être amusant de vous voir essayer…

Elle le fusilla du regard. Il se mit à danser d'un pied sur l'autre et à boxer dans le vide.

— Alors, qu'est-ce que vous attendez ? Vous avez peur ? C'est l'occasion ou jamais de me faire les deux yeux au beurre noir. Vinegar yard, vous vous souvenez ? Ce n'était qu'une menace en l'air ? À moins que vous ne vous soyez abîmé la main, ma fleur délicate.

Le poing de Grenville jaillit brusquement et fendit l'air en direction de ses parties intimes. Il eut juste le temps de bondir en arrière.

— Pas là, Grenville ! s'indigna-t-il. Pensez à nos futurs enfants.

Elle recula et, paupières plissées, le jaugea, cherchant un point faible dans sa défense.

— Vous n'avez pas spécifié qu'il fallait jouer franc jeu, objecta-t-elle.

— Certes, si vous n'utilisez pas la ruse, c'est l'échec assuré, se moqua-t-il.

Elle leva les bras à son tour, mais pas dans la position d'un boxeur, et se mit à osciller tel un cobra se préparant à frapper. Son chignon commençait à se défaire et de longues mèches blondes se répandaient sur ses épaules. Le spectacle était charmant. Il avait hâte d'enfouir les doigts dans sa somptueuse chevelure. Mais pour l'heure il devait rester concentré. Nul doute qu'elle avait dans sa musette tout un tas de coups aussi tordus qu'imprévisibles. Et elle était sacrément vive.

Il attendit, conscient qu'elle jouait avec ses nerfs. Elle espérait une ouverture. Il fut averti une fraction de seconde avant l'attaque, par un infime coup d'œil qu'elle lança en direction du sol. Sa jupe se souleva tandis que son pied s'élevait en direction de son abdomen. Il pivota au même instant et, ratant son but, elle perdit l'équilibre.

Il la rattrapa spontanément, la relâcha aussitôt, évitant de justesse le coup de coude qui visait son bas-ventre.

— Doux Jésus ! s'exclama-t-il, partagé entre l'ahurissement et l'admiration.

S'il avait été un tantinet moins vif, il se serait retrouvé à genoux en train de pousser un contre-ut.

Il se remit en position, sans oser baisser sa garde, alors qu'elle s'était déjà détournée en marmonnant un flot d'imprécations.

— Cela fait trois tentatives, Grenville. À moi.

Elle fit volte-face.

— Et si… *quand* vous raterez vos trois coups, que se passera-t-il ?

— Vous aurez de nouveau droit à trois essais. Et ainsi de suite, jusqu'à ce que l'un de nous deux gagne. Et le gagnant obtiendra ce qu'il voudra.

« Et soyez sûre que je m'arrangerai pour que vous le vouliez aussi », ajouta-t-il à part soi.

Elle croisa les bras sur sa poitrine.

— Très bien. Faites de votre pire.

Il la parcourut du regard, la jaugea comme elle l'avait fait l'instant d'avant. Puis il commença à tourner autour d'elle. Sans bouger d'un pouce, elle le suivit des yeux en tournant la tête, l'air méfiant.

Il s'immobilisa derrière elle, tout près.

De longues secondes s'écoulèrent dans un silence tendu. Puis il se pencha et, de ses lèvres entrouvertes, traça un chemin de son oreille à sa joue veloutée, tandis que ses doigts descendaient en l'effleurant le long de ses bras croisés qu'il écarta de son buste.

— Vous êtes si douce, chuchota-t-il. Aussi douce qu'un pétale de rose

— Ça fait un essai, annonça-t-elle d'une voix tremblée.

Il frotta sa joue contre la sienne. Ses mains glissèrent lentement sur le renflement de sa poitrine et vinrent se poser sur son ventre. Il l'attira contre lui, lui plaqua les fesses contre son érection.

Elle ferma les yeux, déglutit.

— Deux...

Il demeura ainsi, sa joue contre la sienne. Ses bras l'enlaçaient, l'enveloppaient de leur chaleur. Un long frisson la secoua, mais il ne bougeait toujours pas, même s'il avait un mal fou à se contenir.

Finalement ce fut elle qui remua, imperceptiblement, à la recherche d'un contact plus appuyé.

Il lui effleura le coin de la bouche de ses lèvres. Avec un gémissement, elle se laissa aller contre lui et tourna la tête afin de réclamer le baiser qu'il lui refusait encore. Il la taquina, lui butina la bouche de baisers aussi légers que des ailes de papillon.

— Ça fait trois, chuchota-t-il. À vous maintenant.

— Brute, siffla-t-elle. Vous savez bien que je ne peux pas lutter contre ce genre de fourberies !

Elle voulut lui faire face, mais il la retint.

— Ma chère ogresse, je voulais prendre mon temps parce que c'est votre première fois, bla-bla-bla. Mais vous risqueriez de trouver cela trop protecteur, pas vrai ? Vous n'avez pas peur et je remarque que vous savez exprimer vos désirs sans tourner autour du pot. Je serais donc malvenu de vous ménager.

Il lui entoura la taille de son bras gauche, tandis que, de la main droite, il lui déboutonnait son corsage. Une fois celui-ci ouvert, il le rabattit sur sa taille. Les manches glissèrent sur les poignets de la jeune femme, lui emprisonnant les bras. Il ôta encore une multitude d'agrafes, la libéra peu à peu, jusqu'à ce que la robe retombe en corolle à ses pieds dans un doux bruissement. Lui tenant la main, il l'aida à s'en dégager, puis, sans perdre de temps, il s'occupa de son corset, dénoua le lacet. Le carcan s'affaissa, il le jeta au loin.

Alors qu'il la soulevait pour l'emporter vers le lit, Lydia eut un petit sursaut, comme si elle se souvenait tout à coup qu'ils étaient censés s'affronter. Sans lui laisser le temps de le repousser, il la jeta sur le matelas et tomba sur elle. Puis, les mains plongées dans sa chevelure, il l'embrassa avec fougue.

Elle se débattit un peu pour la forme, capitula de bonne grâce.

— Il n'y aura pas d'annulation, gronda-t-il en libérant sa bouche un instant. Et pas d'autre homme. Jamais. Enfoncez-le-vous bien dans la tête !

— Espèce d'idiot, souffla-t-elle, et l'attrapant par le devant de sa chemise, elle l'attira à elle.

Elle prit sa revanche, le gratifia de baisers diaboliques. Il roula sur le dos, l'entraînant avec lui, sa bouche avide collée à la sienne, les jambes empêtrées dans son jupon. Ayant retroussé ce fatras de dentelle, il fit remonter sa main sur le bas qui gainait sa cuisse, dépassa la jarretière. Un grognement de plaisir lui échappa quand il atteignit sa peau nue.

Sa main remonta plus haut, sur l'arrondi de la fesse…

— Doux Jésus ! s'écria-t-il. Qu'avez-vous fait de votre culotte, espèce de gourgandine ?

— J'ai oublié d'en apporter.

— Vous avez… *oublié* ?

D'un seul coup, toute pensée rationnelle le déserta. Avec un grondement, il la fit basculer sur le dos. En quelques secondes fébriles il se débarrassa de ses propres vêtements, puis lui ôta chemise et jupon.

La pointe rose de ses seins se dressa, réclamant ses caresses, avant même qu'il ne referme les paumes sur leur rondeur. Il inclina la tête pour les goûter et, avec un petit cri, elle s'arqua contre lui, les mains crispées dans ses cheveux.

Il se redressa un instant pour la contempler. Dieu qu'elle était belle ! Sa poitrine était idéalement proportionnée, son ventre doux et blanc, ses jambes fuselées. Elle était faite pour lui, et il en eut la preuve quand ses doigts s'aventurèrent dans le buisson doré, à la jonction de ses cuisses.

Elle était déjà humide, sa diablesse ! Elle se cambra et gémit sous sa caresse intime.

Voilà, elle était à sa merci. Enfin !

Il avait prévu de faire durer cette première fois, de la rendre folle de plaisir. Il voulait la voir se tordre, l'entendre supplier. Il se l'était promis, et après l'enfer qu'elle venait de lui faire vivre, il trouvait son souhait légitime.

Mais la réponse passionnée de Lydia à ses caresses fit voler en éclats ses bonnes résolutions. Son orgueil de mâle n'était pas de taille à lutter contre le désir qui flambait dans ses veines. Cédant à l'instinct de possession, il lui écarta les jambes.

Il entra en elle… et elle cria.

13

Ce qu'il avait perçu comme un cri – sans doute était-il plus nerveux qu'il ne voulait l'admettre – n'était en fait qu'une exclamation de surprise.

Il se figea néanmoins. Ouvrant les yeux, Lydia découvrit son expression alarmée.

— Quoi ? J'ai fait quelque chose qu'il ne fallait pas ? s'inquiéta-t-elle, embarrassée.

— Je vous ai fait mal ?

De plus en plus mal à l'aise, Lydia secoua la tête.

— J'étais trop pressé, admit-il d'une voix rauque. Vous n'étiez pas prête.

— Non, c'est juste que... je ne savais trop à quoi m'attendre.

Elle changea de position, replia légèrement les genoux. Vere prit une brève inspiration et elle ne put retenir un petit cri stupéfait. Le sexe qui pulsait en elle, semblait animé d'une vie propre, et irradiait d'une chaleur intense.

L'expression d'Ainswood s'adoucit. Les muscles intimes de Lydia commençaient à se détendre et à accepter cette invasion inhabituelle. Elle n'avait pas vraiment mal. Au début, elle avait éprouvé une sensation d'inconfort, comme une brûlure, mais cela s'était déjà beaucoup atténué.

— Je suis si bête, murmura-t-elle, confuse. J'ai cru… que quelque chose clochait chez moi, que vous n'arriviez pas à…

— Votre corps est parfait, l'interrompit-il.

Il bougea en elle. Elle retint son souffle, ferma les yeux, puis avoua :

— Je ne sais pas quoi faire. Je me sens stupide !

Il la fit taire d'un baiser.

Elle prit son visage entre ses mains. Elle le désirait, de cela elle était sûre. Elle voulait se fondre en lui, partager sa chaleur, son odeur. Elle avait déjà appris à ne plus penser pour s'abandonner entièrement aux sensations. Et en cet instant, alors qu'il faisait partie d'elle-même, une douleur sourde était en train de grandir dans sa poitrine, parce qu'elle était lucide, qu'elle savait quel genre d'homme il était et n'avait aucun espoir de le voir changer. Elle voulait plus que ce qu'il pourrait jamais lui donner.

Sa main s'était immiscée à l'endroit où leurs deux corps étaient joints pour la stimuler doucement. Tout à coup elle le sentit se retirer et protesta, les ongles enfoncés dans ses épaules. Sous ses paumes, les muscles noueux se tendirent. Alors il plongea de nouveau en elle, profondément, et une onde de plaisir indescriptible la parcourut.

— Oh, Seigneur ! souffla-t-elle.

Il recommença, et elle creusa d'instinct les reins pour le recevoir. Encore. Et encore. La sensation enflait, enflait…

Puis ce fut l'explosion, ravageuse, et tout son être parut se dissoudre. Cramponnée aux larges épaules de Vere que la transpiration rendait glissantes, elle poussa un cri rauque, quasi animal, puis retomba sur le lit, étourdie, à bout de souffle, mais vibrant de la tête aux pieds d'une joie indescriptible.

Peu à peu, celle-ci laissa la place à une impression cotonneuse. Stupéfaite, Lydia découvrit qu'elle ne pouvait articuler un mot. C'était comme si son cerveau avait disparu.

Finalement, elle se força à ouvrir les yeux, et surprit Ainswood en train de la dévisager. Il cilla, détourna vivement la tête, puis se dégagea avec précaution avant de rouler sur le dos, les yeux rivés au plafond.

Elle demeura silencieuse, se disant que c'était ridicule de se sentir délaissée. « Les femmes, lui avait dit Helena, il les utilise et les jette dans la foulée. » Ce n'était pas personnel. Il était ainsi.

Mais au bout de longues minutes, elle n'y tint plus

— Ce n'est pas ma faute ! explosa-t-elle en se tournant sur le flanc. C'est vous qui avez voulu vous marier. Vous auriez pu vous contenter de coucher avec moi. J'étais d'accord. Vous avez eu plusieurs fois l'occasion de changer d'avis, alors ce n'est pas la peine de bouder.

Il se hissa sur le coude sans mot dire, glissa la main derrière sa tête pour l'attirer à lui et l'embrassa. Âprement. Et cela suffit à lui faire comprendre qu'elle s'était trompée. Ce n'était pas parce que son désir était – momentanément – assouvi qu'il allait la rejeter.

Soulagée, elle s'abandonna. Finalement, il libéra sa bouche et laissa sa main se promener sur son corps en une caresse nonchalante.

— Si vous avez des regrets, je suppose que vous êtes trop têtu pour l'admettre, lâcha-t-elle.

— C'est vous qui avez raconté toutes ces bêtises à propos de vos origines, contra-t-il. Vous qui avez cherché à échapper à ce mariage.

Que répondre à cela ?

— Il va falloir que je me fasse à l'idée que je suis une femme mariée, soupira-t-elle, amadouée. Heureusement j'ai une grande faculté d'adaptation. Et au moins, pour ce qui est de l'aspect physique du mariage, je n'ai pas à me plaindre. Pour le moment.

Elle vit son expression se détendre et ses lèvres s'incurver dans un sourire qu'elle ne lui connaissait pas. Un sourire désarmant, juvénile, un sourire qui, comme le disait Helena, aurait pu faire fleurir la banquise.

Ce sourire répandit en elle une douce chaleur. Les battements de son cœur, qui avaient retrouvé un rythme normal, s'affolèrent de nouveau. Et elle sentit sa cervelle se ramollir, prête à gober n'importe quoi.

Le sourire d'Ainswood s'élargit.

— Vous savez quoi, Grenville ? Je crois que vous êtes folle de moi.

— Brillante déduction. Pensez-vous que je vous aurais épousé si j'avais eu toute ma tête ?

— Êtes-vous amoureuse de moi ?

— *Amoureuse ?* répéta-t-elle, incrédule.

Elle était écrivain, les mots, c'était son quotidien. « Être fou de quelqu'un » et « être amoureux » n'étaient pas synonymes.

— Dans le fossé, vous avez dit que vous vous étiez attachée à moi.

— Je suis très attachée à Brigitte, rétorqua-t-elle d'un ton docte. Je lui reconnais des qualités d'intelligence et d'humour, et je serais désolée qu'il lui arrive malheur. Faut-il en conclure que je suis amoureuse d'elle ?

— Je vous ferai remarquer que c'est un *chien*.

— Même si je laisse de côté ma conviction profonde, basée sur une solide expérience personnelle, que le cerveau masculin fonctionne à peu près de la même manière que celui d'un caniche…

— Vous avez de tels préjugés contre les hommes, la réprimanda-t-il sans cesser de sourire.

— L'amour implique le cœur et l'esprit, poursuivit-elle. L'âme, si vous préférez. Quand on est « fou » de quelqu'un, la perception rationnelle qu'on a de la réalité est justement altérée par cette obsession, un peu comme quand on a abusé du vin. Et de fait…

— Vous êtes tout à fait adorable lorsque vous êtes pédante.

— … l'engouement pour quelqu'un et l'ivresse sont des états similaires, s'obstina-t-elle. Qui conduisent souvent à commettre de grossières erreurs de jugement.

— Mais peut-être est-ce la combinaison « pédante » *et* « nue ».

Il laissa glisser son regard sur elle, de son visage à ses pieds, et elle ne put s'empêcher de crisper les orteils. Elle retint un soupir. Il était déjà incapable d'écouter une femme vêtue de pied en cap, il ne fallait pas s'attendre qu'il se concentre sur le propos d'une femme nue comme un ver.

Toutefois il y avait de l'admiration dans son regard, et elle était assez femme pour se sentir flattée. Elle lui rendit son sourire, puis se détourna pour quitter le lit.

Elle ne vit pas le sourire d'Ainswood s'effacer et son expression s'assombrir.

— Où allez-vous, Grenville ?

— Me laver, répondit-elle en contournant le paravent de bois derrière lequel se trouvait la table de toilette.

Elle savait qu'elle portait sa semence en elle. Elle lui avait pourtant dit qu'elle n'était pas la génitrice idéale, mais il s'en moquait, comme du reste. Il se fichait d'engendrer une nichée de marmots tarés autant que de saccager sa vie si par malheur elle commettait l'imprudence de tomber amoureuse de lui.

Le silence retomba dans la chambre, seulement troublé par le clapotis de l'eau dans la cuvette.

Au bout d'un moment, il demanda :

— Grenville, c'est quoi ce triangle ?

— Pardon ?

— Sur votre fesse droite.

— Oh, ça ? C'est une tache de naissance. Je sais que cela ressemble à un tatouage, mais je vous promets que ce n'en est pas un.

Ayant terminé ses ablutions, elle sortit de derrière le paravent… et faillit se cogner contre son large torse.

— Tournez-vous.

Sa voix était douce, son expression indéchiffrable. Elle leva les yeux au plafond.

— Savez-vous que vous êtes encore plus pénible au saut du lit que d'ordinaire, Ainswood ?

— S'il vous plaît.

Maugréant qu'elle n'était pas une bête curieuse, elle obtempéra néanmoins.

— C'est bien ce que je pensais, murmura-t-il. Savez-vous de quoi il s'agit ?

— Je viens de vous le dire, une tache de naissance. Il n'y a pas de quoi en faire une histoire. À moins que vous n'ayez une aversion pour…

— Non, pas du tout. Vous êtes belle. Et votre croupe est… très appétissante, assura-t-il en lui caressant la joue. Cette tache ne vous évoque rien de particulier, n'est-ce pas ?

— Elle devrait ? fit-elle, soudain inquiète.

— Non. Ne faites pas attention, dit-il en pivotant pour s'approcher du lit. Je vais le tuer, c'est tout.

— Quoi ?

Il attrapa sa robe de chambre, l'enfila et noua la ceinture d'un geste brusque. Puis, sous le regard médusé de Lydia, il quitta la chambre au pas de charge.

— Des crocodiles à Bornéo, marmonna-t-il. Ah, il va m'entendre ! Et pendant tout ce temps Trent essayait de me dire…

— Ainswood ? fit la voix de sa femme dans son dos.

Il s'immobilisa et se tourna. Elle se tenait sur le seuil de leur chambre, le regard interrogateur.

— Retournez vous coucher. Il s'agit d'une affaire que je dois régler sans délai, dit-il d'un ton bref, avant de reprendre son chemin.

Il s'en alla tambouriner à la porte de la chambre de Dain.

— Eh, lord Je-sais-tout ! Les marais de Bornéo, hein ? Vraiment très drôle. Hilar…

Le battant s'ouvrit et la silhouette de deux mètres de son prétendu ami à demi italien apparut dans l'encadrement. Belzébuth eut un sourire goguenard.

— Ah, Ainswood. Tu es venu demander conseil, finalement ?

Ce sourire. Le même. Comment avait-il pu passer à côté ?

— Espèce de salopard ! Tu savais depuis le début !

Le regard de Dain glissa sur la gauche. Vere pivota légèrement et constata que sa femme l'avait suivi. Vêtue d'un simple déshabillé, pieds nus, elle avait croisé les bras et ne semblait pas avoir l'intention de s'en aller.

À son tour, lady Dain apparut au côté de son époux.

— Laissez-moi deviner, dit-elle à Dain. Vous n'avez rien dit à Ainswood alors que vous m'aviez promis…

— Bon sang, est-ce que tout le monde est au courant ? explosa Vere. Va au diable, Dain ! Je ne suis pas contre une blague de temps en temps, mais tu aurais pu songer à ménager ses sentiments à *elle*. La pauvre fille…

— J'espère que vous ne parlez pas de moi, coupa Grenville d'un ton glacial. Je ne sais pas quelle mouche vous pique, Ainswood, mais…

— Ah, vous ne savez pas ? fit Dain. Le marié pique sa crise et quitte la chambre sans daigner vous fournir d'explication. C'est typique, malheureusement. Ainswood a une lamentable tendance à bondir d'abord et à réfléchir ensuite. C'est parce qu'il ne peut pas avoir plus d'une idée à la fois, le pauvre.

— En l'occurrence, c'est l'hôpital qui se moque de la charité, commenta lady Dain.

— Jessica, allez vous coucher.

— Sûrement pas. Je meurs d'envie de savoir comment Ainswood a découvert le pot aux roses.

— Oh, c'était très dur ! railla Dain. Sellowby et moi n'avons cessé de faire des allusions, et Trent nous a tous rendus fous à force de parler de Charles II, du comte de Blackmoor et de ses boucles blondes.

Grenville prit une brève inspiration et Dain reporta son attention sur elle.

— Vous ressemblez beaucoup à mon charmant ancêtre, duchesse. Si Trent avait vu également le portrait de mon père, il serait sans doute parvenu plus vite à la conclusion logique. Mais il se trouve que le jour où il a visité la galerie, ce tableau, qui avait été endommagé par mon fils Dominick, était en réparation. Si Trent l'avait vu, il aurait constaté que vous ressemblez comme deux gouttes d'eau à feu mon père tant honni… ma cousine.

En temps normal, Bertie dormait d'un sommeil si profond que même un tir de canon n'aurait pu le réveiller. Mais cette nuit-là, son repos fut troublé par des rêves échevelés dans lesquels des crocodiles tentaient de croquer les pieds de charmantes créatures à lunettes, lesquelles fuyaient devant des hordes de cavaliers aux boucles blondes et au sourire salace…

L'agitation qui régnait dans le couloir finit donc par pénétrer sa conscience. Il se redressa en sursaut, puis, ayant enfilé son peignoir et ses pantoufles, sortit de la chambre au moment où Dain prononçait sa dernière phrase.

Bertie n'avait pas eu le temps de digérer ces stupéfiantes informations qu'Ainswood et son épouse s'engouffraient dans la chambre de Dain et que la porte claquait.

Dépité, il s'apprêtait à regagner sa chambre pour réfléchir à la conversation qu'il venait de surprendre, quand il remarqua une frêle silhouette blanche à l'angle de l'escalier.

Une manche ornée de fanfreluches glissa le long d'un bras et une petite main lui fit signe d'approcher.

Après une hésitation, Bertie obtempéra.

— Que s'est-il passé ? s'enquit Mlle Price, tout excitée, le visage encadré par un bonnet de nuit ridicule.

— Je n'en suis pas bien sûr, je n'ai entendu que la fin. Mais on dirait que j'étais sur la bonne piste, même si je cherchais dans la mauvaise direction. Celui que j'ai pris pour le comte de Blackmoor était en réalité le père de Dain. Enfin, je crois. Et il y avait deux tableaux. Seigneur, tout cela est très embrouillé ! Et mon beau-frère prétend que la duchesse est sa cousine. Je n'y comprends rien. Je pensais qu'elle était sa sœur. Enfin, sa demi-sœur... si vous voyez ce que je veux dire.

Mlle Price le dévisagea avec perplexité avant d'articuler :

— Vous pensiez que le père de lord Dain... était aussi celui de Mlle Grenville ? Qu'elle était sa... fille illégitime ?

— Maintenant ils se sont tous enfermés dans la chambre, ajouta Bertie. Qu'en pensez-vous ? Si Dain a identifié la duchesse comme sa cousine, pourquoi ne l'a-t-il pas dit plus tôt ? Se pourrait-il qu'il ait voulu faire une blague ?

Pensive, Mlle Price regarda la porte de la chambre et murmura :

— Maintenant que vous en parlez... Quand nous sommes arrivés à l'auberge et que le marquis est sorti dans la cour... j'ai cru être victime d'une hallucination.

Ce regard incroyable, cette expression résolue... C'est vrai qu'il y a des similitudes.

Elle reporta son attention sur Bertie.

— Ce serait vraiment une conclusion merveilleuse à cette journée hors du commun, vous ne trouvez pas, s'il s'avérait que Mlle... enfin, que la duchesse est une parente du meilleur ami de son mari ? Je croyais qu'elle était seule au monde, mais en réalité, c'est son cousin qui l'a menée à l'autel, articula Mlle Price qui cilla pour retenir ses larmes. C'était une attention généreuse de la part du marquis, mais la duchesse le mérite, vous savez. C'est la personne la plus gentille, la plus gé... généreuse...

Sa voix se fêla.

— Oh, Seigneur ! bredouilla Bertie, alarmé.

Confuse, Mlle Price tira un mouchoir de sa poche et se tamponna les yeux à la hâte.

— Je vous demande pardon, c'est juste que je suis si heureuse pour elle et... soulagée.

Bertie aussi était soulagé que les grandes eaux soient contenues.

— Eh bien, hum... comme vous venez de le dire, la journée a été bien remplie et vous avez sûrement besoin de repos. Sans compter que ce couloir est plein de courants d'air et que vous allez attraper la mort à vous promener ainsi, en... petite tenue. Et ce n'est pas très prudent. Vous pourriez tomber sur un de ces ivrognes qui ont vidé la cave de l'aubergiste. Vous voir comme ça pourrait... comment dire... leur mettre des idées en tête.

Un rire doux échappa à Mlle Price.

— Oh, sir Bertram, vous êtes si drôle ! Leur mettre des idées en tête, vraiment. Je ne suis pas en « petite tenue », pouffa-t-elle en indiquant sa robe de chambre à manches longues boutonnée jusqu'au cou, dont les nombreux volants et ruchés dissimulaient presque entièrement son corps.

L'argument ne convainquit guère Bertie. Les yeux bruns de Mlle Price pétillaient, elle riait comme s'il était l'homme le plus amusant du monde, et ses joues étaient toute roses. Elle était vraiment ravissante, adorable, et…

Se rendant compte que c'était lui qui commençait à avoir de drôles d'idées en tête, il se dit qu'il était grand temps de réintégrer sa chambre.

Mais pour une raison inconnue, il prit la mauvaise direction et se retrouva avec tous ces volants et ruchés entre les bras, tandis qu'une bouche tiède frémissait sous la sienne et que des lampions colorés se mettaient à danser dans sa tête.

Au même moment, Lydia était fortement tentée de boxer son cousin qui s'était bien moqué d'elle.

— Dain pourrait vous parler de l'histoire de la famille durant des semaines, expliquait lady Dain. Il prétend que tout cela l'ennuie au plus haut point, mais en réalité, c'est son sujet favori.

Les deux femmes étaient assises près du feu, une coupe de champagne à la main.

— Je ne peux pas vraiment y échapper, se défendit Dain. J'ai des cartons entiers de livres, de registres et d'archives. Les Ballister ne jettent jamais rien qui ait un tant soit peu de valeur historique. Même mon père n'a pu se résoudre à effacer les traces de votre mère, lady Ainswood. Toutefois, Jessica et moi n'aurions jamais eu l'idée d'aller fouiller là-dedans si Sellowby n'avait excité notre curiosité. Il vous a vue le jour de notre mariage et a tout de suite noté la ressemblance avec mon père et mes aïeux. Il n'en a cependant pas fait mention avant l'épisode avec Ainswood à Vinegar Yard.

— Dire que je me suis donné un mal fou pour l'éviter ! s'exclama Lydia.

— C'est donc pour cela que vous avez préféré grimper à la gouttière de votre amie Helena plutôt que de passer par la porte ? intervint Ainswood, quelque peu incrédule.

— Je ne voulais pas qu'on fouille dans mon passé, dit-elle en guise de réponse.

À en juger par les regards braqués sur elle, on attendait de sa part des explications plus fournies, mais elle n'avait pas envie d'en dire davantage. Ceux qui connaissaient les circonstances de la fuite de sa mère et ses conséquences sordides étaient morts depuis longtemps. Anne Ballister appartenait à une branche mineure de l'arbre généalogique. Pour la haute société, Lydia n'était personne avant de devenir duchesse. Et elle ne voulait surtout pas que l'inconduite de sa mère fasse l'objet de commérages.

— La nouvelle va pourtant se savoir, objecta Ainswood. Je suis déjà stupéfait que Sellowby ait tenu sa langue si longtemps. Ce type est une vraie commère.

— Il ignore les détails, intervint Dain. Grenville est un nom commun. Il suffit de dire que les parents de Lydia se sont brouillés avec la famille et qu'ils ont disparu du jour au lendemain, si bien que personne ne savait qu'ils avaient eu une fille.

— J'aimerais bien qu'on éclaircisse ma lanterne sur un point, dit lady Dain à Lydia. Nous ne savons toujours pas comment Sa Grâce a compris qui vous étiez.

— Il a eu une fulgurance en voyant ma tache de naissance.

Lady Dain leva les yeux sur son mari qui s'était figé.

— Ce n'est pas possible, lâcha celui-ci.

— C'est aussi ce que je me suis dit, opina Ainswood. Je n'en croyais pas mes yeux.

— Tu es sûr ? souffla Dain.

— Je reconnaîtrais cette tache à trois lieues. Tu m'as dit toi-même au collège que « la marque des Ballister » était la preuve indubitable que ta mère n'avait pas folâtré avec un autre homme que ton père. Et quand Charity Graves a commencé à te harceler à cause de Dominick, je me suis rendu en personne à Athton pour vérifier qu'il était bien de toi, et non de moi. Et la même tache triangulaire était là, au même endroit.

— J'ignorais que ma cousine avait cette tache, se défendit Dain sous le regard accusateur d'Ainswood. Je croyais qu'elle ne se transmettait qu'aux rejetons mâles, et par les hommes. Dommage que mon père ne l'ait pas su, ajouta-t-il avec un faible sourire. L'insigne sacré des Ballister apposé sur la croupe d'une femme – pardon Lydia – fruit de l'union entre un roturier et sa sœur honnie, pour laquelle il n'a pas levé le petit doigt quand elle a été chassée de la famille. Il en aurait eu une attaque et j'aurais été un orphelin ravi de l'être.

Il se tourna vers le duc.

— Bon, tu as fini de te mettre martel en tête à cause de ma petite plaisanterie ? À moins que tu ne supportes pas l'idée de m'être apparenté ? Si tu ne veux pas d'une Ballister comme épouse, nous nous ferons un plaisir de la recueillir, Jessica et moi.

— Tu peux toujours rêver !

Ainswood vida sa coupe de champagne et la posa sur la table :

— Je n'ai pas enduré cinq semaines d'épreuves épouvantables pour te l'abandonner maintenant. Quant à vous, Grenville, j'aimerais savoir pourquoi vous n'avez pas déjà collé votre main sur la figure de ce goujat ? Dire que vous vous estimiez de trop basse extraction pour m'épouser ! Je trouve que vous prenez cette plaisanterie bien calmement.

— Je peux encaisser une plaisanterie. Je vous ai épousé, non ?

À son tour, elle posa son verre et se leva.

— Nous n'allons pas déranger lady Dain plus longtemps. Les futures mères ont besoin de repos.

— Nous avons eu à peine le temps de parler, regretta cette dernière. Non pas qu'on puisse espérer avoir une conversation intelligente quand deux mâles sont dans les parages. Pourquoi ne rentreriez-vous pas avec nous à Athcourt demain ?

— Bonne idée, opina Dain. Après tout, c'est la demeure ancestrale de la famille.

— Moi aussi, j'ai une demeure ancestrale, rappela Ainswood en posant un bras autour des épaules de Lydia. Elle n'est que ta cousine, Dain, et désormais c'est une Mallory, pas une Ballister, quoi qu'en dise cette marque…

— Une autre fois peut-être, intervint Lydia d'un ton accommodant. Ainswood et moi avons à discuter de beaucoup de choses. Et puis, j'ai des articles en souffrance pour l'*Argos*…

— Comme vous dites, coupa Vere, nous avons à discuter de beaucoup de choses.

Ils prirent congé et regagnaient leur chambre quand lady Dain les appela. Elle courut jusqu'à eux dans le couloir, glissa un petit paquet rectangulaire entre les mains de Lydia, puis, l'ayant embrassée sur la joue, rejoignit son mari.

Lydia attendit qu'ils soient dans leur chambre pour ouvrir le paquet.

Un petit sanglot lui échappa.

— Grenville, qu'est-ce que…

— C'est le journal intime de ma mère. Ils me l'ont… rendu, hoqueta-t-elle.

Ainswood l'entoura de ses bras et elle pressa le visage contre son torse musclé.

Et en dépit de son mépris proclamé pour l'hystérie, les crises de nerf et la sensiblerie, elle fondit en larmes.

14

Journal d'Anne Ballister

J'ai dix-neuf ans ! J'ai peine à le croire. J'ai l'impression que vingt ans et non vingt mois se sont écoulés depuis que je me suis enfuie de chez mon père. Se souvient-il que c'est mon anniversaire ? Son cousin lord Dain et lui ont effacé toute trace de mon existence, mais les souvenirs ne se rayent pas comme on raye un nom dans la Bible familiale. Il est facile de décider de ne plus mentionner sa fille, mais la mémoire ne se soumet à aucune volonté, même celle d'un Ballister ; le nom et l'image d'une personne perdurent longtemps après sa mort, au sens littéral ou figuré.

Oui, je suis vivante, père. Et je me porte bien, même si j'ai failli monter au ciel comme vous le souhaitiez à la naissance de ma petite fille. Je n'avais pas de médecin accoucheur renommé pour me guider pendant le travail, juste une jeune femme à peine plus âgée que moi, mais déjà mère de trois enfants et enceinte. Lorsque l'heure viendra, je serai heureuse de lui rendre la pareille et de jouer les sages-femmes auprès d'elle.

C'est miracle que j'aie survécu à la fièvre puerpérale, ont assuré les matrones du quartier. Mais moi, je sais que je le dois à ma volonté. Je ne pouvais pas plier devant la mort et abandonner ma fille au gredin égoïste que j'ai épousé.

John doit regretter, je n'en doute pas, que Lydia et moi ayons survécu à l'accouchement. Il a été contraint de prendre les rôles qui se présentaient, et je me suis arrangée pour que l'argent qu'il gagnait me soit versé directement. Sinon il aurait tout dépensé en vin, en femmes et au jeu, et ma Lydia serait morte de faim. Il se plaint que je lui empoisonne la vie et se mord les doigts de m'avoir séduite. Et moi, j'ai tellement honte qu'il y soit parvenu ! J'ai été si bête ! Mais j'avais mené jusqu'alors une vie très protégée et j'étais incroyablement naïve et vulnérable ; la proie idéale pour un homme séduisant et dénué de scrupules tel que John Grenville. Comment aurais-je pu savoir que ses paroles mielleuses et ses déclarations enflammées n'étaient que pure comédie ?

Lui-même n'a vu en moi que le moyen d'obtenir une existence privilégiée. Il pensait connaître la noblesse parce qu'il a joué les hobereaux sur scène. Il n'a pas cru un instant que mon père m'avait reniée pour de bon, il était convaincu que ma famille l'accepterait. Lui qui, en plus d'être un homme du commun, se commettait sur les planches ! Quand j'y songe, c'était risible.

Pour ma part, j'aurais vécu heureuse dans une chaumière, dès lors que nous nous aimions et faisions ensemble des efforts pour améliorer notre quotidien. Mais faire des efforts n'est pas dans sa nature. Et, hélas, je n'ai aucune compétence monnayable ! Parfois mes voisins me payent pour rédiger des lettres, car la plupart savent tout juste signer leur nom. Je fais aussi quelques travaux de couture. Mais je ne suis pas une experte, loin de là, et pour ce qui est de notre pain quotidien, je dépends entièrement de John.

Je vais m'arrêter là, car je constate que je ne fais rien d'autre que me plaindre. J'entends ma Lydia qui se réveille de sa sieste. J'aurais dû parler d'elle, plutôt que de me lamenter sur mon sort. Elle est si belle, si intelligente, elle a si bon caractère ! Je serais vraiment malvenue de me plaindre quand j'ai la chance d'avoir une fille aussi merveilleuse.

Ne pleure pas, ma chérie, maman arrive.

Lydia s'interrompit ; sa voix chevrotait d'émotion.

Ainswood avait empilé des oreillers derrière son dos, et il avait approché une petite table avec plusieurs chandelles afin qu'elle y voie plus clair.

Elle n'avait pas eu l'intention de lire à voix haute, mais au bout d'un moment les mots étaient sortis spontanément de sa bouche, comme si c'était sa mère elle-même qui les prononçait, avec son intonation et son phrasé si particuliers.

Tout à son immersion dans le passé, Lydia avait complètement oublié Ainswood, jusqu'à ce qu'elle parvienne à la fin du passage.

Ne pleure pas ma chérie, maman arrive.

Sa mère avait toujours été là pour elle. Elle avait éprouvé pour sa fille le même amour farouche et immuable que Marie Bartles pour son petit Jemmy. Et jusqu'à ses dix ans, Lydia avait vécu dans ce cocon douillet, le plus sécurisant de tous : l'amour d'une mère.

La gorge douloureuse, elle ferma les yeux.

Elle entendit le duc se déplacer dans la pièce, puis le matelas s'affaissa comme il s'installait à côté d'elle.

— Quelle horrible nuit de noces vous passez, souffla-t-elle. Être obligé de m'écouter radoter…

— Vous avez le droit d'être humaine, de temps à autre. À moins que les Ballister n'aient un principe qui l'interdise ?

Il glissa un bras musclé dans son dos pour l'attirer contre lui. Ce n'était peut-être pas le plus sûr des cocons, mais pour le moment elle ne voyait pas pourquoi elle n'aurait pas feint de le croire.

— Elle m'aimait, murmura-t-elle, les yeux fixés sur la page.

— Bien sûr. Vous pouvez être adorable, à votre façon. Et puis, votre mère était une Ballister, elle savait apprécier les fortes personnalités. Tout comme Dain. J'ai même l'impression qu'il vous trouve normale, ce qui est un comble.

Elle sourit à travers ses larmes.

— Mais je *suis* normale ! Enfin, pas tout à fait, puisqu'il est écrit là que je suis une vraie merveille.

— Alors pourquoi ne continuez-vous pas à lire ? suggéra-t-il avec douceur.

La tête appuyée contre son épaule, elle poursuivit sa lecture.

La lumière grise de l'aube commençait à s'infiltrer dans la pièce quand Grenville referma finalement le journal et rendit ses oreillers à Vere avant de se pelotonner entre les draps. Elle ne se tourna pas vers lui, mais ne protesta pas lorsqu'il l'enlaça et se plaqua contre elle.

L'instant d'après, elle dormait profondément.

Bien qu'il ait l'habitude de se coucher à une heure où les citoyens respectables se réveillent – à moins qu'ils ne vaquent depuis déjà longtemps à leurs occupations –, Vere ressentait la fatigue plus lourdement que d'ordinaire. Son corps et son esprit avaient beau être accoutumés aux excès, la journée de la veille et la nuit qui avait suivi avaient été éprouvantes.

Il avait l'impression d'être à la fois le capitaine et l'équipage d'un navire drossé sur les récifs après avoir essuyé une tempête.

Sans doute serait-il parvenu à rentrer à bon port sans ce petit journal dont le contenu lui apparaissait maintenant comme ces maudits récifs sur lesquels il s'était échoué.

À plusieurs reprises, tandis que sa femme lisait, il avait dû se faire violence pour ne pas lui arracher le livre des mains et le jeter au feu.

C'était horrible d'entendre comment Anne Grenville avait lutté, avec un courage sans faille et un humour déroutant, pour échapper à l'enfer qu'était son existence. Aucune femme n'aurait dû avoir à mener un tel combat. Aucune femme n'aurait dû avoir une vie aussi dure.

Elle avait vécu au jour le jour, craignant de ne pouvoir payer son loyer, redoutant d'être jetée à la rue, ne sachant pas s'ils auraient de quoi manger le lendemain. Et pourtant elle plaisantait sur les privations, sur ses angoisses, et décrivait le comportement indigne de son époux à travers de petites anecdotes satiriques pleines d'esprit, comme pour mieux se moquer du destin qui l'avait tant brutalisée.

Ce n'est qu'à la toute fin qu'elle s'était laissée aller à supplier, et encore, pas pour elle. Et ces dernières lignes, à peine lisibles, écrites quelques jours avant sa mort, restaient gravées en lettres de feu dans la mémoire de Vere : « Notre Père qui êtes aux cieux, je Vous en prie, veillez sur mes filles. »

Il avait essayé de chasser ce récit de son esprit, de l'oublier, comme chaque fois que quelque chose le contrariait. En vain. Les paroles de cette femme, disparue dix-huit ans plus tôt, étaient imprimées en lui. Depuis, il avait l'impression d'être le pire des lâches et des inutiles, incapable qu'il était de faire face à la réalité qui s'était imposée à lui durant sa nuit de noces.

Il avait sauté sur l'occasion de se disputer avec Dain pour ne pas affronter cette vérité, comme si c'était la chose la plus terrible du monde. Ce qui n'était pas le cas. Mais il avait été pris à son propre jeu.

Il avait désiré Grenville plus que nulle autre femme. Comment s'étonner dans ces circonstances qu'une fois au lit avec elle il ait vécu une expérience totalement inédite ?

Avec les autres, il avait simplement copulé.

Avec sa femme, il avait fait l'amour.

Elle était journaliste. À sa place, elle aurait sans doute trouvé des tas de métaphores pour décrire ces instants incroyables. Lui n'était qu'un libertin, et c'est son expérience qui lui disait que, cette fois, son cœur était impliqué.

« Êtes-vous amoureuse ? » lui avait-il demandé d'un ton léger, comme s'il s'agissait d'une boutade. Et lorsqu'il n'avait pas reçu la réponse espérée, il avait dû continuer à sourire et à plaisanter en dépit de la douleur qui lui broyait la poitrine.

Car il avait été terriblement *blessé*, c'était le terme.

Parce qu'il l'aimait.

Ce n'était rien comparé à ce qu'Anne Grenville avait supporté, sans compter qu'il ne connaissait qu'une partie de son histoire. Sans doute n'avait-elle pas couché par écrit ses pires blessures, ses pires terreurs, ni les instants les plus noirs de sa vie où le découragement s'abattait sur elle.

Il n'avait pas envie d'en apprendre davantage de crainte de se sentir encore plus futile et superficiel. Cependant il s'y sentait obligé. Pour Lydia. Il se garderait de l'interroger, puisqu'elle avait déclaré qu'elle ne souhaitait pas remuer le passé. Mais il demanderait à Dain.

Le moins qu'il puisse faire, celui-là, c'était de répondre à quelques questions !

Ayant pris cette décision, le duc Ainswood s'autorisa enfin à sombrer dans le sommeil.

Vere n'eut même pas à se mettre en quête de Dain. En début d'après-midi, pendant que les dames prenaient un petit déjeuner tardif, le marquis l'entraîna dans un petit salon où les clients de l'auberge qui n'aimaient pas la promiscuité de la grande salle pouvaient prendre leur repas en toute tranquillité.

— Jessica voulait absolument avoir un moment en tête à tête avec ma cousine, expliqua-t-il. Sans doute pour comparer leurs méthodes dans l'art de torturer un mari. De son côté, Trent a emmené Mlle Price à Portsmouth pour acheter je ne sais quelles babioles dont ta femme, paraît-il, ne saurait se passer. Ces deux-là nous accompagneront ensuite à Athcourt. Tu dois t'organiser pour accueillir ta femme chez toi, et tu n'auras pas envie d'avoir Trent dans les pattes. Personnellement, je n'en ai pas envie non plus, mais je ne pense pas être très embêté tant que Mlle Price sera dans les parages. S'il reste deux sous de bon sens à ce garçon, il tombera amoureux de la seule femme sur terre qui semble savoir quoi faire de lui.

Vere sursauta.

— Amoureux ? Tu en es sûr ?

— Pas du tout. Comment le saurais-je ? Il me paraît aussi nigaud que d'ordinaire, mais Jessica est catégorique. Elle dit qu'il fait les yeux doux à Mlle Price.

Ils s'attablèrent. Tandis que Dain s'interrogeait sur le montant du pécule qu'il accorderait à Mlle Price si elle voulait bien prendre Trent en pitié et l'épouser, Vere entendait le mot « amoureux » résonner dans son crâne et se demandait si lady Dain n'avait pas remarqué les mêmes symptômes chez lui.

— Je te trouve anormalement calme, s'étonna Dain au bout d'un moment. Cela fait cinq minutes que nous sommes ensemble et tu ne m'as pas adressé la moindre remarque hostile.

Un domestique entra pour prendre leurs commandes. Lorsqu'il s'en fut allé, Vere lâcha :

— Je veux que tu me dises tout ce que tu sais au sujet de Grenville.

— C'est justement ce que je me proposais de faire, figure-toi. J'avais l'intention de te battre comme plâtre, de te ranimer avec un seau d'eau et de jeter ton corps brisé sur cette chaise. Réduit à l'état d'éponge, tu aurais sans doute mieux absorbé cette histoire, et peut-être aussi deux ou trois conseils au passage.

— Intéressant. Je nourrissais à peu près les mêmes projets à ton sujet, au cas où tu déciderais d'être aussi pénible qu'à l'accoutumée.

— J'admets que je te suis redevable. Tu as fait de ma cousine une duchesse, tu lui as rendu la place qui lui revient dans le monde. Tu es allé jusqu'à l'épouser, et même si tes motivations n'étaient pas forcément très nobles, elles n'étaient pas non plus ignobles. J'ai été touché, vraiment, que tu ne tiennes pas compte de ses origines obscures. Et sidéré que tu fasses preuve de bon goût pour une fois ! C'est une magnifique jeune femme, pas vrai ? Il faut dire que les Ballister ont tous un physique avantageux. Elle tient de son grand-père maternel. Frederick Ballister et mon père se ressemblaient beaucoup au temps de leur jeunesse. Mais Frederick a attrapé la variole vers dix-huit ans et s'est retrouvé défiguré. Cela explique peut-être pourquoi Anne comparait plutôt sa fille à mon père. Pour le moment, en dépit de nos recherches, nous n'avons retrouvé aucun portrait d'elle, mais s'il en existe, tu peux être sûr que Jessica finira par mettre la main dessus. Quand il y a quelque chose à trouver, elle le trouve toujours.

Lady Dain avait, entre autres, découvert Dominick, le fils bâtard de Dain, et avait contraint son mari à le reconnaître. Cette pensée réveilla en Vere des images et des souvenirs tapis dans un recoin sombre de son esprit. Une sensation de vacuité l'envahit, qu'il préféra nommer « faim ».

— Que faut-il faire pour se faire servir une chope de bière dans cette auberge ? grommela-t-il, les yeux tournés vers la porte.

— Les employés sont débordés avec tout ce monde qui est venu pour la noce. Ils doivent être en train de ramasser les corps et le vomi dans la grande salle. Quand je suis descendu vers midi, il y avait des ivrognes endormis un peu partout. Ça m'a rappelé mon jeune temps à Oxford.

Le domestique réapparut, suivi d'un autre. Ils apportaient des plateaux lourdement chargés, l'appétit de Vere et de Dain étant à l'image de leur physique.

Ils entamèrent leur repas et Dain se lança dans un récit sans fioriture, les faits bruts se succédant dans l'ordre chronologique.

L'histoire n'en était pas moins aussi sordide que Vere s'y attendait. Et quand Dain en arriva à l'épisode de Marshalsea, Vere perdit tout appétit et repoussa son assiette.

— Elle m'a dit que sa sœur était morte, mais n'a évoqué ni la prison ni les dettes de son père.

— Les Ballister ne sont pas portés aux confidences. Quand je songe qu'elle était sur le parvis de l'église le jour de mon mariage et ne s'est pas fait connaître ! Que croyait-elle donc ? Que je lui reprocherais la conduite de sa mère ? Bon sang, ma propre mère a fichu le camp avec un armateur, et le marmot que j'ai eu avec la crème des putains de Dartmoor vit sous mon propre toit ! Mais elle m'a quand même pris pour un cul-bénit. C'est un peu fort, non ?

— Ne me demande pas, je n'ai pas la moindre idée de ce qui se passe dans sa tête.

— Je sais bien que ce n'est pas à cette partie de sa personne que tu t'intéresses. Tu ne l'as pas épousée pour son intelligence dans la mesure où tu n'imagines qu'une femme en possède. Mais, pardon de te détromper, Ainswood, les femmes *pensent*. Elles n'arrêtent pas. Et si tu ne veux pas te faire avoir à tout bout de champ, je te recommande vivement d'utiliser ta cervelle de limace pour tâcher de comprendre comment fonctionne celle de ta femme. Ce ne sera pas facile, je sais. Tu n'es pas fait pour fournir de gros efforts intellectuels. J'essaie donc de t'aider en te dévoilant une part de ma science. Les hommes doivent être solidaires entre eux.

— Alors poursuis ton histoire. Tu en étais à la mort de sa sœur.

Dain reprit son récit, mais il ne savait pas grand-chose de la vie de Grenville après que son père se fut embarqué pour l'Amérique. Elle avait ensuite vécu avec son grand-oncle et sa grand-tante. Son père était mort en 1816 de blessures consécutives à un tabassage en règle. Il avait voulu s'enfuir avec une riche héritière américaine, mais les frères de celle-ci les avaient poursuivis, et avaient appliqué leur propre justice à John Grenville.

Dain s'interrompit et vida les trois quarts de sa chope avant d'enchaîner :

— Je demanderai à Me Herriard de prendre rendez-vous avec ton notaire à Londres. Tu ne me refuseras pas cette revanche un peu tardive, j'espère. Histoire de contrarier davantage mon père qui doit rôtir en enfer, j'aimerais offrir une dot à Lydia. Je compte sur Herriard pour anesthésier ta fierté masculine avec des formalités, avenants et codicilles compliqués à souhait. Je sais que Lydia est capable de subvenir à ses besoins, mais elle ne verra pas d'objections, je pense, à mettre ses futurs enfants à l'abri du besoin.

— Si elle en voit, je la laisserai te faire la guerre à ce sujet.

Des enfants, il y en aurait bien sûr. Le geste de Dain n'avait rien d'inhabituel. Mais ce dernier ne pouvait deviner les angoisses et les doutes qui, en cet instant même, se bousculaient dans la tête de Vere au point de lui donner la nausée.

— Tu ne me laisseras pas sans munitions, j'espère. Je t'ai dit ce que je savais, à ton tour de satisfaire ma curiosité. Sellowby m'a donné sa version des faits, mais même lui ne sait pas tout alors qu'il était sur place. Qu'est-ce que c'est que cette histoire invraisemblable ? Vous seriez entrés chez Helena Martin en grimpant à la gouttière ?

— Ça risque de prendre du temps.

— Ce n'est pas grave, je vais recommander de la bière.

On rappela le domestique, les chopes furent remplies, et Vere dut tout raconter depuis Vinegar Yard. Bien entendu, il garda certains détails pour lui, et prit soin de se tourner en dérision. Il n'était pas le premier à foncer tête baissée dans le mariage sans savoir ce qui l'attendait. C'était un peu, ainsi que le résuma Dain, comme heurter une porte dans l'obscurité – il parlait d'expérience.

Étant lui-même concerné, Dain rit aux bourdes, bévues et cuisantes déconvenues essuyées par son ami, qu'il ne se priva pas de traiter d'« inénarrable crétin » et autres gracieusetés.

Les deux hommes n'avaient jamais cherché à se ménager, ils s'étaient toujours battus comme des chiffonniers et copieusement insultés. C'était leur façon de communiquer et d'exprimer leur affection. Aussi Vere ne tarda-t-il pas à se détendre. Et si son malaise ne se dissipa pas entièrement, il parvint toutefois à l'oublier le temps qu'il demeura dans le salon avec son ami.

C'était comme au bon vieux temps, sauf que tout avait changé. Mais Vere n'en savait encore rien, s'amusait Dain intérieurement. Il ignorait qu'en six mois de mariage, lui-même avait appris à mieux se connaître et par conséquent à mieux cerner autrui.

Il fut plusieurs fois tenté d'attraper Vere par sa cravate pour lui cogner la tête contre le mur, mais il résista à la tentation. Car, comme il le dit un peu plus tard à sa femme :

— Lydia s'en chargera.

— Oh, je suis tellement navrée ! gémit Emily.

— Il n'y a pas de raison, assura Elizabeth qui essuyait le front de sa sœur avec un linge humide. Tu pourrais l'être si tu étais sérieusement malade, parce qu'alors je serais morte d'inquiétude. Mais une simple indigestion ne m'effraie pas.

— J'ai trop mangé.

— Tu as attendu trop longtemps entre deux repas, et la nourriture était frelatée. Moi aussi, j'ai été dérangée.

— Mais nous avons raté le mariage !

Rien n'était plus vrai. On était jeudi soir, elles occupaient une chambre dans une auberge proche d'Aylesbury, à plusieurs lieues de leur destination. Et elles seraient parvenues à gagner Liphook à temps si Emily n'avait été prise de violents maux de ventre une demi-heure après le déjeuner pris à la hâte le mercredi midi.

À l'étape suivante, elles avaient dû descendre de la diligence. Emily s'était mise à vomir, et elle était si faible qu'un employé de l'auberge avait été obligé de la porter dans une chambre.

Les deux sœurs se faisaient passer pour une gouvernante et une femme de chambre. Elizabeth avait enfilé une vieille robe de deuil et déniché une paire de lunettes dans la bibliothèque de Blakesleigh. Elle n'y voyait goutte à travers les verres épais et devait donc les garder en équilibre sur le bout du nez, ce qui lui donnait l'air encore plus sévère, avait affirmé Emily.

— Cesse de te torturer à propos de ce mariage, soupira Elizabeth. Tu n'as pas fait exprès de tomber malade.

— Tu aurais dû y aller sans moi.

— Tu dois avoir la fièvre pour dire une telle ânerie. Nous nous sommes lancées dans cette aventure *ensemble*. Les Mallory se serrent les coudes. On va bientôt nous apporter un bol de bouillon et du thé. Tu vas reprendre des forces, et dès que tu te sentiras mieux, nous repartirons.

— Mais pas pour Blakesleigh ! Nous devons d'abord dire à cousin Vere que nous le soutenons de tout cœur.

— Nous pouvons lui écrire.

— Il ne lit jamais son courrier !

Les domestiques de Longlands communiquaient régulièrement avec ceux d'Ainswood House. La vieille gouvernante de Longlands écrivait tous les trois mois aux deux jeunes filles et celles-ci savaient que le duc n'avait pas ouvert une lettre de sa correspondance privée depuis dix-huit mois. En ce qui concernait ses affaires, c'était les majordomes de Longlands et d'Ainswood House qui se chargeaient du courrier.

— Nous pourrions lui écrire à *elle*, suggéra Elizabeth. Elle lui ferait la commission.

— Es-tu sûre au moins qu'ils sont mariés ? Peut-être a-t-elle gagné la course.

— Ce sera dans le journal demain. Nous déciderons quoi faire à ce moment-là.

— Je ne retournerai pas à Blakesleigh, décréta Emily. Je ne leur pardonnerai jamais. Jamais !

Quelqu'un frappa à la porte.

— Voilà notre dîner, dit Elizabeth en se levant. Tu seras peut-être de meilleure humeur quand tu n'auras plus le ventre creux.

Lydia et son mari arrivèrent à Ainswood House tard le jeudi soir. Pourtant, toute la maisonnée était sur le pied de guerre et les attendait.

Tandis que la gouvernante débarrassait Lydia de son manteau et de son chapeau, le reste de la domesticité s'aligna dans le grand hall du rez-de-chaussée. Et Lydia comprit ce qu'avait dû ressentir Wellington à la veille de la bataille de Waterloo, au moment d'inspecter ses troupes.

Elle vit des tabliers mal repassés, des livrées tachées, des perruques et des coiffes de travers, des mentons râpeux, et tout un éventail d'expressions humaines qui allaient de la terreur à l'insolence en passant par l'indifférence et la honte.

Elle s'abstint cependant de faire le moindre commentaire et s'efforça de mémoriser les noms et fonctions respectifs. Contrairement à Wellington, elle avait la vie devant elle pour transformer cette valetaille démoralisée en escadron domestique d'excellence.

Pour ce qui était de la maison, sans même l'avoir visitée elle pressentait que celle-ci se trouvait dans un état encore pire que ceux qui étaient censés veiller à son entretien.

Ce n'était guère surprenant. Ainswood ne venait quasiment jamais et, comme la plupart des hommes, il semblait aveugle à la poussière et au désordre.

Heureusement, la chambre du maître était impeccable. Jaynes était sans doute passé par là. Lydia s'était rendu compte un peu plus tôt que, contrairement aux apparences – c'est-à-dire contrairement à l'apparence d'Ainswood – Jaynes était un valet tout à fait stylé. Il avait juste la malchance de s'occuper d'un sujet récalcitrant.

Ainswood ayant renvoyé les domestiques d'un geste impatient une fois les présentations faites, c'est Jaynes qui conduisit Lydia à ses appartements, qui jouxtaient ceux d'Ainswood. Évidemment personne n'y avait mis les pieds depuis des lustres. Et Ainswood n'avait visiblement pas l'intention d'y entrer.

Dès que son valet ouvrit la porte de communication, le duc partit dans la direction opposée et disparut dans son dressing.

Lydia jeta un coup d'œil dans sa chambre et commenta à mi-voix :

— Mais Mme Clay ayant été prévenue au dernier moment, j'imagine qu'elle ne pouvait pas tout faire.

Jaynes engloba du regard les toiles d'araignée qui ornaient le plafond, la pellicule de poussière qui recouvrait les miroirs et les vitres, les moutons sur le plancher.

— Elle aurait pu en faire un peu plus si elle avait osé prendre une initiative, fit-il remarquer.

— J'ai cru comprendre que certains célibataires endurcis n'aimaient pas qu'on touche à leurs affaires.

— La plupart des domestiques travaillaient déjà ici à l'époque du quatrième duc. Certaines familles servent les Mallory depuis des générations. Ces gens sont loyaux, mais lorsqu'on n'a rien à faire jour après jour parce qu'on ne reçoit aucune consigne et qu'on n'ose pas prendre des décisions…

Le valet s'en tint là.

— Au moins, ils s'adapteront plus facilement à mes méthodes, répliqua vivement Lydia. Nous commencerons avec une ardoise vierge. Je n'ai amené ni gouvernante ni belle-mère susceptibles d'interférer dans la gestion de la maison.

— Bien, Votre Grâce, se borna à répondre Jaynes.

Il brûlait manifestement de donner son avis, et si curieuse que soit Lydia de le connaître, elle savait que le protocole lui interdisait de l'y encourager. Jaynes faisait cependant preuve de moins de retenue avec son maître. Plus tôt dans la journée, elle l'avait entendu marmonner alors qu'il l'aidait à sa toilette.

— Quoi qu'il en soit ces changements n'interviendront pas avant demain, déclara Lydia avant de regagner la suite principale.

Jaynes lui emboîta le pas et referma la porte.
— Bien, Votre Grâce. Toutefois vous aurez besoin d'une femme de chambre. Aussi je ferais bien de...
— Ah, te voilà ! lança Ainswood qui sortait du dressing à grands pas. Je commençais à croire que tu allais papoter avec ma femme toute la nuit. Que diable as-tu fait de mes vêtements ?
— Ils sont rangés dans le dressing, monsieur.
— Ceux que je portais hier. Qui se trouvaient dans mes bagages. Je n'ai trouvé que des chemises et des cravates. Où est passé mon gilet ?
— Les gilets que vous avez portés hier se trouvent dans mes quartiers, afin d'être nettoyés, monsieur.
— Mais je n'avais pas vidé mes poches !
— Je sais, Votre Grâce. J'ai pris cette liberté. Vous trouverez... hum... ce qu'elles contenaient dans la boîte laquée posée sur... Je vais vous la chercher, se ravisa Jaynes en ébauchant un mouvement vers le dressing.
Ainswood recula vers le seuil pour lui barrer le passage.
— Inutile. Je devrais réussir à me débrouiller seul. Je ne suis pas aveugle.
— Dans ce cas, si vous voulez bien m'excuser, monsieur, je m'apprêtais à aller chercher une camériste. Je pourrais sonner, mais personne ne saurait qui doit venir ni pourquoi.
Ainswood ouvrit des yeux ronds.
— Une camériste ? Que veux-tu que j'en fasse ?
— Sa Grâce a besoin...
— Pas dans ma chambre.
— La chambre de Sa Grâce n'est pas prête pour...
— Il est minuit passé, triple buse ! Je ne veux pas qu'une horde de femelles envahisse mes appartements en caquetant et en fourrant leur nez partout.
Ainswood parut enfin se rappeler l'existence de Lydia et tourna vers elle son regard courroucé.

— Bon sang Grenville, sommes-nous vraiment obligés de subir ce charivari ce soir ?

— Pas du tout, mon cher.

— Tu as entendu, triompha Ainswood en reportant son attention sur Jaynes. Va te coucher. Tu auras tout le temps de faire l'important demain.

Lèvres pincées, Jaynes s'inclina avant de s'éclipser. Une fois la porte fermée, Ainswood se radoucit à peine pour déclarer d'un ton bourru :

— Je suis capable de vous déshabiller tout de même.

— « Être capable » et « avoir envie » sont deux choses différentes. Je pensais que la passion s'était émoussée. Après tout, vous avez déjà exercé vos droits conjugaux.

Elle s'approcha et repoussa une mèche qui lui tombait sur le front. Il eut un mouvement de recul, lui jeta un regard méfiant.

— Grenville, vous n'allez pas devenir... gentille et... patiente, risqua-t-il en fronçant les sourcils. J'aimerais beaucoup savoir de quoi vous avez parlé avec lady Dain, enchaîna-t-il. À en croire Dain, il était question de torturer vos maris respectifs.

— De quoi avez-vous parlé avec mon cousin ?

— De vous. Je suis censé prendre rendez-vous avec des hommes de loi, renoncer à toute fierté masculine et accepter une dot, annonça-t-il en tentant un demi-sourire.

— Lady Dain a abordé le sujet. Je voulais en discuter avec vous durant le trajet, mais je me suis endormie.

Le demi-sourire s'effaça.

— Vous voulez *discuter* ? Est-ce là la raison de vos mines patelines ? Parce que si c'est le cas, vous perdez votre temps, Grenville. C'est avec Dain que vous devrez vous quereller.

Elle l'étudia un instant. Il s'était débarrassé de ses bottes, de son manteau, de son gilet et de sa cravate sans l'aide de Jaynes, ce qui signifiait qu'ils devaient maintenant joncher le sol du dressing. Sa manchette de chemise gauche était boutonnée, le bouton de la droite manquait. La boutonnière était déchirée.

Elle lui saisit le poignet.

— Pourquoi n'avez-vous pas appelé si vous aviez du mal à déboutonner votre manchette ? Nous étions dans la pièce voisine.

Il se dégagea avec brusquerie.

— Je ne vous demande pas de prendre soin de moi. Je n'en ai pas besoin.

Lydia sentit la moutarde lui monter au nez. Elle recula, se détourna et gagna la fenêtre.

— Non, répliqua-t-elle, et vous n'avez pas non plus besoin d'une épouse, j'en suis sûre. Voilà qui s'annonce intéressant... vous regarder chercher quoi faire de moi !

Il retourna dans le dressing d'un pas rageur et claqua la porte.

15

Dix secondes plus tard, d'autres pas rageurs se firent entendre et la porte du dressing se rouvrit à la volée.

— Je n'y avais pas pensé ! aboya-t-il. Là, vous êtes contente ? Oui, je l'avoue, je n'ai pas réfléchi au-delà de notre nuit de noces. Et maintenant vous allez tout mettre sens dessus dessous. Il y aura des cohortes de femmes de chambre dans mes appartements et je n'aurai plus une minute de paix !

— C'est une vue à peu près correcte de la situation, admit Lydia d'un ton posé. Je compte en effet intervenir à tous les étages de cette maison, de la cave au grenier. Parce que c'est une honte de laisser un logis dans un tel état de négligence. Je ne supporte pas le désordre.

Croisant les bras, elle ajouta :

— Que vous proposez-vous de faire ? M'abattre d'un coup de fusil ? Me jeter par la fenêtre ?

— Nom de nom, Grenville…

L'air excédé, il marcha jusqu'à la cheminée et abattit le poing sur le manteau avant de fixer les flammes d'un œil noir.

— Quand bien même le désordre et la crasse ne me dérangeraient pas, poursuivit Lydia, on ne laisse pas une si belle maison se dégrader ainsi. C'est immoral. Surtout quand on a sous la main autant de domestiques pleins de bonne volonté. Je ne transigerai pas sur la question, Ainswood. Que cela vous plaise ou non.

— Sacré nom de Dieu !

— Et tant que nous y sommes, autant dissiper tout de suite vos éventuelles illusions. Il est très peu probable que je transige sur quoi que ce soit d'autre. Je ne suis pas du tout sûre d'être apte aux compromis.

Il lui adressa un regard acéré.

— Vous m'avez épousé. C'était un compromis en soi, selon vos satanés principes.

— Non, c'était un *manquement* à mes principes. Et la seule façon de retrouver mon équilibre est de tout organiser comme cela devrait l'être.

— Vous prétendiez vouloir me rendre heureux, lui rappela-t-il en la fixant d'un regard accusateur.

Elle ouvrit la bouche pour rétorquer, puis se ravisa.

Elle devinait le fond du problème. Mais si sa nature l'incitait à prendre le taureau par les cornes, celle d'Ainswood le poussait à se dérober.

Elle s'approcha de la fenêtre et contempla le jardin. Une pluie fine s'était mise à tomber. Lydia l'entendait crépiter, mais la distinguait à peine, car un écran de nuages voilait la lune et les étoiles.

La voix exaspérée d'Ainswood rompit le silence :

— Je sais que j'aurais dû voir plus loin que le bout de mon nez. Ce n'est pas faute d'avoir été prévenu. Dain lui-même m'a conseillé de m'organiser pour vous accueillir sous mon toit. Mais pourquoi serait-ce à moi de le faire quand je me contrefiche de cette baraque ?

Une « baraque » qui, si cela n'avait tenu qu'à lui, n'aurait de toute évidence pas existé. Mais puisqu'elle était là, le mieux était de l'ignorer, de faire comme si rien n'avait changé, comme s'il n'était pas le nouveau duc d'Ainswood. De même qu'il ignorait les responsabilités dont il avait hérité, il se détournait de cette demeure et de sa domesticité.

« Ce n'est pas ma faute. Je n'ai rien demandé », avait-il répliqué d'un ton empreint d'amertume lorsque Lydia lui avait rappelé qu'il était le dépositaire du titre et de la fortune familiale.

Elle s'approcha du lit.

— En effet, vous vous en contrefichez. Je ne vois donc pas pourquoi mes projets vous mettent dans une telle rage. Si les nuisances que cela occasionne vous excèdent – et j'admets que durant une quinzaine de jours il va régner ici une certaine agitation –, libre à vous d'aller ailleurs.

— Que je… Pardon ?

— Je ne veux pas que vous déboussoliez les domestiques. Comment pourraient-ils montrer un tant soit peu d'enthousiasme dans leur travail et respecter leur nouvelle maîtresse si vous êtes sans cesse à ronchonner après tout le monde ?

— Vous me mettez à la porte de *ma propre maison* ?

Elle soutint sans ciller son regard furieux. Elle préférait de toute façon la colère à l'indifférence et aux bouderies.

— Vous n'y mettez quasiment jamais les pieds, et vous vous moquez de savoir ce qu'elle va devenir. Vous seriez donc tout aussi bien ailleurs, il me semble.

— Enfer et damnation, Grenville, nous ne sommes mariés que depuis hier et… et vous me flanquez déjà dehors ? Sapristi, je suis votre mari, pas un vulgaire amant dont vous pouvez vous débarrasser après une partie de jambes en l'air !

En trois pas, il franchit la distance qui les séparait et l'agrippa aux épaules. Sa bouche fondit sur la sienne. Ce fut un baiser farouche, ulcéré, qui exigeait qu'elle lui donne ce qu'elle n'avait jamais songé à lui dénier.

Il avait le goût de sa colère et de son indignation, mais surtout celui, délicieux, du péché tandis que, de la langue, il inscrivait des mots d'amour à l'intérieur de sa bouche.

Il la relâcha si brusquement qu'elle chancela, et se retint à sa chemise.

— Ainswood !

— Vere, gronda-t-il. Vous avez dit mon nom quand nous avons prononcé nos serments. Dites-le encore, Lydia.

— Vere, répéta-t-elle, docile, puis, attirant son visage vers le sien, elle murmura : Embrassez-moi encore.

— Vous ne me jetterez pas hors de chez moi, je vous le garantis.

Du bout du doigt, il fit sauter le premier bouton de son corsage. Puis, avec le brio d'un concertiste qui plaque des arpèges, il défit les suivants. Il disposa des agrafes avec la même redoutable efficacité. L'instant d'après, sa robe gisait sur le sol. Il la repoussa du pied, s'attaqua au jupon.

— Vous faites fausse route, déclara-t-elle. Je n'ai jamais dit que je voulais me débarrasser de vous.

— En tout cas l'idée de me voir partir n'a pas l'air de beaucoup vous perturber. Mmm... joli.

Il venait de découvrir un froufrou de dentelle et de soie.

— C'est un cadeau de lady Dain, précisa-t-elle.

S'inclinant, il fit courir sa langue sur la dentelle arachnéenne qui ornait le décolleté de sa chemise. Lydia retint son souffle, fit taire la pointe d'anxiété qui naissait en elle.

Il lui butina le creux du coude et elle le laissa faire.

— Vous avez mis ces jolis dessous rien que pour moi ? C'est très gentil.

Ils étaient effectivement charmants, et avaient dû coûter une fortune. Mais refuser ce cadeau aurait été grossier. Du coup elle avait tout accepté, des tiroirs entiers de lingerie fine, assez pour harnacher un régiment de cocottes.

— Vous n'êtes plus fâché ? s'enquit-elle prudemment.

Il releva la tête et darda sur elle son regard vert.

— Je l'étais ? Cela m'est complètement sorti de la tête.

Il la gratifia de ce sourire redoutable, capable de vous liquéfier sur-le-champ, ce dont il avait parfaitement conscience. Pas étonnant qu'il méprisât les femmes. Il lui suffisait de leur décocher ce sourire léthal pour qu'elles s'écroulent comme autant de quilles.

Elle fondit elle aussi, emprisonna sa tête entre ses mains et fit courir sa langue sur ses lèvres, comme il l'avait fait un peu plus tôt sur la dentelle qui festonnait son corset. Il se laissa faire sans bouger, les mains posées sur sa taille. Elle lui mordilla la lèvre inférieure, sentit ses doigts se crisper sur sa taille.

Les lèvres de Vere s'entrouvrirent et, cette fois, ce fut elle qui explora sa bouche dans un long baiser profond qui lui donna l'impression de basculer dans un précipice.

Et tandis qu'elle tombait, son jupon glissa le long de ses jambes, si aisément qu'elle faillit ne pas s'en apercevoir. Les mains de Vere s'activaient de nouveau, des boutons sautaient, des agrafes se désolidarisaient de leurs crochets.

Il s'agenouilla pour écarter le jupon à ses pieds, en profita pour lui ôter ses chaussures et les mettre sagement de côté.

Puis, comme il lui tendait les mains, elle s'en empara et s'agenouilla devant lui sur le tapis.

— C'est le plus joli corset que j'aie jamais vu, murmura-t-il – et certes, il l'était avec ses gracieuses arabesques végétales brodées ton sur ton. Il est trop charmant pour que je le malmène. Tournez-vous, Lydia.

Elle s'exécuta. Les bras passés autour d'elle, il posa les mains sur ses seins qui pigeonnaient sous la chemise, lui embrassa la nuque et les épaules.

Lydia était déjà tout alanguie de désir.

Le corset fut délacé avec douceur et minutie. Mis de côté. La chemise translucide retomba en plis fluides sur les hanches de Lydia.

— Mon Dieu, Lydia, vous êtes indécente ! Tournez-vous.

La chemise était coupée dans une soie rose pâle transparente. Lydia lui obéit, et résista à l'envie de croiser les bras sur sa poitrine. Après tout, il l'avait déjà vue nue.

— Elle ne dissimule pas grand-chose, reconnut-elle avec un petit rire nerveux.

— Vous êtes pardonnée.

— Pour quoi ?

— Pour tout, répondit-il, les yeux rivés sur ses seins qui pointaient sous la soie.

Il l'enlaça, la renversa sur le tapis. Puis il lui pardonna encore et encore, à l'aide de baisers gourmands, puis de caresses de plus en plus audacieuses, tour à tour tendres et brutales.

Lydia ne s'appartenait plus. En la déshabillant si lentement, il avait éveillé en elle quelque chose de plus primaire que ce qu'elle appelait jadis du désir.

Il était beau, grand, fort, et elle voulait pour elle seule chaque cellule et chaque centimètre carré de cet être magnifique.

Le besoin de posséder et de conquérir courait dans ses veines, car le sang des Ballister était un sang chaud, impétueux.

Sa patience s'évaporait à toute allure. Alors elle le fit basculer sur le dos, se mit en devoir de lui enlever sa chemise. Il eut un rire bas qui se mua en grondement lorsqu'elle s'attaqua à son pantalon. Elle était moins habile que lui, mais plus rapide. En deux temps trois mouvements elle le dévêtit complètement.

Il avait un corps superbe, musclé, sans une once de graisse. Doucement, elle promena la main sur son torse, suivit la ligne de poils sombres qui partait de l'abdomen...

— Hier soir, je n'ai pas eu la présence d'esprit de regarder, confia-t-elle, alors que ses doigts descendaient vers l'endroit interdit.

— Regardez et touchez tant que vous voudrez, répondit-il avec un rire étouffé.

Elle referma les doigts sur son sexe rigide, en sentit les pulsations. Vere émit un son guttural qui la fit tressaillir.

— Vous avez dit que je pouvais toucher.

— En effet. J'adore qu'on me torture, articula-t-il.

Elle se pencha, le frôla du bout de la langue.

— Doux Jésus !

Il repoussa ses mains, l'attrapa par la taille, et la déposa à califourchon sur lui. Sa main trouva l'ouverture de sa culotte et se plaqua sur son sexe brûlant.

L'orgasme la prit par surprise. Elle haletait sous la caresse insistante de ses doigts lorsqu'il explosa en elle, joyeux et libérateur. Puis il y en eut un autre. Et un autre encore. Avant qu'il ne l'empale d'un coup de reins.

D'instinct, elle se pencha pour le prendre plus profondément en elle, et un cri de triomphe lui échappa :

— Oh, oui !

Elle captura sa bouche en un baiser fougueux, mimant de la langue les mouvements de son sexe en elle.

Il la fit alors basculer sous lui, s'arracha à ses lèvres et, lui maintenant les mains plaquées au sol, il la posséda sans cesser de la regarder, jusqu'à ce que le plaisir foudroie son corps arc-bouté.

Balbutiant son prénom d'une voix étranglée, il s'affala sur elle de tout son poids qu'elle accueillit comme un délicieux fardeau.

À 10 heures et demie le lendemain matin, la duchesse d'Ainswood eut un entretien dans le bureau de Vere avec Mme Clay, la gouvernante.

Trois quarts d'heure plus tard, toute la maisonnée se mit en branle.

Une armée de femmes de chambre, de bonnes et de valets défilèrent par la porte de service, munis de chiffons, serpillières, balais, pelles, plumeaux, et de bien d'autres instruments dont Vere ignorait jusqu'au nom.

Il voulut se réfugier dans la salle de billard, mais celle-ci fut bientôt envahie par une cohorte de domestiques.

Il s'en fut dans la bibliothèque dont il fut délogé quelque temps plus tard. Il erra ensuite vainement de pièce en pièce à la recherche d'un sanctuaire. Finalement, il se retrancha dans son bureau, en ferma précipitamment la porte et s'empara d'une chaise pour coincer le dossier sous la poignée.

La voix amusée de sa femme s'éleva dans son dos :

— Ce ne sera pas utile, je pense.

Il fit volte-face. Assise au bureau, elle faisait de son mieux pour réprimer son hilarité.

— Sacrebleu, il en sort de partout ! s'exclama-t-il, exaspéré. Rien ne peut les contenir, on dirait des cafards.

— Personne ne viendra ici, j'ai dit à Mme Clay que je devais travailler.

— Ils sont en train de mettre la maison à sac ! Ils enlèvent les tapis au moment où on va y poser le pied, et arrachent tentures et tringles au risque d'assommer les honnêtes gens.

— Oui, Mme Clay m'a tout l'air d'être une personne méthodique et efficace, admit-elle en souriant.

— Vous êtes fière de vous, n'est-ce pas ? grogna-t-il. Ils ont tellement peur de vous qu'ils se rendent à peine compte de ma présence !

Il s'avança vers le bureau, poussa une pile de lettres, avant de se percher sur le coin du meuble.

— Que faites-vous donc ici ? s'étonna-t-elle. Je pensais que vous aviez déserté la maison depuis longtemps.

— Je ne sais pas où aller. J'hésite. La Chine me semble idéalement loin, mais l'Australie me semble plus appropriée aux circonstances puisqu'on y envoie les forçats purger leur peine.

— Puis-je vous suggérer le Bedfordshire ?

Il ne bougea pas, ne cilla même pas. Son regard demeura fixé sur la pile de lettres à demi écroulée, tandis que dans son esprit se formaient des images très précises de leur étreinte matinale.

Ils avaient fait l'amour au petit jour, avec nonchalance, les membres encore engourdis de sommeil. Ensuite il s'était rendormi, pour découvrir quelque temps plus tard qu'elle s'était levée, laissant son empreinte et son parfum sur les draps froissés.

— Bon, je ne m'attendais pas que vous sautiez de joie à cette idée, reprit-elle. Mais je suis votre femme, et il serait correct que vous me présentiez à ma nouvelle famille. Puisque cette maison va être un véritable capharnaüm pendant plusieurs jours, j'ai pensé que nous pourrions faire d'une pierre deux coups : échapper à ce remue-ménage et aller à Blakesleigh.

— Vous avez du travail, objecta-t-il avec un calme olympien, alors que défilaient dans son cerveau des visions d'un érotisme insoutenable.

— Je révisais juste quelques articles destinés à Macgowan. Je suis duchesse d'Ainswood désormais. En acceptant de vous épouser, j'ai endossé les responsabilités qui incombent à ma position. Vous voyez, au moins l'un de nous deux réfléchit plus loin que le bout de son nez.

— Faites ce que vous voulez, fit-il en quittant le bureau pour se diriger vers la porte. Mais moi, je n'irai pas à Blakesleigh.

Sur ce, il écarta la chaise qui coinçait la poignée, ouvrit la porte et sortit.

Lydia ôta ses bottines à toute allure et se rua hors du bureau.

Ainswood se dirigeait à grands pas vers l'entrée.

Elle courut derrière lui sur la pointe des pieds, ignorant les regards stupéfaits des domestiques occupés à récurer le hall, attrapa un seau plein d'eau. Et au moment où Ainswood avançait la main vers la poignée de la porte, elle lui en lança le contenu.

Des exclamations horrifiées accueillirent son forfait.

Puis le silence retomba.

Ainswood s'était figé. Il demeura immobile de longues secondes tandis que l'eau sale dégoulinait de ses cheveux dans son cou et sur ses épaules.

Puis, très lentement, il pivota.

Il balaya du regard les serviteurs – les bonnes, la main plaquée sur la bouche, les valets, bouche bée.

Il baissa ensuite les yeux sur ses vêtements trempés. Les leva sur Lydia.

Puis il ouvrit la bouche et un rire tonitruant lui échappa, enfla en cascade, se répercuta sur les murs du hall. Il s'appuya au chambranle, tenta de parler, y renonça en hoquetant, et s'autorisa à rire tout son saoul, avant de bégayer finalement :

— Mer… merci, très chère. C'était tr… très rafraîchissant.

Les domestiques, qui avaient retrouvé leurs esprits, échangeaient des regards perplexes.

— Voilà qui règle parfaitement le problème de la poussière, ajouta-t-il sur un dernier gloussement. Eh bien, je crois que je vais aller me changer.

« Bonne idée », songea Lydia comme il rebroussait chemin en direction de l'escalier.

Cet après-midi-là, le duc d'Ainswood supporta les sarcasmes et ronchonneries de son valet avec une patience suspecte.

Après avoir pris un bain et s'être habillé, Sa Grâce passa un long moment à inspecter son reflet dans le miroir.

— Je crains que tu ne te sois donné beaucoup de mal pour rien, dit-il. Je risque fort d'abîmer ces beaux habits quand je sortirai par la fenêtre.

— Puis-je vous faire une suggestion, Votre Grâce ? La porte fonctionne parfaitement.

— J'ai eu de la chance de m'en tirer avec une simple douche. Je n'ose imaginer ce qu'elle fera la prochaine fois.

— Si je peux avancer un avis, monsieur, je doute que Sa Grâce soit opposée à ce que vous quittiez la maison.

— Pourquoi m'a-t-elle arrêté, dans ce cas ?

— Elle ne faisait rien de tel. Elle exprimait juste son mécontentement.

Le duc jeta un regard dubitatif à son valet, joignit les mains dans son dos et se dirigea vers la fenêtre.

— Car si je peux me permettre, monsieur, vous êtes pénible, acheva Jaynes du même ton cérémonieux.

— Je sais.

— Si la duchesse vous étranglait durant votre sommeil, personne n'en serait surpris, et il n'y aurait aucun jury dans toute l'Angleterre qui ne s'empresserait de l'acquitter. Je pense même qu'elle se verrait décerner une médaille du mérite ou quelque décoration du même acabit.

— Je sais, répéta Vere sans quitter le jardin des yeux.

Jaynes comprit qu'il n'obtiendrait pas d'éclaircissements concernant l'origine de l'exaspération de la duchesse. Ravalant un soupir, il s'en alla dans le dressing chercher la montre de gousset de son maître, ainsi que la petite boîte en laque dans laquelle il rangeait le bric-à-brac qu'il repêchait dans ses poches.

Quand Jaynes revint dans la chambre, la croisée était ouverte et le duc avait disparu.

— Sans chapeau, comme d'habitude, maugréa-t-il. Mais c'est sans doute mieux ainsi, il me l'aurait perdu.

Il déposa la boîte et la montre sur l'appui de la fenêtre, referma la croisée. Puis, la tête ailleurs, quitta la chambre en oubliant de récupérer les objets qu'il venait de poser.

L'éminent magasin Rundell & Bridge ayant l'habitude de traiter avec les élites – y compris Sa Majesté le roi en personne –, les employés ne manifestèrent aucun signe d'agitation ou d'étonnement à l'entrée d'un grand gentleman élégant, qui traînait derrière lui un mastiff noir de la taille d'un éléphanteau.

— Bon sang, Brigitte, tu exagères ! Quand tu es avec Trent, tu files comme le vent.

Vere tira sur la laisse et la chienne daigna franchir à moitié le seuil de la boutique, avant de se laisser tomber à terre. Là, la tête posée sur ses énormes pattes, elle exhala un soupir de martyr.

— Je ne t'ai pas obligée à venir. C'est toi qui t'es mise à pleurnicher pour m'apitoyer.

La chienne était arrivée à Ainswood House en même temps que Bess et Millie, à peu près à l'heure où Vere était monté se changer. Après avoir sauté dans le jardin, il avait découvert Brigitte errant entre les massifs, sa laisse dans la gueule. Il l'avait vaguement caressée quand elle était venue le renifler, puis, alors qu'il s'éloignait, elle l'avait suivi. Lorsqu'il avait voulu refermer le portillon, elle s'était mise à pousser des petits gémissements plaintifs et il s'était laissé attendrir.

— Tu bloques la porte. Debout ! ordonna-t-il, sans succès.

Un concert de voix serviles l'assura que non, pas du tout, son chien ne gênait en aucun cas.

— Là n'est pas la question, rétorqua-t-il. Elle fait cela uniquement pour m'embêter. Je pensais qu'elle allait trottiner gentiment à côté de moi sur le trottoir, au lieu de cela il a fallu louer un fiacre et elle a dormi à mes pieds durant tout le trajet.

Le plus jeune des employés sortit de derrière son comptoir.

— C'est la chienne de Sa Grâce, n'est-ce pas ? Ce n'est pas la première fois que je la vois. Elle garde la porte, monsieur, c'est tout. Elle veut vous protéger.

Vere regarda la chienne, puis l'employé qui s'inclina.

— Puis-je prendre la liberté de vous adresser mes félicitations les plus sincères pour votre récent mariage, Votre Grâce ?

Un murmure d'assentiment s'éleva des comptoirs voisins.

Il faisait décidément trop chaud dans cette boutique, songea Vere, qui se retint de desserrer sa cravate. Il marmonna une vague réponse, puis regarda l'employé qui semblait connaître Grenville.

— J'aimerais acheter une babiole. Pour mon épouse.

Si le terme « babiole » n'était guère précis, l'employé n'en laissa rien paraître et répondit avec enthousiasme :

— Bien sûr, Votre Grâce. Si vous voulez bien me suivre.

Il conduisit Vere dans un petit salon privé. Dix minutes plus tard, Brigitte arriva de son pas lourd et s'effondra sur les pieds du duc.

Deux heures plus tard, les orteils engourdis, il quitta le magasin, un petit paquet glissé dans la poche de son gilet.

Il ne vit pas la femme qui s'écartait en hâte de la vitrine et s'esquivait dans une ruelle voisine, et ne se demanda pas après qui Brigitte grognait, parce qu'elle semblait de toute façon de très mauvaise humeur ce jour-là.

Il ne sut donc pas que Coralie Brees l'épiait, une lueur haineuse dans le regard tandis qu'elle imaginait dans sa petite cervelle vénale le bijou étincelant qu'il venait d'acheter, et ce qu'elle ferait subir bientôt à celle qui le porterait.

Lydia découvrit la boîte en laque en début de soirée.

Elle savait qu'Ainswood était parti en emmenant Brigitte. Quand Millie était sortie dans l'après-midi pour lui proposer à manger – la chienne était de nouveau d'humeur boudeuse et chipotait dans sa gamelle –, elle avait aperçu le maître qui s'éloignait dans la rue avec elle.

Ce fut Bess qui lui apporta son dîner dans la chambre principale, le seul endroit de la maison à peu près paisible et propre. Et ce fut aussi Bess qui lui apprit que Sa Grâce était sortie par la fenêtre.

— M. Jaynes est très fâché, parce que Sa Grâce portait un manteau qui sortait tout juste de chez le tailleur. Loin de moi l'idée de critiquer Sa Grâce, avait ajouté Bess en rougissant, mais je préfère vous mettre au courant au cas où votre époux rentrerait par le même chemin et vous donnerait la peur de votre vie.

Une fois seule, Lydia s'était penchée par la fenêtre pour inspecter le mur. Il n'y avait guère de points d'appui, nota-t-elle, et s'il s'était mis à pleuvoir, le duc aurait pu se rompre le cou.

C'est alors qu'elle avait eu le regard attiré par la boîte de laque noire.

Elle s'était rappelé que la veille, Ainswood avait fait toute une histoire à propos du contenu des poches de son gilet.

Elle était journaliste. Fouiller dans les affaires d'autrui faisait partie de son métier. Elle était aussi femme.

Elle ouvrit la boîte.

Et découvrit à l'intérieur un bout de crayon, un bouton noir, une épingle à cheveux et un éclat de bois d'ébène. Elle referma le couvercle.

— Oh Ainswood ! murmura-t-elle, les larmes aux yeux, la boîte pressée contre la poitrine.

— Tu es la femelle la plus agaçante du monde ! Tu n'es jamais contente.

Accroupi à côté de la chienne, Vere tentait de la raisonner :

— Il pleut, Brigitte. Pourquoi diable veux-tu rester couchée ici alors que tu pourrais caracoler dans une grande maison chauffée, faire tomber les valets et terroriser les bonnes ? Ta maman est là-bas, tu sais. Tu ne veux pas voir maman ?

Il obtint un soupir accablé pour seule réponse.

Vere ramassa les divers paquets qu'il avait fait tomber lorsque la chienne s'était laissé choir sur le trottoir, puis entra dans la maison.

Une fois dans le hall, il appela Jaynes qui accourut.

— Ce maudit cabot refuse de bouger. Vois si tu peux la convaincre, moi, j'y renonce.

Sur ce, il gravit l'escalier et gagna sa chambre. Là, il lança les paquets sur le lit et retira son manteau mouillé. Comme il pivotait pour le lancer sur une chaise, il aperçut son épouse, assise sur le tapis devant la cheminée, les bras passés autour de ses jambes repliées.

Son cœur se mit à battre plus vite.

Évitant son regard, il s'efforça de maîtriser sa respiration et alla s'agenouiller près d'elle. Tandis qu'il cherchait ses mots, son regard fuyant tomba sur la boîte qu'elle tenait entre ses mains tachées d'encre.

D'un ton qui se voulait léger, il demanda :

— Qu'est-ce là, Grenville ? Du poison pour maris exaspérants ?

— Non. Des souvenirs.

Il se sentit rougir, eut un rire forcé.

— Ce ne sont pas des souvenirs, juste des cochonneries que je garde au fond de mes poches pour embêter Jaynes. Il se trouve que vous laissez toujours un tas de trucs dans votre sillage.

Elle tourna la tête, sourit.

— Vous êtes attendrissant quand vous êtes embarrassé.

— Je ne suis pas embarrassé. Un homme qui a passé la moitié de la journée à marchander avec un chien ne connaît pas l'embarras. Rendez-moi ça, Grenville, fit-il en tendant la main. Vous n'êtes pas censée farfouiller dans mes affaires personnelles. Vous devriez avoir honte. Vous m'imaginez furetant dans vos papiers pour jeter un coup d'œil au dernier chapitre de *La Rose de Thèbes* ?

Elle tressaillit, et il eut le temps de surprendre une lueur de stupéfaction dans son regard, avant qu'elle ne se ressaisisse. Il poursuivit, narquois :

— Je ne suis pas aveugle. J'ai vu le rubis de lady Dain. Il ressemble en tous points à la description de la rose de Thèbes. Mais je me doutais déjà de la véritable identité de St Bellair – intéressante anagramme de Ballister. Et aujourd'hui j'ai découvert – par des méthodes qui, je le confesse, ressemblent aux vôtres – d'où lady Dain tenait cette pierre. Apparemment, elle proviendrait d'un butin pillé dans la tombe d'un pharaon. Mais ce qui est sûr, c'est que l'agent du joaillier l'a acheté en Égypte.

Elle eut au moins la bonne grâce de ne pas nier.

— Vous êtes très perspicace. Même Thomasina, qui est une fille particulièrement intuitive, est resté bouche bée quand je l'ai mise dans le secret.

— Mes soupçons sont devenus des certitudes lorsque je me suis aperçu que Diablo commençait à me ressembler furieusement, ajouta-t-il en riant.

Ce moment de détente n'était qu'un répit, il le savait. Alors même qu'il contemplait le profil racé de sa femme, des images prisonnières de son esprit commençaient à s'échouer sur les rivages de sa conscience, tels les débris d'un naufrage poussés sur la plage par les vagues.

Il avait emmené Brigitte jusqu'à la prison de Marshalsea. Là, il avait vu plein d'enfants. Certains sortaient pour faire des courses pour leurs parents détenus, d'autres en revenaient et franchissaient les grilles en traînant des pieds.

Sa femme avait été l'un d'eux. Et Marshalsea lui avait volé sa sœur.

« Il serait correct que vous me présentiez à ma nouvelle famille », lui avait-elle dit.

Il savait fort bien ce qu'elle allait chercher à Blakesleigh. Ou plutôt *qui*.

Elle se releva pour aller s'asseoir dans un fauteuil, cala les coudes sur les bras de velours et appuya le menton sur ses doigts entrecroisés.

— Vous allez me rendre folle ! lança-t-elle avec un regard de reproche. J'étais en colère contre vous et voilà que vous me prenez par les sentiments. Quand vous n'êtes pas d'accord avec moi – c'est-à-dire pratiquement tout le temps –, vous vous arrangez pour me déstabiliser. Comment faites-vous ? Vous avez lu chaque mot que j'ai écrit et disséqué tous mes articles ?

— Oui, répondit-il simplement. Et si j'avais su qu'il suffisait de vous prendre par les sentiments, j'aurais économisé pas mal d'argent aujourd'hui. Sans compter que je me serais épargné la compagnie éprouvante de Brigitte.

Durant le silence qui suivit, Grenville tourna la tête vers le lit où gisaient les paquets. D'une petite voix mal assurée, elle demanda :

— Ce sont des cadeaux ? Pour moi ?

— Disons plutôt des pots-de-vin. Pour éviter que vous m'envoyiez dormir dans l'écurie ce soir.

Elle quitta le fauteuil, s'approcha du lit.

Après Rundell & Bridge, et Marshalsea, il avait traîné Brigitte de boutique en boutique, ne s'autorisant qu'une courte pause dans un petit restaurant.

— Vous n'êtes peut-être pas aussi doué que je le pensais pour lire dans mon esprit, finalement, murmura-t-elle. L'idée de vous envoyer dormir à l'écurie ne m'a jamais effleurée.

Il se redressa et s'approcha d'elle.

— Ouvrez-les, suggéra-t-il.

Il y avait des carnets reliés de cuir pleine fleur d'une douceur incomparable ; un porte-plume en argent orné de délicats filigranes, avec un réservoir d'encre vissable très pratique ; un nécessaire à écriture de voyage en bois, peint de scènes mythologiques, dont les cases contenaient crayons, sablier, gomme et stylet, et les tiroirs des feuilles de papier vierge.

Il y avait également un repose-plume en argent, ainsi qu'une boîte à crayons en papier mâché.

— Oh ! s'exclamait Lydia chaque fois qu'elle découvrait un nouveau trésor.

Enfin, assise sur le lit, environnée de papiers d'emballage et de faveurs multicolores, elle souffla :

— Merci.

Elle avait posé le nécessaire à écriture sur ses genoux et, telle une gamine émerveillée, ne cessait de soulever les couvercles des petits compartiments.

Elle avait reçu de jolis présents de la part de son oncle et de sa tante, pour ses anniversaires et à Noël : des chaussures, des robes, des chapeaux, et parfois une paire de boucles d'oreilles ou un bracelet.

Mais ceci était entièrement différent, car il s'agissait d'instruments qu'elle utilisait dans l'exercice de sa profession. Et elle qui vivait des mots se trouva soudain à court de vocabulaire, submergée qu'elle était par l'émotion.

— Merci, chuchota-t-elle de nouveau, faute de mieux.

Un sourire spontané, à la fois malicieux et incrédule, étira les lèvres d'Ainswood. Il l'atteignit en plein cœur, la rendit aussi stupide qu'une brebis.

— Je vois que mes humbles offrandes ont l'heur de plaire à Sa Majesté.

Elle hocha la tête. Aurait-elle su quoi dire qu'elle ne s'y serait pas risquée de peur de bégayer.

— Alors je peux vous infliger le coup de grâce, reprit-il en tirant un autre paquet de la poche de son gilet.

Il l'ouvrit lui-même, se détournant afin qu'elle ne puisse voir ce qui se trouvait à l'intérieur.

— Fermez les yeux. Et posez-moi ce nécessaire, je ne vais pas vous le reprendre.

Ravie, elle obtempéra.

Il s'empara de sa main droite, lui glissa une bague à l'annulaire. Sa main se mit à trembler.

— Vous pouvez rouvrir les yeux.

C'était un saphir rectangulaire bleu vif, taillé très simplement, si gros qu'il aurait pu paraître clinquant sur une main plus menue que la sienne, mais était parfait pour elle. Des diamants semblaient lui faire de l'œil de chaque côté de la pierre.

Les larmes lui montèrent aux yeux. « Pour l'amour du ciel, ne fais pas ta nigaude ! » s'exhorta-t-elle.

— Elle est vraiment… magnifique, balbutia-t-elle. Et je ne vais pas vous dire que vous n'auriez pas dû, parce que ce n'est pas du tout ce que je pense. J'ai l'impression d'être une princesse de conte de fées.

Il se pencha, l'embrassa sur le sommet du crâne et déclara :

— Nous irons à Blakesleigh.

16

Vere était assis à son bureau, entouré de feuilles de papier froissées. On était samedi matin et il s'efforçait de rédiger une lettre destinée à lord Mars. Cela n'aurait pas dû être bien difficile, mais Grenville lui avait demandé de faire preuve de diplomatie. Un mot dont il peinait déjà à saisir le sens.

Il s'apprêtait à se mettre en quête de sa femme pour lui demander des précisions lorsqu'elle entra dans le bureau.

— Lord Mars est ici, annonça-t-elle. Et à en juger par son allure, il ne s'agit pas d'une visite de courtoisie.

Quelques instants plus tard, ils rejoignaient la bibliothèque où lord Mars les attendait.

Il semblait recru de fatigue. Ses vêtements étaient poussiéreux et il n'était pas rasé.

— Elles se sont enfuies, s'écria-t-il dès que Vere et Lydia pénétrèrent dans la pièce. Je vous en supplie, dites-moi qu'elles sont ici et qu'elles vont bien.

Vere lui retourna un regard ahuri.

De son côté, Grenville se hâta d'aller remplir un verre de cognac qu'elle offrit à lord Mars.

— Asseyez-vous et reprenez vos esprits, lui dit-elle.

Les épaules de lord Mars se voûtèrent. Il se laissa tomber dans un fauteuil.

— Elles ne sont pas là. C'est ce que je redoutais. J'avais pourtant l'espoir…

Une sueur froide envahit Vere. Un étau glacé parut se refermer sur sa poitrine et la pièce se mit à tanguer brièvement. Dents serrées, il gronda :

— Vous étiez censé veiller sur elles !

Lord Mars se releva d'un bond, le visage pâle et crispé.

— Ces petites me sont aussi chères que mes propres enfants ! Mais rien n'y fait, ni mon affection ni mes conseils. Parce que je ne suis pas *vous*.

Il tira de sa poche un billet chiffonné et le tendit à Vere.

— Tenez, lisez donc. Voilà ce qu'elles pensent, ces jeunes filles que vous négligez. À qui vous n'avez pas écrit un mot ni rendu une seule fois visite. Pour ce que vous en avez à faire, elles pourraient tout aussi bien être mortes et enterrées au côté de leurs frères et de leurs parents. Et pourtant, elles ont quitté ma demeure où elles ont grandi entourées d'affection, parce que leur amour et leur loyauté envers vous sont plus forts que tout le reste !

— Je vous en prie, monsieur, ressaisissez-vous, intervint Grenville d'un ton apaisant. Vous êtes manifestement bouleversé, et Ainswood ne vaut guère mieux.

Elle força Mars à se rasseoir.

Vere parcourut le message. Il ne comportait que quelques lignes qui lui furent autant de dagues en plein cœur.

Il releva les yeux, regarda sa femme.

— Elles sont parties pour assister à notre mariage.

Lydia s'approcha, lui prit le papier des mains, le lut à son tour.

Après avoir bu deux gorgées de cognac, Mars se lança dans une explication fébrile. Les deux sœurs avaient dû s'enfuir le lundi avant l'aube. Ses beaux-frères et lui s'étaient lancés à leurs trousses en milieu de matinée. Elles n'avaient que quelques heures d'avance, et pourtant elles étaient demeurées introuvables. Personne ne les avait remarquées, ni dans les auberges d'étape ni aux portes des villes. Et elles n'avaient pas pu atteindre Liphook, car ils avaient fouillé toute la ville et ses environs. Personne n'avait vu deux jeunes filles blondes aux yeux bleu-vert.

Lord Mars posa deux miniatures sur la table de lecture.

— Elles n'ont pourtant pas des physiques passe-partout. Comment pourraient-elles voyager sans attirer l'attention ?

Vere fixa les photographies sans bouger. Une honte acide se répandit dans ses veines et lui brûla la gorge. Elizabeth et Emily. Il les aurait reconnues au premier coup d'œil. Elles ressemblaient tant à Charlie. Pourtant il ne les connaissait pas. Il ignorait jusqu'au son de leur voix, parce qu'il leur avait à peine adressé la parole et ne leur avait jamais porté le moindre intérêt.

Elles n'avaient cependant pas hésité à quitter leur foyer et à plonger dans l'inconnu pour assister à son mariage. Elizabeth avait écrit : *Nous tenons à faire savoir que nous soutenons cousin Vere et que nous voulons le voir heureux. C'est ce que papa aurait souhaité. Il aurait assisté à son mariage, lui.*

Vere entendit soudain la voix de sa femme.

— Allez donc vous préparer pendant que lord Mars prend un peu de repos. Faites prévenir tous vos amis. Plus nous serons nombreux, mieux cela vaudra. Vous prendrez la moitié des domestiques, moi l'autre moitié, et nous irons quadriller la périphérie de Londres. N'oubliez pas d'emmener des femmes. Elles ont une vision des choses différente de celle des hommes. De mon côté je vais contacter tous mes informateurs.

Se tournant vers lord Mars, elle ajouta :

— Il faut avertir votre épouse que nous prenons les choses en main. Vous préféreriez sans doute attendre d'avoir des bonnes nouvelles à lui communiquer, mais songez combien cette incertitude doit lui être pénible.

— C'est très généreux à vous, Votre Grâce. J'ai vraiment honte de moi.

Comme la duchesse haussait les sourcils d'un air interrogateur, lord Mars avoua :

— Toute la famille s'est liguée contre vous. Parce que vous n'étiez pas de haute naissance. À cause du scandale.

Vere ricana :

— C'est une Ballister ! La cousine de Dain. Vous avez pris de haut une Ballister, espèce de snob hypocrite !

Mars eut un soupir las.

— C'est ce que j'ai entendu dire, mais je croyais qu'il s'agissait de rumeurs infondées. Je viens de me rendre compte de mon erreur. J'ai très peu dormi, ajouta-t-il à l'adresse de Lydia, et quand vous êtes entrés, j'ai pensé être victime d'une hallucination. J'ai cru voir un fantôme. Celui du troisième marquis de Dain. Vous ressemblez tellement à mon vieil ennemi, madame.

— Elle aussi va devenir votre pire ennemie si nous ne retrouvons pas très vite ces jeunes filles, intervint Vere. Je vais vous emmener dans une chambre, Mars. Vous allez vous rafraîchir, manger un morceau, et faire une sieste si vous y parvenez. Je veux que vous ayez les idées claires. Allez venez, enchaîna-t-il en prenant lord Mars par le bras. Laissons Grenville rassembler les troupes. Mieux vaut dégager le terrain pendant qu'elle *s'organise*.

Athcourt, Devon

— Mademoiselle Price, vous avez le chic pour disparaître quand on vous cherche. Ce qui n'est pas trop difficile dans cette maison, je vous l'accorde. Elle est si vaste que Dain devrait mettre une chaise à porteurs à disposition des invités, ne trouvez-vous pas ? Bref, je ne pense pas me tromper en disant que vous m'évitez. Ce qui n'est guère courtois, d'autant que vous devez vous douter de ce que j'ai à vous dire, conclut Bertie avec un regard sévère.

— Oh, Seigneur ! souffla Mlle Price en se tordant les mains.

— Je sais que vous n'agissez pas ainsi pour vous faire désirer et mieux ferrer le poisson. Ce n'est pas votre genre. Alors vous allez sans doute me dire que vous ne m'aimez pas. Pas même un tout petit peu.

La jeune fille devint cramoisie.

— Voyons, je vous apprécie énormément, protesta-t-elle, la mine bizarrement chagrine.

Bien que déconcerté, Bertie ne se laissa pas démonter.

— Oh, tant mieux ! fit-il. Dans ce cas, passons-nous vite la bague au doigt. C'est ce qu'il y a de mieux à faire, non ?

Elle jeta un regard effaré autour d'elle, dans la salle de musique où il l'avait finalement débusquée – seule.

On était dimanche, et depuis leur arrivée, la veille, Bertie essayait en vain de lui parler. Il s'était accordé encore une journée. Au-delà, tant pis, il ferait sa demande à la première occasion, en tête à tête ou en public.

— Pensez-vous que je doive m'agenouiller et prononcer le discours de circonstance, mademoiselle Price ? Je sais que je suis tenu de vous dire à quel point vous m'avez charmé et combien je tiens à vous, même s'il faudrait être aveugle et sourd pour l'ignorer.

Derrière les lunettes, les yeux bruns s'écarquillèrent.

— Oh, non, je vous en prie, ne vous mettez pas à genoux ! Je suis déjà suffisamment gênée. Je ne devrais pas être aussi lâche. La duchesse d'Ainswood serait vraiment déçue par mon attitude.

— Lâche ? Mon Dieu, vous n'avez pas peur de moi, tout de même ?

— Non, bien sûr que non. Oh, je suis si bête !

Elle ôta ses lunettes, essuya les verres à l'aide de sa manche, avant de les remettre sur son nez. Puis elle prit une profonde inspiration.

— Vous devez d'abord savoir que mon nom n'est pas Thomasina Price, mais Prideaux. Tamsin Prideaux. Je ne suis pas orpheline. Mes parents sont bien vivants. Ils habitent en Cornouailles. Mais la situation à la maison était devenue si insupportable que j'ai été obligée de partir. Seule Sa Grâce, qui a eu la gentillesse de me recueillir, est au courant.

— Ah ! Je vois.

Bertie ne voyait pas vraiment, mais se sentait obligé de faire comme si, de peur de la décevoir.

— Insupportable, dites-vous ? Dans ce cas, vous avez eu raison, opina-t-il. Moi-même, je n'ai eu d'autre choix que la fuite quand ma tante Claire s'est mis en tête de me présenter des héritières. Il en sortait de partout, je ne sais pas où elle les trouvait. Elles étaient sûrement tout à fait convenables, mais, voyez-vous, soit une jeune fille plaît à un garçon, soit elle ne lui plaît pas. Et aucune ne me plaisait. Et comme je ne voulais pas leur faire de peine ni écouter ma tante chanter leurs louanges à longueur de journées, j'ai préféré prendre la poudre d'escampette.

Il fronça les sourcils.

— Mais je n'ai jamais songé à changer de nom. C'était très malin de votre part, dit-il avec enthousiasme. Prideaux. Price. Thomasina. Tamsin. Je préfère Tamsin, en toute franchise. On dirait le nom d'un lutin, vous ne trouvez pas ?

Elle le considéra un moment, puis sourit. À cet instant, son frais minois évoqua réellement celui d'un lutin. Si tant est qu'un lutin puisse souffrir de myopie.

— Dois-je comprendre que vous acceptez ma demande ? risqua-t-il. Pouvons-nous nous mettre d'accord sur « lady Trent », et peu importe vos autres noms ?

— Dès lors que le reste ne vous gêne pas. Car évidemment, il ne faut rien attendre de la part de mes parents, et je ne saurais accepter aucune dot de la part de la duchesse, qui essaiera de me convaincre du contraire, je le sais. Néanmoins, si cela peut vous rassurer, sir Bertram, je ne suis pas très dépensière...

— Appelez-moi Bertie, je vous en prie.

Elle ajusta ses lunettes qui étaient pourtant d'aplomb sur son nez, se mordit la lèvre, puis répéta doucement :

— Bertie.

— Oh... c'est très agréable, vraiment.

Il rendit les choses plus agréables encore en la prenant dans ses bras pour l'embrasser jusqu'à ce que tous deux aient le vertige. Et il aurait été bien au-delà du vertige s'il ne s'était rappelé qu'ils n'étaient pas encore mariés.

Bon gré mal gré, un homme devait se comporter en gentleman. Cela ne signifiait toutefois pas qu'il faille prolonger les fiançailles une minute de plus qu'il n'était nécessaire. Aussi Bertie saisit-il la main de sa future femme et s'en alla-t-il trouver Dain afin de lui demander son aide pour que son avenir survienne le plus tôt possible.

Même si Athcourt était l'une des plus vastes demeures d'Angleterre, ils n'eurent pas à aller très loin, car le marquis était justement à leur recherche. Ils le croisèrent au pied du grand escalier.

— Grande nouvelle, Dain. Mlle Price et moi allons nous marier ! annonça Bertie avec fierté.

— Il va vous falloir attendre, rétorqua Dain. Je viens de recevoir une lettre d'Ainswood. Ses pupilles ont disparu. Tu dois ramener Mlle Price à Londres, ma cousine a besoin d'elle.

Après avoir brièvement expliqué la situation, Dain se tourna vers Tamsin.

— Pardonnez-moi de vous imposer cela, mais je dois songer à ma femme. Elle a beau dire qu'elle est en pleine forme, je ne veux pas qu'elle entreprenne un autre long voyage alors que nous venons à peine de rentrer. Et je sais qu'elle aura l'esprit plus tranquille si vous êtes auprès de Lydia.

— Bien sûr, ma place est auprès d'elle. Ma valise sera prête dans une heure, assura Tamsin qui se hâta en direction de sa chambre.

— Tous mes vœux de bonheur, Trent. Mais du diable si je comprends ce que cette fille te trouve ! Enfin, nous n'allons pas passer la journée là-dessus. Ainswood a besoin de nous. Nous allons lui prêter main-forte, et lorsque nous aurons retrouvé ces petites, j'ai l'intention de lui casser la figure.

Dain commença à monter les marches.

— Je ne savais même pas qu'il avait d'autres pupilles ! pousuivit-il. Elles vivaient à Blakesleigh depuis la mort de Charlie. Sapristi, faut-il que je sois toujours le dernier à apprendre les choses ? « Qui diable est cette Elizabeth ? », ai-je demandé à Jessica. « La sœur de ce petit garçon qui est mort environ un an avant notre mariage », m'a-t-elle répondu. « Mais elle est morte », ai-je objecté. « Non, c'est sa mère qui est morte, vous confondez », m'a-t-elle rétorqué. Nous avons reçu tellement de faire-part de deuil que je ne sais plus qui est en vie et qui ne l'est plus dans cette famille.

Les deux hommes bifurquèrent dans l'aile gauche de la demeure, où se trouvait la chambre de Bertie.

— Ainsi non seulement la sœur est en vie, mais il y en a une deuxième ! Et elles vivent chez lord Mars, qui a déjà neuf enfants et le dixième en route, bien que sa femme ait au moins quarante-cinq ans.

Le marquis ouvrit la porte de la chambre de Bertie et continua de vitupérer :

— C'est un peu fort ! Ainswood aurait pu me mettre au courant !

— Il ne m'a rien dit, à moi non plus.

— Il te connaît à peine.

Dain ressortit dans le couloir pour appeler son valet d'une voix de stentor. Puis, réintégrant la chambre, il ajouta :

— Cela fait six mois que je suis marié. J'aurais pu aller trouver ces jeunes filles et leur proposer de venir vivre ici. Ce n'est pas comme si nous manquions de chambres. Jessica aurait apprécié un peu de compagnie féminine. Et puis, tout de même, ce sont les filles de Charlie ! Un homme pour qui j'avais la plus haute estime. J'aurais quitté Paris sur-le-champ pour assister à ses obsèques si ce crétin qui se prétend mon ami avait jugé bon de me faire prévenir. Mais quand la nouvelle m'est parvenue, Charlie était enterré depuis une semaine.

Dain jeta le sac de Bertie sur le lit. Andrews arriva sur ces entrefaites.

— Pendant que j'aide lord Trent à faire ses bagages, allez vous occuper des miens, ordonna-t-il.

Andrews s'éclipsa aussitôt.

Dain se dirigea vers l'armoire et entreprit de la vider de son contenu tout en s'indignant :

— J'aurais dû être présent aux funérailles de Charlie. J'aurais dû me tenir au côté d'Ainswood quand on a mis le petit garçon en terre, près de son père. Un homme a besoin de ses amis quand il est dans la peine.

Dain jeta un tas de vêtements sur le lit, puis regarda Bertie.

— Au moins cette fois, il a demandé de l'aide. Je devine là la patte de ma cousine. Tu te chargeras d'escorter Mlle Price...

— En fait, elle s'appelle Mlle Prideaux.

— Peu importe. Ta fiancée, quoi. Je disais donc que tu l'emmèneras à Londres et que tu resteras là-bas et feras ce que ma cousine te demandera. Lydia connaît parfaitement la ville, et son réseau d'informateurs ferait pâlir d'envie le ministre de l'Intérieur.

— Tu crois que les deux jeunes filles ont fait le voyage jusqu'à Londres ? dit Bertie, sceptique. Peut-être ont-elles décidé de rentrer chez elles, finalement.

— Le problème, c'est qu'elles n'ont pas l'air de se sentir à leur place à Blakesleigh, soupira Dain.

Vere se débattait pour traverser un bois devenu aussi dense qu'une jungle tropicale. Des racines tordues surgissaient de toutes parts. Il tombait, se relevait, reprenait sa course folle. Il faisait nuit noire et le froid le transperçait, pourtant il continuait d'avancer aveuglément, se guidant aux pleurs terrifiés.

Il était inondé de sueur.

« J'arrive, Robin ! » voulut-il crier. Sa bouche articulait les mots, mais aucun son n'en sortait. L'enfant ne pouvait pas savoir qu'il était tout près. Il devait se croire abandonné.

« Non, ce n'est pas vrai. Jamais je ne t'abandonnerai. Jamais ! »

C'est pourtant ce qu'il avait fait. Il avait abandonné le fils de Charlie... Et il était puni à présent. Sa voix était morte et il suffoquait, pendant que de son côté, l'enfant étouffait, la gorge envahie de sournoises membranes blanchâtres.

Ses mains rencontrèrent soudain une surface lisse. Du marbre. Il tâtonna à la recherche d'une poignée. Poussa de l'épaule. En vain.

Il le frappa de son poing fermé.

Ses doigts trouvèrent un mécanisme de fermeture, s'acharnèrent, l'arrachèrent finalement. Arc-bouté, il fit pivoter la porte massive et se rua en direction de la voix, de plus en plus ténue.

Une bougie brûlait à chaque extrémité du cercueil. Il souleva le couvercle, arracha le suaire, prit le petit garçon dans ses bras.

Mais il n'attrapa que des volutes de brouillard, des rubans de vapeur qui lui échappèrent pour se dissoudre dans l'air.

— Non ! Robin !

Vere se réveilla dans un cri.

Il était agenouillé, un oreiller pressé contre la poitrine.

Ses mains tremblaient. Sa peau était poisseuse. Les larmes ruisselaient sur ses joues.

Il jeta l'oreiller, se frotta le visage. Puis il se leva, et s'approcha de la fenêtre.

Le brouillard avait épaissi un peu avant qu'ils s'arrêtent dans une auberge d'étape. Il aurait bien continué, mais il était tard, et les domestiques étaient épuisés et affamés. Contrairement à leur maître, ces derniers n'étaient pas dévorés par l'angoisse et la culpabilité qui coupent l'appétit et empêchent de dormir.

Il ouvrit la fenêtre, entendit le crépitement de la pluie. Bientôt l'aube se lèverait. On était mardi. Les filles avaient disparu depuis une semaine entière et personne ne savait où elles étaient.

Il se lava, s'habilla. Jaynes était resté avec Grenville. Il était plus utile à Londres, qu'il connaissait comme sa poche et où il pouvait se mêler à n'importe quelle faune des bas-fonds sans se faire repérer.

Vere n'osait penser aux quartiers misérables où ses pupilles avaient peut-être échoué, comme tant d'autres fugitives avant elles. Mlle Price, par exemple. Qui avait failli tomber dans les griffes de Coralie Brees.

« Si vous voulez la remettre à la police, je suis toute prête à vous accompagner pour témoigner », lui avait proposé Grenville ce jour-là, dans Vinegar Yard.

Elle ne lui demandait que de faire son devoir de citoyen. Mais il n'avait pas levé le petit doigt. Et il était d'autant plus coupable qu'il faisait partie de l'élite de la société. Il avait laissé Coralie s'échapper, lui avait permis de piéger d'autres jeunes filles naïves.

Et à cette honte-là s'ajoutait celle de ne jamais s'être soucié de ses pupilles.

Il s'empara du nécessaire à écriture que Grenville l'avait obligé à emporter. Il devait rédiger son rapport biquotidien.

Grenville s'était proclamée général, et tous ses « officiers » étaient censés lui rendre compte deux fois par jour. Les domestiques, qui faisaient office de courriers, étaient chargés de transmettre les messages.

En ce moment même, une petite armée d'enquêteurs improvisés était en train d'écumer Londres et sa banlieue. Les routes principales étaient sillonnées les unes après les autres. Dain, par exemple, avait pour mission d'interroger les aubergistes le long de la route de Southampton. Quant à Vere et à Mars, ils se trouvaient du côté de Maidenhead, où se rejoignaient les routes de Bath, de Stroud et de Gloucester.

Vere retranscrivit consciencieusement le détail de ses propres recherches.

Millie n'est pas très efficace. Elle a tendance à s'écarter de l'itinéraire qu'on lui attribue. D'un autre côté, les gens lui parlent volontiers. Hélas, pour l'instant nous n'avons obtenu aucun renseignement concluant. Hier, elle est partie à bord d'une carriole conduite par un domestique de lord Mars, et ne nous a pas rejoints comme convenu le soir. Je ne m'inquiète pas trop, parce qu'elle est accompagnée d'un solide gaillard, et que vous m'avez assuré qu'on peut compter sur elle. Peut-être a-t-elle suivi une piste. J'espère de tout cœur qu'elle sera fructueuse.

Il fronça les sourcils. Tout ce qu'il venait d'écrire était froid et factuel, mais il n'avait pas tout dit.

Il se leva, arpenta la pièce un moment, puis revint s'asseoir et prit une autre feuille de papier.

Ma chérie,

Je vous écris deux fois par jour pour vous expliquer que nous ne trouvons pas les filles.

Aujourd'hui je voudrais vous dire ce que j'ai trouvé.

Leur frère est ici, à mes côtés. Je n'ai aucun moyen de lui échapper. Robin et moi, nous voyageons ensemble. Où que se porte mon regard, je vois ce que je voyais jadis en sa compagnie. Quand nous regardions défiler le paysage par la fenêtre de la voiture. Quand nous montions à cheval. Quand nous marchions ou que je le portais sur mes épaules.

À force de boire, de trousser des catins et de me bagarrer, j'avais réussi à le chasser de mon esprit. J'évitais toute personne et tout lieu qui me l'aurait rappelé. Mais depuis que vous êtes entrée dans ma vie, ces lâchetés me sont interdites.

Je sais pourquoi vous vouliez vous rendre à Blakesleigh. Pour la journaliste chevronnée que vous êtes, il n'a sûrement pas été très difficile de découvrir que j'étais le tuteur de deux jeunes filles. Vous vouliez les prendre sous votre aile, comme vous l'avez fait avec Mlle Price, Bess et Millie. Je crois que vous accueilleriez tous les miséreux de Londres si vous le pouviez. Lady Dain a obligé son mari à assumer ses responsabilités envers son fils illégitime, et je me doutais qu'en ce qui concerne mes pupilles, vous ne seriez pas moins intransigeante qu'elle.

Un homme ne peut que s'incliner devant l'inévitable, mais cela ne l'empêche pas de se rebiffer. Surtout celui que vous avez épousé.

Aujourd'hui je suis puni de ma stupidité, et je passe mon temps à me flageller. Je me rappelle, par exemple, comment j'ai cherché à vous émouvoir en vous énumérant toutes les bonnes raisons que vous auriez de m'épouser. Fallait-il être idiot. Il m'aurait suffi d'évoquer ces deux jeunes filles et de vous demander votre aide pour m'occuper d'elles. Mais je n'ai pas songé à elles un seul instant. Je les avais chassées de mes pensées, comme Robin.

Charlie m'a laissé le plus précieux des héritages : ses enfants. Et moi... Eh bien, j'ai tout gâché, ma chérie ! Et je ne peux que prier pour avoir la possibilité de me racheter.

Assise à sa coiffeuse, Lydia relisait la missive d'Ainswood pour la dixième fois.

Celle-ci était arrivée en fin de matinée. Lydia avait confié le premier feuillet à Tamsin, qui avait pour tâche de collecter les rapports et de traduire les mouvements de l'immense partie de cache-cache sur les cartes qui jonchaient la bibliothèque.

Le second feuillet, Lydia l'avait gardé pour elle.

Il était à présent minuit passé. Entre-temps elle avait reçu une autre lettre d'Ainswood, purement informative celle-ci. Il n'était pas difficile de répondre à ces rapports factuels. Elle décrivait ses propres journées, ou communiquait les renseignements utiles glanés dans les lettres que lui envoyait Dorothy Mars plusieurs fois par jour. Ainsi, elle avait appris qu'Elizabeth et Emily avaient emporté une paire de lunettes. L'une d'elles, l'aînée sans doute, devait s'en servir pour se vieillir. Il ne fallait donc pas chercher deux jeunes sœurs, mais plutôt une jeune veuve et sa dame de compagnie, ou une demoiselle de bonne famille et sa gouvernante.

Les deux péronnelles avaient tout prévu, apparemment.

Je vous rejoins. Voilà ce que Lydia aurait aimé écrire à Ainswood. Mais c'était impossible. Elle ne pouvait laisser Tamsin coordonner seule les opérations. Bien que celle-ci soit rigoureuse et organisée, il y avait trop à faire.

Aussi avait-elle répondu à son mari :

Vous n'êtes pas le seul à blâmer, loin de là. À la lecture des lettres de Dorothy Mars, je ne m'étonne plus que vos pupilles aient réussi à duper tout le monde à Blakesleigh. Je peine à trouver des excuses à lord Mars. Comment le politicien aguerri qu'il est a-t-il pu se faire mener en bateau par deux écolières ? Mais sans doute sont-elles particulièrement ingénieuses, car au cours de leur périple il leur a fallu embobiner cochers, aubergistes et valets.

Ne vous fustigez pas inutilement, mon chéri, et surtout ne perdez pas espoir. Quand nous aurons rattrapé ces redoutables chipies, je vous promets de les reprendre en main avec la plus grande fermeté.

Il lui avait été plus difficile d'évoquer Robin, mais elle l'avait fait néanmoins.

Ce petit fantôme qui vous suit partout me semble presque familier. Celui de ma chère Sarah m'accompagne depuis plus de quinze ans. Lorsque nous nous retrouverons vous et moi, nous pourrons partager ces douloureux souvenirs. Pour l'heure, je vous adjure de renoncer à ces regrets stériles. Efforcez-vous plutôt de voir le monde à travers les yeux de Robin, comme autrefois. Après tout ce sont ses sœurs que vous cherchez, et cela vous aidera peut-être. Robin a vécu six mois à vos côtés. À son retour, lady Mars m'a avoué l'avoir à peine reconnu tant il avait changé. Quels mauvais tours lui avez-vous donc appris ? Tâchez de vous en souvenir car il est probable qu'il les ait à son tour enseignés à ses sœurs. Je me doute déjà qu'elles maîtrisent à la perfection l'art du sourire enjôleur, qui leur permet de faire gober n'importe quelle faribole à n'importe quel clampin un tant soit peu crédule...

Bien que la lettre soit partie depuis longtemps, Lydia ne cessait d'y penser. Ainswood lui avait ouvert son cœur. Il lui en avait d'autant plus coûté de parler de Robin que sa douleur était profondément enfouie, devinait-elle. Pourtant il avait eu le courage de le faire. Et elle se demandait si sa réponse n'apparaissait pas trop désinvolte en regard du chagrin qui était le sien. Elle ne voyait cependant pas en quoi faire du sentiment et larmoyer comme Dorothy Mars lui aurait été d'une aide quelconque.

De toute façon, pour l'heure, ce qui primait, c'était de retrouver Elizabeth et Emily. Et Ainswood avait besoin d'agir, pas de recevoir des marques de sympathie stériles.

Abandonnant la lettre, elle descendit au rez-de-chaussée.

Bertie Trent avait emmené Brigitte faire sa promenade vespérale du côté de Hyde Park, de Piccadilly et de Dukes Street, une zone où il était susceptible de croiser les filles si jamais celles-ci tentaient de rejoindre St James's Square. C'était une idée optimiste, voire utopique, mais on ne savait jamais. Et même déguisées, elles auraient du mal à échapper au flair infaillible de Brigitte. En effet, à la demande de Lydia, Dorothy Mars leur avait fait parvenir les vêtements que les deux sœurs portaient la veille de leur départ. Et la chienne connaissait maintenant leur odeur.

Ces rondes tardives avaient le mérite d'occuper Bertie, qui y mettait beaucoup de zèle, comme pour chaque mission que lui confiait Lydia. Il lui était de fait très utile. En général, elle n'avait qu'à réfléchir tout haut, émettre une idée ou évoquer une chose qu'elle avait oublié de faire, pour qu'il se lève d'un bond en s'écriant : « Ne bougez pas, je m'en charge ! » Et il s'en chargeait effectivement.

Cependant Bertie savait s'octroyer un temps de repos suffisant avant d'entamer une nouvelle journée. Ce n'était pas le cas de Tamsin qu'il fallait toujours houspiller pour qu'elle consente enfin à aller se coucher.

C'est exactement dans ce but que Lydia se dirigeait vers la bibliothèque.

Elle venait d'atteindre le bas de l'escalier quand on cogna à la porte. Un valet se hâta d'aller ouvrir. Reconnaissant le messager d'Ainswood, Lydia alla récupérer le billet, avant d'envoyer l'homme manger un morceau à l'office.

Tout en prenant le chemin de la bibliothèque, elle déchira l'enveloppe et lut.

Ma chérie,

Soyez mille fois bénie pour vos sages paroles, et pour m'avoir envoyé Millie.

Elle est allée vagabonder plus au nord, dans le « territoire » de Bagnigge, si bien que j'étais sur le point d'envoyer quelqu'un à sa recherche. Mais votre lettre m'a fait réfléchir. Je me suis rappelé que Robin et moi nous étions promenés dans le coin, du côté de Coombe Hill, pas très loin d'Aylesbury. L'histoire est longue et compliquée, aussi je vais tâcher de vous la résumer : grâce à Millie, qui laisse toujours traîner ses oreilles, nous avons découvert près d'Aylesbury une auberge dans laquelle les filles ont séjourné quelques jours. Apparemment Emily a été malade, mais on nous a assuré qu'elle était parfaitement remise lorsqu'elles ont repris la route samedi. Dimanche, elles se trouvaient à Prince's Risborough, où elles ont pris dans un panier des vêtements masculins que le vicaire destinait aux pauvres. En guise de dédommagement, elles ont laissé la robe d'Emily. Millie a interrogé la femme du vicaire et nous savons maintenant comment elles sont habillées.

Suivait une description détaillée des nippes chipées par les deux jeunes filles. Elizabeth portait une jupe marron, un corsage gris et un foulard ; Emily une chemise, un pantalon et une casquette à carreaux.

Ainswood précisait encore que la piste les ramenait vers le sud.

Sa lecture terminée, Lydia en fit le résumé à Tamsin.

— Ce sont des renseignements cruciaux, conclut-elle. Il va falloir réveiller les domestiques et les envoyer informer tout le monde. On ne sait pas de quelle avance disposent les filles sur Ainswood. Peut-être sont-elles déjà à Londres, ou sur le point d'y arriver. Tout le monde doit être en état d'alerte maximum.

— Je vais mettre par écrit la description de leurs vêtements et en faire des copies pour nos messagers, déclara Tamsin. Ce ne sera pas long.

— Et moi, je vais demander qu'on nous prépare un café bien fort.

Le fermier avait déposé les deux sœurs à Covent Garden, qui grouillait de vie alors que 6 heures venaient de sonner au clocher tout proche. Il leur avait même offert une pomme à chacune.

— Nous ne sommes plus très loin de St James's Square, assura Elizabeth.

« Si seulement je savais quelle direction prendre ! » ajouta-t-elle à part soi en jetant un regard désemparé autour d'elle.

S'orienter de nuit était encore plus difficile. Elle regrettait de ne pas avoir emmené de boussole, mais comment prévoir que leur voyage, censé durer deux ou trois jours, se transformerait en un périple d'une semaine ? À court d'argent, elles avaient dû vendre ou échanger la plupart de leurs maigres possessions. Elizabeth, qui était la plus résistante des deux, savait sa sœur épuisée et affamée.

Heureusement, tout cela serait bientôt terminé. Elles étaient à Londres. Il leur suffisait de demander la direction de St James's Square...

À cet instant, Emily s'affaissa contre sa sœur et une voix nasillarde s'exclama :

— Oh, le pauvre garçon se sent mal ! Aide-le, Nelly.

Elizabeth n'eut pas le temps de comprendre ce qui se passait. Une fille rousse sortie de nulle part attrapa Emily à bras-le-corps. Une main de fer se referma sur l'épaule d'Elizabeth et quelqu'un lui chuchota à l'oreille d'un ton menaçant :

— Pas un mot, pas un cri. Tu la boucles et tu me suis gentiment si tu ne veux pas que Nelly se fâche et tranche la gorge de ton camarade.

17

Tom-pépin-de-pomme n'avait pas eu le temps de bien les voir. La fille à lunettes et le garçon à casquette. Il ne les aurait sans doute pas remarqués s'il n'avait eu l'attention attirée par la charrette du vendeur de pommes et ne s'était approché dans l'espoir de récupérer un fruit qui aurait roulé par terre.

À ce moment-là, le garçon à casquette avait sauté à bas du véhicule, dévoilant une cheville fine sous l'ourlet du pantalon trop court. Tom avait alors joué des coudes, histoire de voir ces deux-là de plus près. Il n'aurait su dire pourquoi, sinon que cela faisait si longtemps qu'il était sur le qui-vive que le moindre détail sortant de l'ordinaire l'alertait.

La fille à lunettes avait jeté un regard autour d'elle, l'air perdu. Puis le garçon qui l'accompagnait était devenu livide et s'était écroulé.

En un éclair, Coralie Brees et une de ses filles étaient passées à l'attaque. L'instant d'après elles entraînaient leurs proies dans une ruelle voisine.

Tom ne perdit pas de temps à se demander s'il avait raison ou tort, s'il s'agissait bien des deux filles que Mlle Grenville recherchait. Ces derniers jours, ses copains et lui avaient suivi de nombreuses fausses pistes, mais Tom savait qu'il valait mieux se tromper une fois de plus que de prendre le risque de les rater.

Il se lança donc à leur poursuite.

Aussi stupide fût-elle, Coralie savait repérer une fille déguisée en garçon. Elle savait également reconnaître l'accent de la haute. Il ne lui fallut donc que quelques minutes pour jauger les deux captives que Nelly et elle avaient contraintes à monter dans la vieille voiture conduite par Mick.

— Je suppose que vous voulez de l'argent, commença la plus âgée des filles en fixant craintivement le couteau de Coralie. Ne serait-il pas plus simple de nous emmener à Ainswood House, sur St James's Square, et d'expliquer que vous nous avez secourues ? On vous donnera une récompense.

Coralie s'apprêtait à ordonner à Mick d'arrêter la voiture pour jeter dehors ces deux dindes. Elle s'intéressait aux pauvresses isolées et non aux péronnelles dont les familles riches et puissantes mettraient tout en œuvre pour les retrouver. D'autant que son entourage, elle en avait conscience, était prêt à la trahir sur l'heure en échange de la moindre récompense.

Coralie ne brillait peut-être pas par son intelligence, mais elle était assez rusée pour ne pas se faire prendre. Tout le monde savait qu'elle était dangereuse et qu'il valait mieux ne pas s'en faire une ennemie. Ses filles mieux que quiconque.

À ce jour, la seule à avoir échappé à sa vindicte était Annette, pour l'unique raison que cette garce lui avait dérobé son argent et ses bijoux. Ainsi, elle avait pu soudoyer Josiah et Bill, qui n'étaient jamais revenus.

Tout cela par la faute de la nouvelle duchesse d'Ainswood.

Et voilà que, par une extraordinaire coïncidence, ces deux cruches se trouvaient être les pupilles du duc !

Coralie avait effectivement entendu dire qu'il régnait à Ainswood House une agitation inhabituelle. Et le duc avait apparemment quitté Londres.

Elle n'en savait guère plus. Ces derniers temps, elle avait dû faire profil bas. Elle avait quitté Francis Street sans payer son loyer, si bien qu'elle avait maintenant les huissiers aux trousses. Quelques jours plus tôt, dans un accès de rage avinée, elle s'en était prise à une de ses filles qu'elle trouvait insolente et l'avait lardée de coups de couteau, avant d'ordonner à Mick de jeter son corps dans la Tamise. Annette ayant pris la poudre d'escampette, il ne lui restait plus que Nelly. En conséquence, ses finances étaient au plus bas. Voilà pourquoi elle avait dû s'aventurer dans les rues dès l'aube à la recherche de chair fraîche.

Mais cette fois, elle avait gagné le gros lot. Non contente de faire fortune, elle allait pouvoir se venger de cette grande bringue de duchesse scribouillarde.

— La résidence du duc est fermée, mentit-elle. Tout le monde est parti à votre recherche, petites idiotes. Et vous, vous débarquez dans le quartier le plus dangereux de Londres ! Vous savez ce qui arrive aux gamines sans cervelle dans votre genre ?

Serrant sa sœur contre elle, la plus âgée répondit bravement :

— Oui, nous le savons. Nous l'avons lu dans l'*Argos*.

— Alors si vous ne voulez pas finir comme elles, je vous conseille de vous tenir tranquilles et d'obéir.

Tom-pépin-de-pomme avait réussi à ne pas se laisser distancer pendant un bon moment, car la circulation était dense et l'antique voiture ne se déplaçait pas très vite. Mais, retenu un instant au milieu d'une marée de piétons qui cherchaient à traverser la rue, il avait finalement perdu sa trace et n'avait pas réussi à la retrouver en dépit de ses efforts.

Dans la matinée, il vint faire son rapport à Lydia. La description qu'il lui donna des deux victimes ne laissait planer aucun doute : il s'agissait bien d'Elizabeth et d'Emily. Apprendre qu'elles avaient été enlevées par Coralie Brees la plongea dans l'accablement. Mais elle se ressaisit vite. Le moment était mal choisi pour flancher.

Après avoir envoyé Tom se restaurer en cuisine, Lydia dépêcha un messager à Ainswood pour lui enjoindre de rentrer à Londres sur-le-champ.

Puis elle tint conseil dans la bibliothèque avec Tamsin et Bertie, afin d'élaborer un plan de bataille.

Jusqu'à présent, ils s'étaient montrés aussi discrets que possible dans leurs recherches. On ne criait pas sur les toits que deux jeunes filles de la haute société s'étaient enfuies de chez elles. C'était inconvenant et leur réputation aurait été ruinée si la nouvelle s'était répandue. Mais ce n'était pas là le pire des risques. Grenville de l'*Argos* avait des ennemies, qui auraient pu se mettre en quête des deux fugitives uniquement pour lui nuire. Elle avait donc recommandé à ses espions de ne pas se faire remarquer.

Et pourtant, Elizabeth et Emily étaient tombées entre les griffes de sa pire ennemie.

— Nous n'avons pas le choix, déclara-t-elle à ses compagnons. Il faut offrir une grosse récompense en espérant que la vénalité de Coralie l'emportera sur sa haine.

Tamsin et elle rédigèrent rapidement une annonce que Bertie se chargea de porter à l'imprimerie de l'*Argos*.

Lydia envoya des messages à ses informateurs les plus sûrs pour tâcher de savoir où se cachait Coralie.

— Je n'ai guère d'espoir de ce côté-là, avoua-t-elle cependant à Tamsin. On a trouvé le corps d'une fille dans la rivière il y a quelques jours. Attachée et défigurée. Depuis, Coralie doit se terrer quelque part, même si elle ne risque pas grand-chose.

Lydia sonna pour demander qu'on lui apporte son chapeau et sa jaquette.

— Vous sortez ? Vous n'avez tout de même pas l'intention d'entreprendre des recherches seule de votre côté ? se récria Tamsin.

— Je vais au poste de police de Shadwell. Peut-être que les officiers pourront m'aiguiller. Il est même possible qu'ils détiennent des indices à leur insu. Les hommes n'ont pas la même vision des choses que les femmes. Parfois ils ne voient pas ce qui se trouve sous leur nez.

Après avoir enfilé sa veste et coiffé son chapeau, Lydia ajouta :

— Coralie ne joue jamais franc-jeu. Si elle avait juste voulu de l'argent, nous aurions déjà eu de ses nouvelles à l'heure qu'il est.

— Vous voulez parler d'une demande de rançon ?

Lydia hocha la tête et tira sa montre de gousset.

— Il est midi passé. Si elle ne s'est pas encore manifestée, c'est qu'elle me réserve un chien de sa chienne. Alors je ne vais pas rester ici les bras croisés en lui laissant l'avantage.

En attendant que les prospectus soient imprimés, Bertie Trent s'était retranché dans le bureau de Mlle Grenville et s'était assis à la vieille table.

Il avait un cas de conscience.

Tamsin lui avait raconté son histoire, et il comprenait qu'elle se soit enfuie. Sa mère semblait ne pas avoir toute sa tête, et il jugeait avec sévérité son père qui, selon lui, avait tout bonnement abandonné la jeune fille.

De la même manière, nombre de gens – lord et lady Mars en tête – estimaient qu'Ainswood avait abandonné ses pupilles.

Mais il fallait avouer que les relations familiales étaient parfois un véritable casse-tête. Jessica, par exemple, avait toujours exaspéré Bertie, ce qui n'empêchait pas ce dernier de lui être très attaché.

Parfois on n'avait d'autre choix que de prendre ses distances. Cela ne signifiait pas pour autant qu'on était un monstre insensible.

M. Prideaux ne s'était peut-être pas rendu compte de la gravité de ce qui se passait au sein de son foyer. Mais maintenant que Tamsin était partie, il devait avoir recouvré sa lucidité. Et il devait être mort d'inquiétude. Bertie lui-même se faisait un sang d'encre pour les pupilles d'Ainswood alors qu'il ne les connaissait pas. Même Dain était aux cent coups. Bertie ne l'avait jamais vu se conduire de manière aussi étrange – il avait été jusqu'à lui préparer sa valise !

Ainsi Bertie ne pouvait s'empêcher de penser à ce pauvre M. Prideaux qui devait se torturer en imaginant toutes les horreurs susceptibles d'arriver à une jeune fille censée s'être enfuie en Amérique en compagnie d'un inconnu.

Les minutes s'écoulaient sans qu'il trouve d'issue à son dilemme.

Il aurait dû en discuter avec Tamsin, mais celle-ci avait fort à faire de son côté, et il ne voulait pas la charger d'un fardeau supplémentaire. En outre, un homme pouvait se fier à sa conscience, non ? Il avait appris à distinguer le bien du mal et, en l'occurrence, sa conscience lui indiquait clairement la marche à suivre.

Résolument, il saisit une feuille de papier vierge, la posa devant lui, puis s'empara du porte-plume.

Lydia se tenait devant le cadavre d'une vieille femme, à la morgue de Shadwell qui jouxtait le poste de police. On l'avait repêché la nuit passée, et le jeune officier qui avait reçu Lydia en avait fait mention parce que le corps portait des marques semblables à celles trouvées sur le corps de la jeune prostituée tirée des eaux quelques jours plus tôt.

La vieille avait eu le visage lacéré avant d'être étranglée à l'aide d'un garrot qui l'avait presque décapitée.

— C'est la signature de Coralie, vous ne pensez pas, Votre Grâce ? s'enquit le jeune officier qui l'avait accompagnée dans la morgue.

— Ça y ressemble, mais d'ordinaire elle ne s'attaque pas à ce genre de victimes. Les siennes sont beaucoup plus jeunes. Pourquoi s'en serait-elle prise à Dorrie-la-folle ?

— Dorrie-la... Pardonnez-moi, Votre Grâce, mais, vous connaissez la défunte ?

— Oui. Quand j'étais enfant, on la considérait déjà comme dérangée. Elle gagnait sa vie en draguant la rivière à la recherche de cadavres. Elle parlait toute seule, marmonnait dans sa barbe et se disputait avec des adversaires imaginaires. Les enfants prétendaient qu'elle criait après les fantômes des noyés.

— Ces fantômes l'accusaient peut-être de leur faire les poches, suggéra l'officier avec un sourire.

— Tous les dragueurs de rivière font cela. Ce sont les avantages du métier.

— Quoi qu'il en soit je m'étonne que vous l'ayez reconnue. Le corps n'est pas resté très longtemps dans l'eau, mais elle a été salement défigurée.

— Je l'ai revue il n'y a pas longtemps, alors que j'interrogeais des prostituées à Ratcliffe. J'ai été surprise qu'elle soit encore de ce monde. J'ai reconnu ses cheveux teints en roux et ses tresses tout emmêlées. Et puis, elle avait cette tache de naissance sur le poignet.

Je ne l'ai jamais connue que sous le nom de Dorrie-la-folle.

— C'est déjà un renseignement utile, commenta l'officier Bell. J'ai eu raison de vous parler de ce crime. Enfin, ce n'est pas cela qui vous amène, ajouta-t-il en rabattant le drap sur le cadavre. Cette pauvre femme a été assassinée avant que Coralie enlève les pupilles du duc d'Ainswood. Et à moins que vous ne voyiez un lien direct avec cette affaire...

L'officier se retourna pour interroger la duchesse du regard et se rendit compte qu'il parlait dans le vide.

Sa Grâce était partie.

Le duc d'Ainswood, qui venait de rentrer chez lui, s'efforçait de digérer une nouvelle qui l'avait mis de très mauvaise humeur.

— Elle est partie seule dans l'East End ? s'écria-t-il. Mais est-ce que tout le monde a perdu la tête dans cette maison ? Vous ne comprenez donc pas ce qu'elle mijote ? Exactement la même chose qu'à Vinegar Yard. Elle croit qu'elle peut botter les fesses d'une bande d'assassins avec seulement sa montre de gousset en poche. Et elle n'a même pas emmené Brigitte !

— Lydia est partie il y a plusieurs heures, expliqua Tamsin. Brigitte était avec Bertie. Lydia comptait juste se rendre au poste de police. Elle était escortée du cocher et d'un valet. Il n'y a pas de raisons de s'inquiéter.

— Vous êtes d'une naïveté ahurissante, rétorqua Vere, qui sortit de la bibliothèque au pas de charge et traversa le hall.

Il ouvrit la porte d'entrée avant que le majordome ait le temps de réagir et faillit bousculer le policier qui se tenait sur le perron et s'apprêtait à soulever le heurtoir.

— J'espère que vous m'apportez un message de ma femme, dit-il. Et il vaudrait mieux pour vous que les nouvelles soient bonnes.

— Officier Bell, du bureau de Shadwell. Je suis désolé, Votre Grâce, je n'ai pas de message pour vous. Mais j'ai bien vu la duchesse d'Ainswood. Nous étions en train de discuter, j'ai détourné les yeux un instant, et elle s'est volatilisée ! J'ai retrouvé sa voiture devant le poste de police, mais elle n'était pas dedans. Je suis venu parce que j'espérais que quelqu'un ici pourrait m'aider à assembler les pièces du puzzle. Manifestement Sa Grâce a l'esprit plus vif que moi.

Si Lydia n'était plus à Shadwell, Vere n'avait aucune idée de l'endroit où la chercher. Il s'exhorta mentalement au calme, invita le jeune policier à entrer et le conduisit dans la bibliothèque où se trouvaient Tamsin et Bertie.

L'officier Bell avait l'air d'un homme capable, mieux éduqué que la plupart de ses collègues. Il raconta les faits de manière concise. À son avis, la duchesse d'Ainswood en savait plus sur Dorrie-la-folle qu'elle ne l'avait laissé entendre.

— Elle s'est éclipsée avant que je lui pose d'autres questions. Si c'est bien Coralie qui a tué cette vieille femme, le mobile ne paraît pas évident. Peut-être représentait-elle une menace pour elle, mais laquelle ? Savait-elle où Coralie se cachait ? Avait-elle l'intention de la dénoncer aux autorités ? L'a-t-elle fait chanter ? Je me perds en conjectures.

— Peut-être s'était-elle trouvé une cachette que Coralie convoitait ? hasarda Tamsin. En tout cas, Lydia devait savoir précisément où elle allait. Ce qui m'étonne, c'est qu'elle n'ait pas envoyé un mot pour nous tenir au courant, comme promis.

Vere préférait ne pas penser à la raison pour laquelle sa femme n'avait pas voulu – ou pas pu – les alerter.

Depuis qu'il avait reçu son dernier message, le matin même, la journée avait été un véritable cauchemar.

Alors qu'ils rentraient à Londres en catastrophe, lord Mars, épuisé, était tombé en descendant de voiture, lors du premier arrêt. Il s'était tordu la cheville et avait dû rester à l'auberge. Ensuite, c'est un des chevaux qui s'étaient mis à boiter. Puis, à moins d'une dizaine de lieues de Londres, un phaéton conduit par un ivrogne était passé trop près, endommageant une roue.

Excédé, Vere avait dû gagner à pied l'auberge la plus proche, louer une monture et parcourir au triple galop le chemin restant. Et une fois arrivé chez lui, on lui avait annoncé que sa femme était introuvable.

À présent, les histoires horribles qu'il avait imaginées et dans lesquelles ses pupilles tenaient le premier rôle comptaient une protagoniste de plus.

Lydia l'avait rappelé. Elle avait besoin de lui. Il était venu aussi vite que possible, comme il l'avait fait pour Robin. Mais il ne savait pas comment la sauver.

« Trop tard, chantonnait une voix mauvaise dans sa tête. Tu arrives toujours trop tard. »

— Votre Grâce ? fit l'officier Bell.

Vere tressaillit et retomba sur terre.

— Le nom de Dorrie-la-folle vous dit-il quelque chose ?

— Non. Si j'ai pu la côtoyer un jour du côté de Ratcliffe, j'étais trop saoul ou trop occupé à me battre pour le remarquer.

— Si Jaynes t'accompagnait, peut-être aura-t-il noté sa présence. Tu m'as dit qu'il connaissait Londres comme sa poche, et, apparemment, cette vieille femme était plus ou moins célèbre dans le quartier.

Vere posa un regard sidéré sur Bertie, qui venait d'émettre cette suggestion plutôt futée. Le regard empli d'admiration, Tamsin s'écria :

— Dieu que c'est astucieux, Bertie ! Nous aurions dû tout de suite penser à Jaynes.

Elle s'approcha de la table de la bibliothèque et s'empara d'une feuille.

— Jaynes doit démarrer sa ronde du soir d'ici une demi-heure, annonça-t-elle. Si vous partez maintenant, vous devriez le trouver chez *Pearkes*, où il a l'habitude de dîner.

Quelques instants plus tard, les trois hommes et la chienne quittaient la maison.

Lydia avait faussé compagnie à l'officier Bell, mais elle ne put échapper à Tom-pépin-de-pomme. Lorsqu'elle s'engagea dans High Street, ce dernier se matérialisa à ses côtés comme par enchantement.

— Où vous allez, m'dame ? Elle est là-bas, votre belle voiture, dit-il en pointant le pouce derrière lui.

— Là où je vais, je ne peux pas la prendre.

Et elle ne pouvait pas non plus emmener un officier de police.

Coralie se savait peut-être recherchée, mais pour l'heure, elle se croyait en sécurité. Et Lydia préférait ne pas la détromper. La maquerelle était suffisamment dangereuse en temps ordinaire. Acculée, elle deviendrait enragée.

Lydia jeta un coup d'œil à Tom.

— C'est Mlle Price qui t'a demandé de me suivre ?

— Non, m'dame. C'est moi, je préfère. Parce que ce sera ma faute si jamais il vous arrive malheur. J'avais qu'à pas me faire semer ce matin.

— Voyons, c'est grâce à toi si nous avons retrouvé la trace des filles. Mais bon, je ne vais pas discuter. D'autant que j'aurai sans doute besoin d'aide.

Un fiacre approchait. Elle héla le cocher, lui demanda de rejoindre Ratcliffe, puis grimpa à l'intérieur en compagnie de Tom. Là elle lui parla de Dorrie-la-folle, lui expliqua qu'elle soupçonnait Coralie de s'être approprié le logis de la pauvresse.

— C'est une grande maison isolée, bâtie au bord de la rivière. Mais Dorrie avait aussi une barque, et c'est un détail important. Je pense que Coralie va nous adresser une demande de rançon pour m'attirer là-bas et me tendre un piège. Jusqu'à présent, elle ne s'est pas signalée, je suppose donc qu'elle compte attendre la tombée de la nuit. Il est plus aisé de tendre une embuscade dans l'obscurité, et elle n'aura ensuite pas de mal à s'enfuir à bord de la barque. La seule chance de déjouer ses plans, c'est de la prendre de vitesse.

— Ce serait pas plus simple de rameuter ce grand type que vous avez épousé et quelques valets bien costauds ?

— Mon mari n'était pas encore rentré quand je suis partie pour Shadwell. Et il est trop tard pour l'envoyer chercher. Regarde, le jour décline déjà. Il n'y a pas une minute à perdre si nous voulons prendre Coralie par surprise. Nous allons devoir nous débrouiller pour trouver des renforts parmi les voisins de Dorrie-la-folle.

— Je connais des gars qui habitent dans le coin, déclara Tom. Et quelques filles aussi.

Dans la maison crasseuse de Dorrie-la-folle, Nelly était en train de céder à la panique.

Depuis qu'Annette s'était enfuie, elle était devenue le bras droit de Coralie. Elle avait récupéré les toilettes d'Annette, ainsi que ses clients attitrés. Ces derniers payaient plutôt bien, et Nelly était autorisée à garder la moitié de ce qu'ils lui donnaient. De fait, et même si le travail était souvent des plus désagréables, elle était bien obligée de se considérer comme une privilégiée parmi ses comparses.

Aujourd'hui, Coralie lui avait promis qu'elle n'aurait bientôt plus besoin de vendre son corps, parce qu'elles allaient mettre la main sur un gros pactole et partir pour Paris. Là-bas, elles retrouveraient Annette et, une fois qu'elles auraient récupéré tout ce qu'elle avait volé, elles seraient encore plus riches.

Mais plus le temps passait, moins ce plan plaisait à Nelly.

Elles avaient commencé par monter dans cette barque puante amarrée à un quai délabré. Nelly n'aimait pas l'eau et se méfiait des embarcations, surtout celles qui avaient servi à transporter des cadavres en putréfaction. Elle ignorait comment Coralie était entrée en possession de cette barque, ni par quel moyen elle avait eu accès à la maison qui, manifestement, était encore habitée il y a peu.

La nuit tombait. Le vent s'était levé et s'infiltrait à l'intérieur par les nombreuses lézardes. Coralie s'occupait de charger dans la barque des provisions pour leur futur voyage. Les deux jeunes filles étaient enfermées à double tour dans la réserve, mais elles ne faisaient pas un bruit et Nelly se sentait très seule. À chaque bourrasque, la maison se mettait à craquer et à gémir, donnant l'impression que quelqu'un s'était introduit dans la place.

La baraque avait visiblement appartenu à un dragueur de rivière, car de nombreuses affiches offrant des récompenses pour retrouver des disparus étaient fixées au mur. Du reste, l'endroit empestait la mort.

Réprimant un frisson, Nelly regarda la demande de rançon abandonnée sur la table.

Coralie avait passé des heures à la rédiger. Elle avait écrit plusieurs versions au dos de vieux prospectus. Chaque fois qu'elle en froissait un pour recommencer, ses exigences financières augmentaient. Entre deux versions, elle s'amusait à terrifier ses otages. Elle se levait et allait leur parler à travers la porte, leur détaillant le sort qu'elle leur réservait si jamais la duchesse d'Ainswood ne lui obéissait pas.

Nelly était de toute façon persuadée que Coralie mettrait ses menaces à exécution, par pure cruauté. Elle n'avait aucune raison de laisser la vie à ces filles. Une fois qu'elle aurait l'argent, elle monterait dans la barque et se fondrait dans la nuit. Pourquoi laisser derrière elle des témoins gênants ? Elle-même comprise ?

La porte s'ouvrit soudain et Coralie entra. Elle attrapa le chapeau et le châle que Nelly avait accrochés à une patère, les lui lança.

— Bouge tes fesses. Tu as dix minutes pour aller à l'estaminet et revenir, pas une de plus. Sinon j'envoie Mick te faire passer le goût de lambiner.

Nelly avait pour mission de transmettre la demande de rançon au garçon chargé de balayer le pub. Elle lui glisserait une pièce pour qu'il l'apporte séance tenante à Ainswood House. L'employé, qui n'était au courant de rien, ne pourrait rien raconter à personne. Coralie ne voulait pas prendre le risque d'envoyer Mick ou Nelly, qui pourraient la trahir.

Sans enthousiasme, Nelly noua les rubans de son chapeau sous son menton, puis drapa son châle sur ses épaules. Dès qu'elle aurait mis le pied dehors, il lui resterait dix minutes. Elle ne savait pas ce qui était le pire : revenir, sous peine de subir le même sort que les deux otages ; ou courir jusqu'à Ainswood House avec Mick sur les talons, pour tomber très certainement sur une armée de policiers, si toutefois elle parvenait à destination ; ou encore sauter dans la barque et s'aventurer sur la rivière.

Mais lorsqu'elle franchit le seuil, sa décision était prise.

Lydia entendit un bruit de pas rapides. Elle se baissa vivement derrière la carcasse d'une barque retournée, et tendit l'oreille.

La personne se dirigeait vers la rivière au lieu d'emprunter le chemin qui menait à la route. Jetant un coup d'œil prudent, Lydia aperçut une silhouette féminine qui longeait le quai à demi éboulé.

Elle sortit le couteau que lui avait prêté une des prostituées qui vivaient non loin et rejoignit la femme sur la pointe des pieds, priant pour que ce soit Coralie.

Celle-ci s'évertuait à dénouer l'amarre qui retenait la barque, et ne se rendit pas compte que Lydia s'était approchée. L'instant d'après, cette dernière appuyait la pointe de son couteau dans son dos.

— Un cri et tu n'as plus de reins, chuchota-t-elle.

La fille se figea.

Ce n'était pas Coralie, mais Nelly. Lydia l'entraîna à l'abri.

— Si tu coopères, il ne t'arrivera rien de mal, promit-elle. Les deux demoiselles sont-elles en vie ?

— Oui. Du moins elles l'étaient quand je suis partie.

— Coralie est à l'intérieur ?

— Oui. Et Mick surveille les alentours. Je suis censée porter la demande de rançon au pub et revenir au plus vite...

— Elle a l'intention de les tuer de toute façon, n'est-ce pas ?

— Je crois, m'dame. Et vous aussi. Ça devait pas se passer comme c'est écrit dans le message. Elle voulait vous sauter dessus, vous égorger et vous prendre l'argent. Et elle aurait fait la même chose aux petites après, je pense. Elle a dit qu'elle m'emmènerait à Paris, mais je sais qu'elle l'aurait pas fait. Je sais qu'une fois dans la barque elle m'aurait poussée par-dessus bord, acheva Nelly dans un sanglot.

Lydia alla dénouer l'amarre. L'embarcation s'éloigna au fil du courant. Quoi que Coralie ait prévu de faire cette nuit, elle ne pourrait pas s'échapper par ce moyen.

— Je suis venue récupérer les jeunes filles, dit-elle à Nelly. Tu as le choix : soit tu m'aides, soit tu vas à *La Dive Bouteille*, où tu seras en sécurité.

— Je vous aide, dit Nelly sans hésiter. J'arriverai jamais au pub en un seul morceau. Mick me rattrapera et il est aussi tordu que Josiah et Bill réunis.

Il faudrait donc se débarrasser d'abord de ce Mick, décida Lydia. Rapidement et silencieusement. Plus facile à dire qu'à faire. Ses seuls alliés étaient trois va-nu-pieds qui ne devaient pas avoir plus de dix ans, et deux prostituées maigres à faire peur. C'étaient, hélas, les seules troupes qu'elle avait réussi à réunir en si peu de temps, même avec l'aide de Tom-pépin-de-pomme. Les autres étaient trop saouls, trop malades ou trop agressifs.

En cet instant, elle aurait donné n'importe quoi pour avoir Ainswood à ses côtés. Mais il n'était pas là, et elle ne pouvait que prier pour réussir à sauver ses pupilles dont la vie ne tenait plus qu'à un fil.

Elizabeth et Emily n'eurent aucun mal à interpréter le bruit qui venait de retentir de l'autre côté du battant : quelqu'un venait de briser une bouteille.

Coralie s'étant plu à leur décrire les sévices qu'elle leur ferait subir, elles se doutaient de l'usage qu'elle comptait en faire.

Réprimant un frisson, Elizabeth saisit le sac en toile qu'elle avait dissimulé sous un tas de paille moisie. Le contenu s'agita violemment. Dégoûtée, elle le tint à bout de bras et dénoua le bout de jupon dont elle s'était servie pour le fermer.

Elle poussa Emily vers la porte. Celle-ci se plaqua contre le mur.

— Surtout pas d'acte héroïque, chuchota Elizabeth. Tu cours sans te retourner, le plus vite possible. D'accord ?

Emily hocha la tête en se mordant la lèvre.

Elles attendirent ce qui leur parut une éternité. Enfin la porte s'ouvrit dans un grincement. Coralie pénétra dans la remise, tenant dans son poing gras le goulot d'une bouteille brisée.

Tout alla très vite.

Emily poussa un hurlement à l'instant où Elizabeth jetait le sac à la figure de leur geôlière. Il en jaillit un énorme rat qui s'agrippa aux cheveux de la maquerelle en couinant. Cette dernière se mit à brailler, et Elizabeth en profita pour la pousser de toutes ses forces. Les deux sœurs se ruèrent ensuite dans la pièce principale, puis émergèrent dehors au moment où Mick, la brute qui les avait surveillées à bord de la barque, arrivait en courant.

Lydia n'était plus qu'à une dizaine de mètres de la maison quand elle vit les deux jeunes filles détaler comme des lapins, poursuivies par un colosse que son gabarit rendait heureusement peu agile.

Elle s'apprêtait à voler à leur secours lorsque Coralie fit irruption.

— Nelly, Tom... vous tous... aidez les filles ! hurla Lydia, avant de se dresser sur la route de la maquerelle. Rends-toi, Coralie. Nous sommes plus nombreux.

Coralie se pétrifia en reconnaissant Lydia. Elle hésita un court instant, puis, éructant un juron, elle changea brusquement de direction et se mit à dévaler la pente en direction de la rivière.

Lydia la suivit, lui laissant volontairement une certaine avance.

— La barque n'est plus là ! cria-t-elle. Tu ne pourras pas t'enfuir par là, Coralie.

— Salope ! beugla la maquerelle, écumante de rage.

Elle courut le long du quai envahi de mousse et de détritus. Puis elle sauta sur la berge mal stabilisée et Lydia entendit les cailloux rouler sous ses pieds. Elle finit par la perdre de vue dans l'obscurité, mais elle l'entendait toujours vociférer.

Et soudain, malgré les braillements de Coralie, elle discerna au loin un son qu'elle aurait reconnu entre mille : le grondement d'un mastiff de très mauvaise humeur.

— Merci, mon Dieu, souffla-t-elle.

Elle n'avait guère envie d'aller se colleter avec Coralie sur les rives glissantes. Son couteau ne lui servirait pas à grand-chose si elle chutait et se fracassait le crâne. Prudente, elle décida de rester sur le chemin.

— Lâche cette bouteille, Coralie ! La chienne est là. Inutile de résister, elle va te mettre en pièces.

Elle aperçut soudain la lourde silhouette de la maquerelle qui rebroussait chemin en direction du quai. Elle se dirigeait vers la barque retournée sur la berge derrière laquelle Lydia s'était cachée un peu plus tôt.

Des aboiements furieux retentirent. Brigitte était encore loin. D'ici une minute la barque serait à flot et Coralie leur échapperait une fois de plus…

Lydia prit son élan.

Vere et ses compagnons entendirent les cris depuis la rue et se ruèrent dans leur direction. Ils aperçurent une grande brute qui courait après les filles. Il avait presque rejoint Elizabeth. Des petites silhouettes sautillantes et maigrichonnes les talonnaient.

— Elizabeth ! Emily ! rugit Vere. Par ici !

Il dut hurler pour se faire entendre, car Brigitte aboyait furieusement en tirant sur sa laisse. Le groupe se figea brièvement, puis les petites silhouettes s'égayèrent.

Les deux jeunes filles rejoignirent Vere en trébuchant, tandis que le colosse, qui s'était immobilisé, regardait follement autour de lui, cherchant une échappatoire.

— Brigitte, attaque ! intima Vere en lâchant la laisse.

La chienne chargea.

L'homme prit ses jambes à son cou et fonça vers la rivière, mais Brigitte le rattrapa et lui enfonça ses crocs dans le mollet. Déséquilibré, le truand bascula tête la première dans la boue sans que Brigitte daigne le lâcher.

Laissant Trent et Jaynes se charger de récupérer la chienne et de maîtriser sa victime, Vere courut vers ses pupilles qui le fixaient, titubantes, hagardes, à bout de souffle.

— Tout va bien ? s'enquit-il d'un ton pressant, puis, les entourant chacune d'un bras, il les attira contre lui.

Elles se laissèrent aller contre son torse, incapables d'articuler un mot.

— Bon sang, vous empestez, mesdemoiselles ! commenta-t-il, la gorge nouée. Depuis quand n'avez-vous pas pris de bain ?

Il n'entendit pas leur réponse, car les aboiements frénétiques de Brigitte avaient repris. Vere balaya les lieux du regard, repéra quelques silhouettes dans la pénombre, mais aucune qui ressemblât à sa femme.

— Lydia ! hurla-t-il.

Mais déjà Brigitte filait plein ouest.

Vere lâcha ses pupilles abruptement et s'élança derrière la chienne.

Une brume saumâtre flottait aux abords de la rivière si bien que Vere avait du mal à distinguer le sentier. Il se guidait aux aboiements de la chienne.

— Lydia ! appela-t-il encore.

Les grondements de Brigitte se firent plus féroces. Vere glissa, faillit tomber, se rattrapa de justesse et continua sa progression. Des images défilaient dans son cerveau : Charlie, Robin, des pierres tombales, les visages sans vie de tous ceux qu'il avait aimés et qui s'évaporaient, comme happés par le brouillard.

Non, pas cette fois. Pas elle. Seigneur, je Vous en supplie !

— J'arrive ! cria-t-il.

Une forme sombre émergea de l'obscurité. Il vit la barque trop tard et dégringola, le visage dans la fange. Il se redressa en chancelant, et se pétrifia.

À cinq pas tout au plus, elles luttaient au sol, tout près de l'eau.

Aboyant comme une folle, Brigitte bondissait autour des deux femmes, ne sachant quoi faire pour aider sa maîtresse.

Vere non plus ne savait quoi faire. Puis il entrevit l'éclat d'une lame, sans pouvoir déterminer qui la brandissait. Un mouvement imprudent de sa part et la femme qu'il aimait risquait d'être poignardée à mort.

La bouche sèche, il articula d'une voix la plus calme possible :

— Arrêtez de jouer, Grenville. Je vous préviens, si vous ne lui réglez pas son compte en dix secondes, je m'en charge à votre place.

Un bras se détendit soudain, la lame du couteau miroita, et un cri de triomphe résonna. Le sang de Vere se glaça dans ses veines. Ce n'était pas la voix de Lydia.

Les deux corps roulèrent de nouveau dans la vase, puis s'immobilisèrent, et une voix haletante gronda :

— Si tu remues un cil, je te tranche la gorge !

Lydia.

Vere s'approcha.

— Un coup de main, Grenville ? s'enquit-il, et cette fois, sa voix tremblait.

— Volontiers, ahana-t-elle. Attention. C'est une vraie... peau de vache.

Vere se pencha pour ceinturer la maquerelle qui rugissait, hors d'elle, tentait de griffer et de lancer des ruades. Épuisée, Lydia s'agenouilla tandis que Vere traînait la furie à l'écart.

— Vous feriez mieux de l'assommer, conseilla Grenville.

— Voyons, je ne peux pas frapper une femme.

Avec un soupir, Grenville se releva et s'approcha, la démarche mal assurée. Elle prit une profonde inspiration, leva le bras, et décocha un coup de poing dans la mâchoire de Coralie qui s'affala comme une masse.

— Garde, Brigitte, ordonna Vere.

Il se tourna vers sa femme, qui était pliée en deux et se tenait le flanc. Il lui écarta la main, sentit une tache poisseuse sous ses doigts. Son cœur cessa de battre.

— Désolée, fit-elle d'une voix presque inaudible. Je crois que la garce m'a eue.

Elle s'effondra et, en la recevant dans ses bras, il sut que cette fois elle ne jouait pas la comédie.

18

Francis Beaumont se tenait parmi la foule de curieux assemblés dans la cour de *La Dive Bouteille* lorsque le duc Ainswood, portant le corps inerte de sa femme, s'engouffra dans sa voiture.

Aussitôt, il se chuchota qu'une des pires maquerelles de Drury Lane avait assassiné la duchesse.

Francis Beaumont en fut très contrarié.

Non par compassion envers la duchesse, mais parce qu'avant d'être pendue, Coralie chercherait sans doute à entraîner le plus de monde possible dans sa chute, et qu'elle ne manquerait pas de raconter aux autorités un long, un très long récit, dont Francis avait toutes les chances d'être le héros.

À présent, il regrettait amèrement de l'avoir aidée à fuir Paris, plutôt que de la tuer.

Il dînait chez *Pearkes* quand la rumeur de l'enlèvement s'était répandue. Puis un écrivaillon de *La Gazette policière* lui avait révélé la triste fin de Dorrie-la-folle. Beaumont n'avait eu qu'à additionner deux et deux. Il avait décidé de se rendre au domicile de celle-ci, convaincu d'y débusquer Coralie.

Malheureusement il avait été pris de vitesse. Il n'était pas loin de la maison quand la duchesse était passée à l'attaque. Il avait préféré rester à l'écart. Aurait-il compris qu'elle n'avait pour tout renfort qu'une troupe dépenaillée qu'il se serait montré moins prudent.

Maintenant, il était trop tard. La police était arrivée à la suite du duc et de ses hommes, et Coralie n'allait pas tarder à se retrouver derrière les barreaux. Et ce serait le grand déballage…

Francis savait qu'il aurait dû partir sur-le-champ. Il ne pouvait rentrer chez lui chercher de l'argent ou quelques affaires. Tout le monde savait où vivait Francis Beaumont dont la femme était une artiste réputée. Cela dit, il avait assez sur lui pour prendre la diligence. Il pourrait atteindre la côte bien avant qu'on s'avise de sa disparition.

Il commença à se frayer un chemin dans la cohue, sans hâte, pour ne pas attirer l'attention, lorsque des policiers apparurent, portant Coralie sur une civière improvisée.

— J'espère qu'elle est morte, cette crevure ! cria une putain près de Francis.

— Penses-tu ! répliqua une autre. La duchesse lui a pété la mâchoire, c'est tout. Et elle, elle l'a surinée, cette charogne !

La nouvelle, confirmée par un policier, provoqua la consternation. À l'évidence, Grenville avait plus d'amis que d'ennemis dans ce quartier sordide.

Une idée germa alors dans l'esprit de Beaumont.

Il savait exploiter l'émotion d'autrui, n'avait pas son pareil pour empoisonner les esprits et remplir les âmes simples de rage et de rancœur. Il lui suffit de lancer quelques remarques à la cantonade pour achever d'échauffer les esprits.

En quelques minutes, la foule de marins, prostituées et mendiants se mua en un escadron vengeur que les deux malheureux policiers ne parvinrent pas à contenir.

La voiture dans laquelle Coralie et Mick devaient rejoindre le poste de Shadwell fut cernée et attaquée.

Quelques instants plus tard, Coralie Brees, le visage tuméfié, presque méconnaissable, gisait sans vie sur les pavés. Quant à Mick, atteint par plusieurs coups de couteau, il se vidait de son sang dans le caniveau, un peu plus loin.

Lorsque les renforts policiers arrivèrent, la foule en colère s'était dispersée depuis longtemps... et Francis était tranquillement rentré chez lui.

Vere était assis près du lit. Comme il l'avait déjà fait tant de fois – pour son oncle, pour Charlie, pour Robin –, il serrait dans sa main une main trop froide.

Celle de sa femme.

— Je ne vous pardonnerai jamais, Grenville, dit-il d'une voix étranglée. Vous étiez supposée rester à la maison, tenir le rôle du général de campagne, et non pas donner la charge à vous toute seule. Je ne peux décidément pas vous laisser seule une minute. Bon sang, vous me faites vivre un enfer !

Elle eut un demi-sourire moqueur.

— Que d'histoires pour une égratignure !

En réalité, sans la protection de plusieurs couches de vêtements et d'un corset rigide, et surtout sans la présence de sa montre de gousset qui avait fait déraper la lame, la duchesse d'Ainswood ne serait pas en vie pour prononcer ces mots.

Le médecin avait quitté la chambre quelques instants plus tôt en compagnie de lord Dain.

— Dès que vous irez mieux, je m'en vais vous flanquer une bonne raclée, promit Vere.

— Vous ne frappez pas les femmes, lui rappela-t-elle.

— Je ferai une exception pour vous. Votre main est gelée, ajouta-t-il en baissant les yeux sur leurs doigts entrecroisés.

— C'est parce que vous la serrez trop fort, vous empêchez le sang de circuler.

Confus, il desserra sa prise.

— Désolé.

Il esquissa un mouvement pour se lever, mais elle le retint.

— Non, restez. J'adore vos grandes mains de brigand, Ainswood.

— On verra si vous les aimez tant que ça quand je vous flanquerai la fessée que vous méritez.

Elle sourit de nouveau.

— Je n'ai jamais été aussi heureuse de vous voir que ce soir. Coralie cogne aussi dur que moi. Et j'avais du mal à me concentrer parce que j'étais folle d'inquiétude pour les filles.

— Vous attaquer seule à cette folle furieuse… quelle imprudence !

— Je n'avais pas le choix. Je ne pouvais pas la laisser s'échapper. Avant de passer à l'attaque, j'ai envoyé un employé de *La Dive Bouteille* vous prévenir et demander de l'aide, mais si j'avais attendu…

— Je sais. Elizabeth et Emily seraient mortes. Même si elles se sont montrées malignes.

Il raconta alors à Lydia comment les deux sœurs avaient capturé un rat qu'elles avaient ensuite jeté à la tête de Coralie.

— Cela n'a fait diversion qu'une poignée de secondes, continua-t-il. Heureusement pour elles, vous êtes arrivée. Vous leur avez sauvé la vie, Grenville, vous et votre armée de va-nu-pieds.

Il s'inclina pour lui baiser la main.

— Ne dites pas de bêtises, riposta-t-elle. Sans l'arrivée des renforts, nous ne nous en serions pas sortis. Vous avez eu exactement la réaction qu'il fallait. Je commençais à me fatiguer et le son de votre voix a suffi à me galvaniser. Pas question de perdre sous vos yeux, cela aurait été trop humiliant. Pas question non plus que vous vous battiez à ma place. Je n'ai pas besoin qu'on me protège, vous savez, ajouta-t-elle plus sérieusement. Juste qu'on croie en moi.

— Que je croie en vous ? C'est tout ce que vous désirez ?

— Avec le respect de mon intelligence et de mes capacités. Étant donné le mépris dans lequel vous tenez la gent féminine, j'y tiens plus que tout.

— Vraiment ?

Il lui lâcha la main, se leva et, s'approchant de la fenêtre, fixa le jardin une longue minute. Puis il revint vers le lit.

— Et l'amour, Grenville ? Pensez-vous qu'avec le temps vous consentirez à supporter mon amour ? Ou ce sentiment est-il réservé aux simples mortels, dont les fiers Ballister ne font pas partie ?

Elle le considéra longuement, puis soupira :

— Ainswood, laissez-moi vous expliquer quelque chose. Si vous désirez faire une déclaration d'amour à votre femme, la méthode communément admise consiste à dire tout simplement : « Je vous aime. » Et non de me défier avec vos manières belliqueuses. Nous sommes censés passer un tendre moment, et vous êtes en train de le gâcher en me donnant envie de vous jeter le seau à charbon à la figure.

Il plissa les yeux, crispa la mâchoire.

— Je vous aime, dit-il sombrement.

Elle porta les mains à son cœur et ferma les yeux.

— Oh, Seigneur, je défaille, je tombe en pâmoison !

Il s'empara de nouveau de ses mains.

— Je vous aime, Grenville, répéta-t-il d'une voix plus douce. Je suis tombé amoureux de vous le jour où vous m'avez cassé la figure dans Vinegar Yard. Mais je ne l'ai pas compris – je n'ai pas voulu le comprendre – avant notre nuit de noces. Et je n'ai pas osé vous l'avouer, parce que ce n'était pas réciproque. C'était stupide de ma part. Ce soir vous auriez pu être tuée, et je n'aurais même pas eu le réconfort de vous avoir dit combien vous m'étiez chère.

— Vous me l'avez dit. De mille façons. Je n'avais pas vraiment besoin de ces trois mots magiques, même si j'ai été contente de les entendre.

— Contente, répéta-t-il, dépité, avant de soupirer : Eh bien, c'est un début, je suppose. Vous êtes *contente* de régner sur mon cœur. Quand vous irez mieux, vous vous montrerez peut-être plus enthousiaste. Et je m'attacherai alors à régner sur le vôtre. Qui sait, d'ici dix ou vingt ans, vous me rendrez peut-être mes sentiments.

— Certainement pas !

Comme il écarquillait les yeux, la mine peinée, elle ajouta :

— Pourquoi diable vous les rendrais-je ? J'ai l'intention de les garder. Ici, dans mon cœur, qui chuchote tout le temps : « Je vous aime, virgule, Vere Mallory, virgule, duc d'Ainswood, etc. »

Il sentit un sourire naître au coin de ses lèvres, et cet élancement désormais familier dans la région du cœur.

— Faut-il que vous soyez aveugle pour ne pas vous en être aperçu plus tôt, marmonna-t-elle encore.

D'ordinaire, une émeute provoquait à Londres une vague d'indignation teintée de crainte parmi la population bien-pensante. Pourtant, l'échauffourée survenue à Ratcliffe, dont tous les journaux du matin avaient parlé, passa quasi inaperçue, totalement éclipsée par un événement plus catastrophique.

Miranda, l'héroïne de *La Rose de Thèbes*, s'était bel et bien échappée de sa cellule grâce à une petite cuillère affûtée sur une pierre. Mais comme tous les lecteurs assidus du feuilleton, Bertie tomba des nues en découvrant qu'au lieu de creuser un tunnel, elle avait préféré plonger ladite cuillère dans la poitrine du sardonique Diablo, avant de prendre la fuite.

Tout Londres fut anéanti.

La plupart des journaux évoquèrent ce rebondissement inattendu, excepté les plus sérieux comme le *Times* qui se contenta de mentionner « certains troubles devant les locaux de l'*Argos* ». Le mercredi soir, une foule de lecteurs outrés s'était en effet massée devant l'immeuble pour protester violemment.

Macgowan était aux anges.

Il arriva à Ainswood House le jeudi après-midi pour annoncer qu'une effigie de St Bellair avait été pendue sur le Strand.

— Vous êtes géniale ! Géniale ! lança-t-il à la duchesse.

Lorsqu'il avait fait son entrée dans le salon, Lydia était en compagnie de Vere, d'Emily, d'Elizabeth, de Jaynes, de Bertie et de Tamsin. Plusieurs domestiques gravitaient également dans les parages. Lydia eut beau froncer les sourcils, le rédacteur en chef continua à s'extasier bruyamment, si bien que très vite plus personne n'ignora la véritable identité du fameux St Bellair.

Lorsque Macgowan se rendit compte de sa bévue, il tourna vers Lydia un regard affolé. Elle le rassura d'un geste désinvolte de la main.

— Ce n'est pas grave, Macgowan. Le monde connaît désormais tous mes secrets, et c'est aussi bien. Ils ont pendu son effigie, dites-vous ? Diable, les gens prennent vraiment ces histoires très au sérieux. C'est peut-être de la bouillie sentimentale, mais ils adorent et… c'est *ma* bouillie.

— Mais quelle déception ! s'écria Emily. Diablo était mon personnage préféré.

— Et le mien, renchérit sa sœur.

— Le mien aussi, dit Bertie.

Debout près de la fenêtre, Vere observait tout ce petit monde d'un œil amusé.

— Le choix de l'arme m'a beaucoup plu, commenta-t-il. Il n'y a pas de fin plus atroce que d'être transpercé à coups de petite cuillère.

Lydia accepta ce compliment douteux d'un gracieux signe de tête.

— Surtout, vous avez fait sensation, enchaîna-t-il. Et quand tout le monde connaîtra la véritable identité de l'auteur, attendez-vous à un raz-de-marée. Les ignorants qui n'avaient pas eu vent des aventures de Miranda seront contraints de rattraper leur retard. Macgowan, si j'étais vous, je ferais rééditer le feuilleton en recueils reliés. Il faut profiter de cet engouement tant qu'il dure.

— Bonne idée, approuva Lydia, surprise qu'un projet aussi mercantile ait pu naître dans l'esprit de son époux. L'intérêt des lecteurs va fatalement se dissoudre maintenant que le héros est en route pour l'enfer.

Elle réfléchit un instant, puis reprit à l'adresse de Macgowan :

— Il faudrait publier un encart publicitaire demain pour annoncer le numéro spécial de mercredi prochain, dans lequel paraîtront les deux derniers chapitres de *La Rose de Thèbes*.

Macgowan était déjà en possession de l'avant-dernier chapitre, et Lydia envoya Tamsin chercher le dernier, enfermé à clé dans le tiroir de son bureau.

Le rédacteur en chef repartit avec ses précieux chapitres, plus excité encore qu'à son arrivée, et comptant déjà mentalement ses futurs profits.

Après son départ, Ainswood chassa les autres occupants du salon, puis il enveloppa sa femme d'un regard sévère.

— Vous êtes diabolique.

— Que voulez-vous dire ?

— Vous jouez avec les nerfs de vos lecteurs.
— J'ignore de quoi vous parlez, assura-t-elle d'un air innocent.
— Je ne sais pas au juste ce que vous mijotez, mais je vous connais suffisamment pour savoir que vous êtes en train de vous moquer du monde. Mais vous ne m'abusez pas, moi.
— Parce que nous sommes tous deux de la mauvaise graine.
Il eut ce sourire ravageur qui la faisait fondre. Elle protesta :
— Non, non ! Inutile, ça ne marchera pas. Je ne vous raconterai pas la fin de l'histoire. Vous allez me donner des idées inconvenantes, c'est tout ce que vous obtiendrez.
Il la parcourut d'un regard gourmand.
— Faible créature, je sais exactement quoi faire pour vous amener à tout révéler. Hélas, le médecin l'interdit ! fit-il d'un air de regret.
— Il a seulement dit que je devais éviter de solliciter la zone blessée.
Comme il pivotait pour s'éloigner en direction de la porte, elle lança, perfide :
— Je pensais que vous aviez plus d'imagination...
— Oh, mais je fourmille d'idées novatrices ! répliqua-t-il. Je vais juste donner un tour de clé pour que nous puissions les mettre en pratique en toute tranquillité.

Ce charmant interlude était à peine achevé qu'Emily et Elizabeth, qui n'avaient apparemment aucun sens de la discrétion, se mirent à tambouriner à la porte du salon.
— Allez-vous-en ! aboya Vere.
— Qu'est-ce qui se passe ? Est-ce que cousine Lydia va bien ? fit la voix anxieuse d'Elizabeth.

Vere se rappela que les deux sœurs avaient été maintenues à distance durant la maladie qui devait emporter leur petit frère. Résigné, il se leva, remit un peu d'ordre dans sa tenue, puis alla ouvrir la porte.

Il se retrouva face aux visages inquiets des jeunes filles.

— Inutile de vous inquiéter, je battais juste ma femme, fit-il. Le plus amicalement du monde.

Deux paires d'yeux se tournèrent vers Lydia qui trônait sur son canapé, souriant de toutes ses dents. Puis Elizabeth donna un petit coup de coude dans les côtes de sa sœur, et toutes deux s'empourprèrent.

— Oh... désolée ! bredouilla Elizabeth. Nous ne voulions pas vous déranger. Nous n'avons pas l'habitude...

— Oncle John et tante Dorothy ne s'enfermaient jamais ainsi dans le salon, ajouta Emily.

Elle détourna la tête, et ne put s'empêcher de pouffer dans sa main. Elizabeth leva les yeux au ciel.

— Elle est très jeune. Ne faites pas attention.

Lydia réagit dans la seconde. Son sourire s'effaça et elle prit une mine sévère.

— Parce que vous vous estimez très mûre et raisonnable, mademoiselle, après être partie bille en tête pour assister à notre mariage, et vous être retrouvée dans les griffes des pires malandrins de Londres ?

Les deux sœurs échangèrent des regards contrits.

— Les jeunes filles bien élevées ne lisent pas la correspondance d'autrui. Elles ne sortent pas sans escorte. Elles ne s'enfuient pas au milieu de la nuit. Elles ne se déguisent pas pour échapper à ceux qui les recherchent. Bien que j'admire votre ingéniosité et la loyauté dont vous avez fait preuve envers votre cousin, sachez, mesdemoiselles, que votre éducation laisse grandement à désirer et que cela va changer.

— Oh mais... nous voulions seulement être avec vous ! plaida Elizabeth.

— Ce n'est pas grave si vous êtes stricte, cousine Lydia. Au moins, avec vous, on ne s'ennuie pas. Peut-être accepterez-vous de nous apprendre à nous battre, risqua Emily d'un ton plein d'espoir.

— Certainement pas ! répliqua Vere, catégorique.

— À fumer le cigare sans vomir ? tenta Elizabeth.

— Hors de question ! Il n'y a rien de plus dégoûtant qu'une femme qui fume.

— Alors pourquoi avez-vous offert un de vos cigares à cousine Lydia ? s'enquit Elizabath, l'air innocent.

— Parce que... elle est différente. Elle n'est pas... Mais comment se fait-il que vous soyez au courant ? s'exclama Vere, désarçonné.

— C'était écrit dans *Le Chuchoteur*.

Lydia intervint :

— Personnellement, je ne pense pas qu'il faille protéger les jeunes filles des réalités de ce monde. Emily et Elizabeth auront le droit de consulter la presse, mais ces lectures auront lieu au sein du cercle familial où elles seront ensuite débattues. Pour ce qui est d'apprendre à se battre...

— Voyons, Grenville ! s'offusqua Vere.

— ... une femme devrait connaître les techniques de base pour se défendre. Mieux vaut parer à toute éventualité.

Les deux sœurs bondirent de joie et se ruèrent vers le canapé pour embrasser la duchesse. Vere vit les yeux de sa femme briller. Éduquer ces deux chipies ne serait pas de tout repos, elle le savait, et n'y voyait pas d'inconvénient.

La mort l'avait privée de l'amour de sa mère et de sa sœur, néanmoins son cœur était resté ouvert. Elle avait reconstitué une famille avec d'autres femmes qui avaient besoin d'elle. Et aujourd'hui, elle était toute prête à donner son affection à Elizabeth et à Emily, comme elle avait donné son amour à Vere.

Lui n'avait pas eu cette sagesse. Après avoir perdu tant d'êtres aimés, il avait repoussé ceux qui restaient et barricadé son cœur, tout pétri de colère et d'amertume qu'il était, parce qu'inconsciemment il s'estimait trahi et abandonné.

Mais la colère n'était pas la seule raison.

Vere savait qu'il s'était montré lâche. Il n'avait pas osé prendre le risque d'aimer de nouveau. Il avait fallu que l'amour le cueille par surprise, pour s'imposer à lui et devenir une évidence qu'il ne pouvait plus refuser.

Et aujourd'hui, il s'en félicitait.

Affectant une expression chagrine, il déclara d'un ton plaintif :

— C'est tout à fait vous, Grenville. Vous voilà en train de monopoliser l'affection de mes pupilles, et moi, je reste tout seul dans mon coin.

— Venez, fit-elle en lui tendant les bras. Nous sommes partageuses.

19

Le mercredi suivant, Diablo saignait toujours à mort dans les pages de l'*Argos*.

Pablo, son fidèle serviteur, se précipita à son secours, glissa dans la mare de sang, s'affala sur lui et se mit à sangloter.

— Ah, c'est infâme ! Lève-toi. Tu pues, gronda le cadavre.

Ainsi, l'infecte odeur corporelle de Pablo ranima Diablo aussi efficacement que n'importe quel flacon de sels. On ne tarda pas à découvrir que la petite cuillère fatale avait frappé quelques centimètres au-dessous du cœur et que, même s'il saignait comme un porc égorgé, il lui restait encore quelques litres de sang dans le corps.

Si Miranda ne lui avait pas envoyé son genou dans le bas-ventre au moment où elle l'avait frappé avec la cuillère, il ne serait pas tombé et aurait sans doute réussi à la rattraper. Au lieu de cela, il s'était à moitié assommé. Son flanc saignait, il avait l'impression que son crâne allait exploser et craignait que sa virilité n'ait subi des dommages irréversibles, mais il était en vie. Et furieux.

Londres se réjouit et poursuivit avidement sa lecture.

Lorsque le mot « Fin » apparut après le tout dernier paragraphe, toute la ville poussa un soupir de satisfaction.

Orlando avait enfin révélé la noirceur de son âme. C'était en fait lui le méchant de l'histoire, tandis que Diablo, en bon héros qui se respecte, avait sauvé l'héroïne, récupéré la rose de Thèbes et tué l'odieux félon.

Le héros et l'héroïne allaient vivre heureux à jamais.

Dans la bibliothèque d'Ainswood House, les deux derniers chapitres furent lus à voix haute par la duchesse, secondée par le marquis de Dain. Il y avait là la femme de ce dernier, Jessica, son fils Dominick, Elizabeth et Emily, Tamsin, Bertie, Jaynes, une poignée de domestiques et Brigitte. Le duc trônait au premier rang.

Le petit Dominick écouta religieusement son père et la duchesse lire les dialogues à tour de rôle avec une conviction digne des plus grands comédiens. À la fin, il applaudit aussi fort que les adultes.

Grenville accepta cet hommage avec une gracieuse révérence.

— J'ignorais que les Ballister avaient tant de talent, avoua Vere à la fin de la prestation.

— Je suis fille de comédien, lui rappela sa femme.

— Mais vous possédez toutes les qualités des Ballister : la beauté, la vivacité d'esprit, la vertu.

— La vertu n'avait jamais été notre fort, intervint Dain. Mais il est vrai que le premier comte de Blackmoor divertissait le roi grâce à son don pour l'imitation. Du temps de leur jeunesse, l'arrière-grand-père maternel de Lydia et ses frères adoraient le théâtre – et les comédiennes ! Nous avons eu notre lot de pieux hypocrites – mon père et le grand-père de Lydia –, cependant chaque nouvelle génération produit au moins une canaille.

Comme pour lui donner raison, Dominick commença à montrer des signes d'agitation. Les deux filles proposèrent de l'emmener dans le jardin jouer avec Brigitte, et Tamsin s'en alla superviser cette joyeuse jeunesse, Bertie sur les talons.

— Vous avez un don indéniable pour la littérature, ma cousine, déclara Dain, une fois la petite troupe sortie. Les Ballister ont du style, ce sont des épistoliers assidus, et je conserve de superbes discours dans mes archives. Toutefois les rares pièces de poésie que j'ai lues sont abominables.

— Ma femme considère ce talent comme négligeable, fit remarquer Vere. Elle dit de *La Rose de Thèbes* que c'est de la bouillie sentimentale. Et si Macgowan n'avait pas vendu la mèche, jamais elle n'aurait révélé en être l'auteur.

— Ce feuilleton n'avait d'autre but que de divertir en proposant une morale primaire. À la fin, les gentils gagnent, les méchants perdent. Cela n'a rien à voir avec la vraie vie, objecta Lydia.

— La vraie vie, nous sommes *obligés* de la vivre, riposta Vere. Que nous le voulions ou non. Et vous savez mieux que quiconque à quel genre d'existence la plupart des gens sont réduits. Alors quand on leur offre un répit, ils le considèrent comme un vrai cadeau.

— Je n'en suis pas sûre, murmura Lydia, pensive. J'en suis même à me demander si ce n'est pas un peu irresponsable. À cause de cette maudite histoire, Emily et Elizabeth se sont lancées dans une aventure qui a failli mal finir. Elles ont cru qu'elles pourraient tenir les méchants à distance à l'aide d'une petite cuillère...

— Vous pensez que vos lecteurs ne savent pas faire la différence entre réalité et fiction ? Il faudrait être stupide pour tenter de reproduire les actions de Miranda. Les idiots n'ont pas besoin de vous pour faire des bêtises, mes pupilles en sont la meilleure preuve. N'oubliez pas que ce sont des Mallory ! Non, vous ne vous servirez pas d'elles comme prétexte pour arrêter d'écrire vos histoires merveilleuses. Vous êtes une vraie plume, vous avez le don de communiquer avec les lecteurs, quel que soit leur sexe, leur âge, leur origine sociale. Ce serait un crime de ne pas exploiter ce talent. Je ne permettrai pas que vous y renonciez. Et vous allez entamer un nouveau feuilleton au plus tôt, dussé-je vous enfermer à double tour.

Interloquée, elle répondit :

— Eh bien, vous en faites une histoire. Je ne savais pas que cela vous tenait tant à cœur.

— Mon père m'a donné le goût de la lecture en me lisant le soir les contes des *Mille et Une Nuits*. Par la suite, j'ai dévoré les livres, avec ou sans images.

— Ma mère m'a donné quantité d'histoires à lire, renchérit Dain. Je leur dois les plus belles émotions de mon enfance.

— Nous les lirons à Dominick, dit sa femme. Tout à l'heure, il était littéralement subjugué par votre récit, Lydia.

— Comme l'était Robin, dit Vere. Il pouvait rester des heures à écouter des contes ou des fables. Il aurait adoré *La Rose de Thèbes*.

Un silence pesant tomba dans la pièce. Puis la voix claire de Lydia s'éleva :

— Dans ce cas, ma prochaine fiction lui sera dédiée. Et je vous promets qu'elle sera dix fois mieux que les contes des *Mille et Une Nuits*.

— Naturellement, lâcha Dain, puisque c'est une Ballister qui l'aura écrite.

Quelque chose tarabustait Vere, sans qu'il sache quoi au juste.

Des phrases lui revenaient : *L'arrière-grand-père de Lydia et ses frères adoraient le théâtre... La vertu n'avait jamais été notre fort... Chaque génération produit au moins une canaille... C'est une Ballister qui l'aura écrit.*

Son sommeil fut perturbé par des rêves farfelus où le roi Charles II applaudissait Grenville sur la scène d'un théâtre.

Vere s'éveilla à l'aube. Sa femme dormait profondément. Il se leva, récupéra le journal intime d'Anne Ballister sur la table de chevet. Puis il s'approcha de la fenêtre pour le parcourir.

Sa lecture lui procura le même sentiment de frustration que la première fois. Les écarts importants entre les dates, une impression de trop nombreux non-dits, la fierté qui empêchait Anne de se plaindre... Seul un passage, au tout début, laissait entrevoir son amertume et le mépris qu'elle éprouvait envers son bon à rien de mari.

... la mémoire ne se soumet à aucune volonté, même celle d'un Ballister ; le nom et l'image d'une personne perdurent longtemps après sa mort, au sens littéral ou figuré.

De quel nom, de quelle image parlait-elle ?

la mémoire ne se soumet à aucune volonté, même celle d'un Ballister ; le nom et l'image d'une personne perdurent longtemps après sa mort, au sens littéral ou figuré.

« Les jeunes filles bien élevées ne s'enfuient pas au milieu de la nuit », avait déclaré Grenville.

Anne Ballister avait mené une existence très protégée. Comment avait-elle pu croiser le chemin de John Grenville, comédien raté ? Comment avait-il pu la séduire, avant de l'enlever et de l'emmener en Écosse ? Son père, ce « pieux hypocrite », ne recevait certainement pas de troupe théâtrale chez lui.

Où était la vérité ?

Il y avait des indices dissimulés dans ce journal, il en était convaincu. Hélas, ils étaient habilement cachés !

Les employés du cabinet juridique Carton, Brays et Carton étaient, de l'avis de lord Belzébuth, « un ramassis d'incompétents ». Ce qui expliquait que le marquis se soit passé de leurs services dès qu'il avait hérité du titre.

Lors de son dernier passage, Dain avait dû leur lancer l'un de ses fameux regards capables de pétrifier les plus stoïques, car apparemment rien n'avait changé dans les locaux poussiéreux.

M. Carton senior n'était pas là parce que, comme un aimable employé en informa Vere, « il était devenu maboul ». M. Carton junior se trouvait à la cour de la chancellerie et n'était pas loin de suivre son père sur la voie de la décrépitude. Quant à M. Brays, il n'avait pas d'engagement susceptible de le retenir à l'heure présente, et pour cause, il était ivre mort, « comme d'habitude », précisa l'employé, un tout jeune homme nommé Miggs, dont la lèvre supérieure s'ornait d'un fin duvet.

— Si vous faites ce que je suis venu vous demander sans l'autorisation de vos supérieurs, vous risquez de perdre votre place, prévint Vere.

— J'en doute. Sans moi, ils seraient perdus. Cette société est le royaume de la gabegie et de l'inefficacité, vous avez dû vous en rendre compte. Je suis le seul esprit cartésien du cabinet. Si je m'en allais, de nombreux clients feraient de même.

Vere lui expliqua alors ce qu'il attendait de lui.

— Je vais voir, dit Miggs en se levant.

Il passa dans une autre pièce et ne revint pas avant une bonne demi-heure.

— Je ne trouve aucune archive, dit-il, mais cela ne signifie pas grand-chose. Le vieux Carton gardait tout en mémoire, c'est d'ailleurs peut-être pour ça qu'il est devenu zinzin. Il va falloir que j'aille dans les catacombes, monsieur. Cela prendra peut-être quelques jours.

Vere décida de l'accompagner et s'en trouva fort inspiré, car ce que Miggs appelait « les catacombes » se révéla être une salle encombrée de cartons, eux-mêmes remplis de documents empilés sans logique aucune.

Vere y passa la journée, et n'émergea à l'air libre qu'à 19 heures passées.

Ses vêtements étaient sales, son corps poisseux de transpiration et il avait les mains noires. Mais entre ces mains crasseuses, il tenait une précieuse boîte en carton, et c'était bien tout ce qui lui importait.

Pour avoir la paix, Lydia avait promis à la petite troupe qui veillait farouchement sur elle de faire une sieste avant le dîner.

Cela ne signifiait pas qu'elle avait l'intention de dormir. Mais une fois étendue sur le lit, elle s'était assoupie sur son livre.

Ce fut un bruit en provenance de la fenêtre qui la réveilla. Elle ouvrit les yeux et surprit son mari en train d'enjamber l'appui. Elle ne lui demanda pas pourquoi il avait une fois de plus dédaigné la porte principale. Un seul regard lui suffit à comprendre.

Ce matin-là, il l'avait prévenue qu'il avait rendez-vous avec Me Herriard et que cela lui prendrait certainement une bonne partie de la journée.

— Me Herriard a dû être surpris de vous voir arriver par la cheminée, dit-elle, allusion fine à la saleté repoussante de son mari.

— Je ne suis pas entré par la cheminée.

— Alors vous êtes tombé dans un égout.

— Non. Euh… je devrais aller me laver d'abord.

— Je vais sonner Jaynes.

Il secoua la tête en silence.

Lydia quitta le lit et demanda doucement :

— Vere ? Est-ce que quelqu'un vous a tapé sur la tête ?

— Non. Laissez-moi juste me laver le visage et les mains. Je prendrai un bain plus tard.

Sans poser la boîte qu'il avait dans les mains, il disparut dans le dressing.

Il réapparut quelques minutes plus tard, vêtu d'une robe de chambre. Avec la boîte. Il approcha une chaise du feu et invita Lydia à s'y asseoir. Elle obtempéra. Puis il s'assit sur le tapis à ses pieds et ouvrit la mystérieuse boîte.

Il en retira un objet ovale qu'il posa dans le giron de Lydia. C'était une miniature représentant un jeune homme aux cheveux blonds et aux yeux bleus, qui souriait légèrement.

Lydia écarquilla les yeux.

— On dirait... mon frère.

Son cœur se mit à cogner dans sa poitrine.

— Il s'appelait Edward Grey, commença Ainswood. C'était un dramaturge et un comédien plein de talent. Sa mère était la grande actrice Serafina Grey, son père, Richard Ballister, le grand-oncle de votre mère. Edward était le bâtard que Richard avait conçu du temps de sa jeunesse.

Vere sortit de la boîte une feuille de papier jauni sur laquelle était représentée une partie de l'arbre généalogique des Ballister : la branche d'Anne Ballister. Les noms et dates étaient inscrits d'une petite écriture précise.

— Le père de Richard avait plus de soixante ans quand ce dernier est né d'un second lit. Ce second mariage, survenu sur le tard, explique pourquoi Richard n'avait que trois ans de plus que le père d'Anne.

Déjà le regard de Lydia glissait sur son propre nom, qui apparaissait entre celui de sa mère et... celui d'Edward Grey.

Elle regarda la miniature. Puis l'arbre généalogique que sa mère avait dessiné avec tant de soin. Puis de nouveau la miniature.

— C'est mon père, souffla-t-elle, émerveillée.

— Oui.

— Mon père n'est pas John Grenville.

— Ça ne fait plus l'ombre d'un doute. Votre mère, en digne Ballister, s'est bien documentée. Je pense que ces archives vous étaient destinées, qu'elle avait l'intention de vous les donner à votre majorité. Mais elle est morte, et John Grenville a récupéré tous ces papiers qu'il a vendus au troisième marquis de Dain, via ses hommes de loi. Le reçu de la transaction date d'août 1813.

— Cela explique comment Grenville a trouvé l'argent qui lui a permis de partir pour l'Amérique. Cela explique… un tas de choses, murmura Lydia en croisant le regard de son mari.

C'était avec Edward que sa mère s'était enfuie en Écosse, et non pas avec l'homme que Lydia avait appelé « papa » toute son enfance.

— La boîte contient les lettres d'amour qu'il lui a écrites, continua Vere. Vingt-quatre en tout. Je n'ai pas eu vraiment le temps de les étudier et de les trier, mais il suffit d'en lire quelques lignes pour se rendre compte qu'il adorait votre mère. C'était peut-être un bâtard, mais ces deux-là s'aimaient, et ils ont conçu un enfant de l'amour, conclut-il avec un sourire.

— Je vous aime, dit-elle, la gorge nouée par l'émotion. J'ignore comment vous avez eu l'idée de faire ces recherches, comment vous avez deviné ce dont personne ne se doutait… mais je sais que vous l'avez fait par amour pour moi et… Vraiment Ainswood, je suis mortifiée ! Dès que je suis avec vous, je n'arrête pas de bredouiller.

Ses yeux s'emplirent de larmes. Elle n'essaya pas d'en dire plus, se contenta de glisser de sa chaise, dans les bras de son mari.

Bien qu'illégitime, Edward Grey avait été proche de son père, Richard, qui avait subvenu à son entretien et à son éducation. Le jeune homme était admis aux réunions familiales, et c'est à l'une de ces occasions qu'il avait fait la connaissance d'Anne. On l'avait présenté à la jeune fille comme un lointain cousin, et ils étaient tombés amoureux.

Edward s'était violemment disputé avec son père qui refusait de le voir embrasser la carrière de comédien. Le père avait banni le fils. Et Anne avait tenu à partir avec Edward. Lui aurait préféré qu'elle attende pour l'épouser qu'il soit en mesure de gagner leur vie, mais elle avait refusé. Elle savait déjà que jamais son père ne donnerait son consentement à leur union.

Ainsi ils avaient pris ensemble la route de l'Écosse. Ils s'étaient mariés devant l'enclume, comme le voulait la coutume. Sans prêtre, sans église, sans permission parentale.

Ce mariage était parfaitement valide aux yeux de la loi. Mais pas à ceux des Ballister. Ces derniers avaient autant de respect pour les traditions de ces sauvages d'Écossais que pour celles des Hindous ou des Hottentots. Ils considéraient désormais Anne comme la maîtresse d'un bâtard. Autant dire une prostituée.

La boîte contenait une lettre du notaire de la famille qui annonçait à Anne qu'elle était déshéritée et que les siens souhaitaient rompre tout lien avec elle.

Edward et Anne n'avaient pas été surpris. Ils s'attendaient à cet ostracisme brutal et s'étaient enfuis en connaissance de cause.

Ce qu'ils ne pouvaient savoir en revanche, c'est que, trois mois plus tard, un élément du décor tomberait sur Edward au cours d'une répétition, le tuant sur le coup, sans lui laisser le temps de prendre les mesures nécessaires pour protéger sa femme et l'enfant qu'elle portait.

Six mois après la disparition tragique d'Edward, Anne avait épousé John Grenville. Comme il était écrit dans son journal intime, il avait su la convaincre qu'il l'aimait, qu'il la protégerait. À dix-sept ans, enceinte et désormais seule au monde, elle n'avait guère eu le choix. Et c'est seulement quand Grenville s'était servi de son bébé pour tenter de se faire accepter par les Ballister qu'elle avait compris son erreur.

Elle était cependant restée avec lui. C'était cela ou la rue. Puis la naissance de Sarah l'avait privée de ses forces. Sinon elle aurait fini par quitter John Grenville, Lydia en était persuadée.

Les éléments contenus dans la boîte auraient déclenché un scandale bien plus grand que la pauvre histoire narrée dans les pages du journal intime. Tous les éditeurs de Londres se seraient battus pour entrer en possession de ces documents, et il ne fallait pas s'étonner que le cabinet Carton, Brays et Carton ait versé une somme rondelette pour les obtenir, et les enterrer promptement.

Contrairement au journal intime, la boîte avait été oubliée dans la salle d'archivage lorsque l'actuel marquis de Dain avait fait transférer ses affaires dans un autre cabinet juridique. Et il fallait avouer qu'Ainswood avait eu un flair et une chance extraordinaires en mettant la main dessus.

C'est ce que lui dit Dain le lendemain, lorsque Lydia et son mari l'eurent mis au courant de leur découverte.

— C'est incroyable ! Qu'est-ce qui t'a conduit à pousser la porte de ce repaire d'ivrognes et de dégénérés ?

— Toi. Diverses réflexions que je n'ai pas notées sur le moment, mais qui ont fini par me mettre la puce à l'oreille. Tu m'as dit que les Ballister n'étaient pas portés aux confidences. Qu'ils avaient toujours eu un faible pour le théâtre. Tu as aussi trouvé extraordinaire que la tache de naissance des Ballister ait été transmise par une femme. Anne connaissait cette particularité familiale, mais n'en a jamais fait mention dans son journal. Cela a éveillé mes soupçons. Il m'a suffi ensuite d'additionner deux et deux. Et dans la mesure où elle s'était enfuie du vivant de ton père, j'ai commencé mes recherches par le cabinet de ses hommes de loi.

Dain se mit à rire et passa le bras autour de la taille épaissie de Jessica.

— Maintenant que la filiation de Lydia est clairement établie, vous ne pensez pas qu'il faudrait fêter cela ? Personnellement, je ne dirais pas non à une coupe de champagne !

Le lundi matin, Bertie Trent et sa fiancée se retrouvèrent dans un salon d'Ainswood House, mais pas pour s'y livrer aux coupables activités auxquelles pensent les jeunes couples dès qu'ils peuvent voler un moment d'intimité.

Ils voulaient réfléchir au moyen de mettre un terme à une guerre.

Tous les autres s'étaient réunis dans la bibliothèque et se disputaient allègrement pour savoir où aurait lieu leur mariage. Et cela durait depuis le matin. Longlands, Athcourt, Londres, chacun avait son idée, et c'était à qui offrirait le plus d'argent pour doter Tamsin et assurer l'avenir du jeune couple.

Bien sûr, Dain et Ainswood étant les plus remontés, un compromis semblait hors de question.

Tamsin était toute retournée. Elle ne souhaitait pas de dot, mais ne voulait blesser personne. Bertie ne savait comment l'apaiser et refusait de donner son avis de crainte de donner l'impression de prendre parti.

— Au train où vont les choses, ils se crêperont toujours le chignon le jour du jugement dernier, soupira-t-il.

— C'est peut-être très ingrat de ma part, mais j'avoue que l'idée de fuir en Écosse commence à me séduire.

Le visage de Bertie s'éclaira.

— Inutile d'aller si loin. Il y a des églises partout dans Londres. Et dans chaque église, il y a un prêtre, que je sache.

Leurs regards se croisèrent.

— Nous leur avons dit que nous partions nous promener, murmura Tamsin.

— Et j'ai la dispense de bans, ajouta Bertie en tapotant sa poche de gilet.

— Je vais chercher mon chapeau !

Quelques minutes plus tard, ils se dirigeaient vers l'église St James de Piccadilly. Ils allaient emprunter York Street quand ils croisèrent un homme d'âge moyen, bien vêtu, qui portait des lunettes rondes.

Il s'immobilisa en les voyant, et Tamsin l'imita.

— Papa ! cria-t-elle.

— Tamsin !

Il ouvrit les bras et elle courut s'y jeter.

— Ça alors, quelle coïncidence ! s'exclama Bertie en souriant.

Les effusions terminées, M. Prideaux expliqua qu'il venait de réserver sa place sur un transatlantique pour tenter de retrouver sa fille en Amérique quand la lettre de Bertie lui était parvenue.

— Ta mère ne m'a pas fait prévenir, et j'ai découvert ta disparition très tardivement. Je sais bien que c'est ma faute. Si j'avais été présent…

— Je ne vous en tiens pas rigueur, papa. Comme vous, j'aurais travaillé jour et nuit pour échapper à maman si je l'avais pu, soyez-en sûr. Mais oublions cela. Vous allez pouvoir me mener à l'autel, et c'est tout ce qui compte.

Bertie toussota, puis, ayant obtenu leur attention, déclara :

— Il me vient à l'esprit que personne n'aura d'objection à ce que ce soit le père de la future mariée qui choisisse le lieu du mariage. Alors pourquoi ne pas envoyer un mot à Ainswood House pour inviter tout le monde ? Je suis sûr que vous aimeriez que la duchesse assiste à nos noces, Tamsin. Et songez à Elizabeth et à Emily qui ont déjà raté le mariage de leur cousin. Cela m'ennuierait de leur infliger une nouvelle déception.

— Oh, Bertie, vous êtes l'homme le plus gentil du monde ! s'exclama Tamsin, les yeux brillants de larmes. Voyez comme j'ai de la chance d'épouser un tel homme, papa.

Tandis que Bertie rougissait jusqu'aux oreilles, M. Prideaux acquiesça :

— Tu as de la chance, en effet. J'espère que vous me permettrez de rédiger ce mot pour inviter vos amis.

Peu après, un sacristain fut dépêché à Ainswood House avec un billet. Et à peine un quart d'heure plus tard, les invités pénétraient dans l'église. Il n'y eut ni protestations ni reproches, juste quelques larmes d'émotion versées par l'assistance féminine, et quelques aboiements intempestifs de la part de Brigitte.

Après la cérémonie, M. Prideaux convia la compagnie à se rendre à l'hôtel Pulteney – où il était descendu –, pour prendre un rafraîchissement, qui se révéla être un somptueux déjeuner dans un salon privé.

Le père de la mariée annonça qu'il avait retenu la meilleure suite de l'établissement pour que les tourtereaux passent leur nuit de noces.

L'hôtel étant fort luxueux, il apparut évident à tout le monde que M. Prideaux était plus qu'à l'aise financièrement. Même Bertie, qui ne pouvait additionner les shillings et les livres sans avoir mal au crâne, aboutit à cette conclusion logique.

— Il me semble, ma chérie, que vous avez oublié de me préciser que votre père est riche comme Crésus, glissa-t-il à Tamsin.

Celle-ci rougit et se mordit la lèvre.

— Je comptais vous le dire à Athcourt, quand vous m'avez demandée en mariage. Mais vous m'avez expliqué que vous aviez fui comme la peste les héritières que voulait vous présenter votre tante, et j'ai eu peur. Je sais, c'est stupide, mais je ne voulais pas que vous me considériez comme une petite fille riche. Je craignais que cela vous mette mal à l'aise, que peut-être votre fierté en souffre. Je vous demande pardon, Bertie. Je ne suis pas d'une nature hypocrite, mais je ne supportais pas l'idée que vous vous détourniez de moi !

Riant, il la prit dans ses bras et l'embrassa sur le bout du nez.

— Ça ne risque pas d'arriver, ma chérie. Je n'irai nulle part… sauf dans votre lit !

20

Longlands, Northamptonshire
Une semaine plus tard

Les domestiques de Longlands avaient entendu dire par ceux d'Ainswood House que leur nouvelle maîtresse, contrairement au duc, ne plaisantait pas avec l'ordre et la propreté.

En conséquence, ils avaient fait reluire le moindre bibelot de la vaste demeure désormais parfaitement rangée, qui fleurait bon la cire d'abeille et le citron.

Alignés en rang d'oignons, ils accueillirent le duc et la duchesse à leur arrivée, et poussèrent des hourras lorsque le maître souleva sa femme pour lui faire franchir le seuil ancestral.

La vieille gouvernante pleura de joie en retrouvant Elizabeth et Emily qu'elle n'avait pas vues depuis si longtemps. Et Morton lui-même, le majordome, écrasa une larmichette lorsque le duc déposa sa femme dans le hall, au milieu d'une meute de mastiffs qui bondissaient joyeusement pour leur souhaiter la bienvenue.

L'arrivée de Brigitte sema un instant le trouble parmi la gent canine. Étant l'intruse et la seule femelle, elle commença par montrer les crocs aux quatre autres.

— Tais-toi donc et va faire connaissance, lui conseilla Vere. Tu ne vois donc pas qu'ils veulent jouer ?

L'argument dut porter, car au bout d'une minute Brigitte consentit à se détendre et à laisser s'approcher les quatre mâles.

Le duc et la duchesse abandonnèrent les chiens pour rejoindre leurs appartements.

Ils empruntèrent un couloir aux murs duquel étaient suspendues des huiles, des aquarelles, des esquisses au fusain figurant divers endroits de la propriété de Longlands, mais également des membres de la famille Mallory.

Vere s'immobilisa devant un portrait qu'il n'avait pas vu depuis dix-huit mois. Sa gorge et sa poitrine se contractèrent.

— C'est Robin, dit-il à sa femme. Je vous ai parlé de lui. Un peu. Et Elizabeth et Emily l'ont certainement fait aussi.

Les mots avaient du mal à sortir.

— Un bel enfant, commenta-t-elle.

— En effet. Nous avons d'autres portraits de lui, mais celui-ci est mon préféré. L'artiste a su capter son sourire, celui que Robin semblait garder pour lui-même. Charlie avait le même. Seigneur, quel idiot j'ai été ! J'aurais dû prendre ce tableau, l'emporter avec moi. On ne peut pas regarder ce visage d'enfant sans voir le soleil, n'est-ce pas ? Dieu sait que j'en aurais eu besoin !

— Mais vous ne vous attendiez pas à trouver le soleil.

— C'est vous qui m'avez ouvert les yeux. Grâce à vous, ma chérie, je peux enfin parler de lui, avec vous, avec ses sœurs. C'est devenu de moins en moins difficile au fil des jours, mais aujourd'hui, je n'étais pas sûr de pouvoir regarder ce tableau. Pauvre Robin. Je n'ai guère honoré sa mémoire. Dans mon cœur, il ne restait que la mort, la pourriture et une colère noire que je transportais partout avec moi. C'est si injuste envers un petit garçon qui ne m'a apporté que de la joie durant six mois.

Il quitta des yeux le portrait pour croiser le regard de sa femme.

— Il me manquera toujours, mais j'ai tant de bons souvenirs de lui. C'est une bénédiction. Et j'ai une famille avec laquelle partager ces souvenirs. C'est une autre bénédiction.

Il sourit et ajouta :

— Et je suis impatient d'agrandir cette famille. Je me demande quel genre de petits démons nous engendrerons.

Elle lui rendit son sourire.

— Ne serait-ce pas merveilleux de concevoir un enfant aujourd'hui, pour notre premier jour ensemble dans cette maison ? dit-elle doucement. Un enfant de l'amour, conçu dans la lumière du soleil… Il aura sûrement toutes les audaces et deviendra une vraie canaille, comme son père.

— Et une tête brûlée, comme sa mère !

Ils échangèrent un baiser passionné. Puis, ses yeux bleus pétillant de malice, Lydia murmura :

— Ce n'est pas le tout d'échafauder de beaux projets, Votre Grâce. Il faudrait peut-être le faire, cet enfant.

— Vos désirs sont des ordres, madame.

Et il l'entraîna vers leurs appartements.

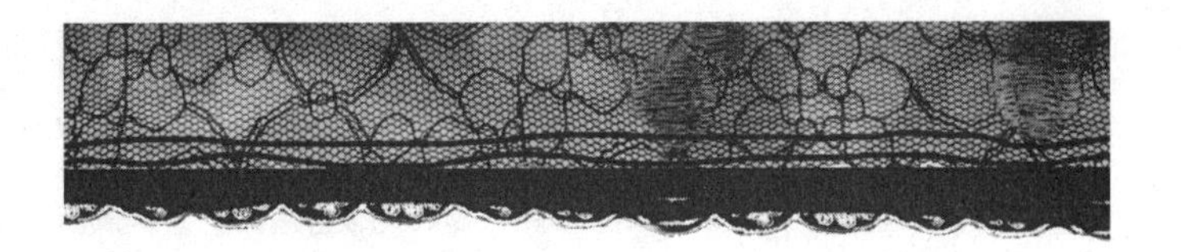

Le 15 février

Passion intense

Des romans légers et coquins

Inédit **_Les frères McCloud - 1 -_**

Derrière les portes closes ☙ **Lisa Marie Rice**

Expert en surveillance, Seth Mackey espionne la vie du millionnaire Victor Lazar et de ses innombrables maitresses. La dernière en date est d'ailleurs très différente. Raine Cameron est belle, vulnérable, innocente. Nuit après nuit, au fur et à mesure qu'il l'observe sur ses écrans vidéo, Seth sent s'éveiller en lui une ardente passion. Mais il ne peut se permettre la moindre erreur. Seth en est persuadé, Lazar a tué son demi-frère. Il lui faut donc mener l'enquête dans le plus grand secret car sa vie est en jeu. Et pas seulement la sienne...

Désir brûlant ☙ **Nicole Jordan**

Presque toutes les nuits, Raven Kendrick fait un rêve... un rêve érotique dans lequel elle est sur une plage exotique avec l'amant de ses rêves.

Raven débarque à Londres où elle doit épouser un illustre duc. Le jour de son mariage, elle est mystérieusement enlevée. Le frère de son ravisseur, Kell Lasseter, vole à son secours. Et, pour réparer les torts causés par son frère, il la demande en mariage. Raven accepte car seule cette union arrangée pourrait sauver sa réputation, mais un ardent désir va les unir malgré eux... D'autant que Kell ressemble intensément à l'amant torride qui hante les nuits de Raven...

Le 1er février

CRÉPUSCULE

Inédit ***L'exécutrice - 4 -***
L'Orchidée et l'Araignée ☙ **Jennifer Estep**
Me voilà, Gin Blanco, redoutable tueuse à gages connue sous le nom de l'Araignée. J'ai une cible bien précise : Mab Monroe, une élémentale de Feu. Cette dernière a engagé l'un des assassins les plus dangereux pour me piéger. Elektra LaFleur, habile et efficace, détentrice d'une magie élémentale mortelle, aussi puissante que mes propres pouvoirs. Ce qui signifie donc qu'une seule de nous deux restera en vie… Et Elektra a une deuxième mission : tuer ma petite sœur, l'inspectrice Bria Coolidge. Gros problème : Bria n'a aucune idée que je suis sa sœur… ou plutôt le meurtrier qu'elle traque depuis des semaines. Or, ce que Bria ne sait pas pourrait faire bien des victimes…

Et toujours la reine du roman sentimental :

Barbara Cartland

« Les romans de Barbara Cartland nous transportent dans un monde passé, mais si proche de nous en ce qui concerne les sentiments. L'amour y est un protagoniste à part entière : un amour parfois contrarié, qui souvent arrive de façon imprévue.
Grâce à son style, Barbara Cartland nous apprend que les rêves peuvent toujours se réaliser et qu'il ne faut jamais désespérer. »

Angela Fracchiolla, lectrice, Italie

Le 1er février
Une trop jolie écossaise

Le 15 février
Qui êtes-vous, Alexander ?

9831

Composition
FACOMPO

Achevé d'imprimer en Italie
par Grafica Veneta
le 4 décembre 2011.

Dépôt légal : décembre 2011.
EAN 9782290026755

ÉDITIONS J'AI LU
87, quai Panhard-et-Levassor, 75013 Paris

Diffusion France et étranger : Flammarion